LES PARISIENS

sont pires que vous ne le croyez

Romans

La République de Monte-Carlo, Denoël, 1990
Le Testament du gouverneur, Boréal, 1992
Le Zoo de Berlin, Boréal, 2000 (prix France-Québec)
Long Beach, Denoël, 2006
Dernier voyage à Buenos Aires, Notabilia, 2013

Essais

Erreurs de parcours, Boréal, 1982
Et Dieu créa les Francais, Robert Davies, 1995
Le Salon des immortels. Une Académie très francaise, Denoël, 2002
Ces impossibles Français, Denoël, 2010. Folio n° 5312
Sète la singulière, Au fil du temps, 2011

Louis-Bernard Robitaille

LES PARISIENS

sont pires que vous ne le croyez

DENOËL

Ouvrage publié sous la direction
de Renaud de Rochebrune

Introduction

Mal-aimés

Le Parisien a mauvaise réputation.

Ce n'est pas le cas de Paris qui, sur la terre entière, rallie tous les suffrages. On n'entend que des éloges à son sujet. Certains prétendent que Rome sera toujours, loin devant elle, la plus belle ville du monde, d'autres que Londres et New York sont plus dynamiques. Mais personne ne contestera que Paris est la seule capitale à réunir autant de qualités exceptionnelles et à une telle échelle. Sur le plan architectural, ses quartiers les plus anciens ont disparu et il n'en reste plus ici et là que de rares vestiges isolés, mais l'ensemble constitue un chef-d'œuvre d'urbanisme fin XIXe, cartésien, harmonieux, un peu austère, signé baron Haussmann. Paris n'est plus depuis longtemps le centre mondial de la création artistique et du marché de l'art, mais, depuis le Louvre jusqu'au musée d'Orsay et à Beaubourg, la richesse de ses centaines de musées est incommensurable. Entre le Palais-Garnier, l'Opéra-Bastille, le Théâtre des Champs-Élysées, le mélomane a accès aux plus grandes productions mondiales d'art lyrique. C'est la seule ville de la planète où un petit chef-d'œuvre d'un cinéaste portugais ou turc peut rester à l'affiche pendant six mois, tandis que des salles de répertoire ou la Cinémathèque projettent en permanence des rétrospectives de Fellini, Kurosawa ou Ozu. Paris propose aux visiteurs une qualité de vie unique au monde : c'est une ville à dimension humaine, où l'on peut sillonner à pied les arrondissements centraux, s'arrêter à tous les coins de rue dans des cafés, certes moins nombreux et souvent plus standardisés qu'ils ne le furent, et finalement se mettre à table dans l'un ou l'autre des innombrables restaurants, depuis le petit bistrot de quartier (qui a parfois survécu) jusqu'au restaurant trois-étoiles, en passant par une brasserie célèbre comme Lipp ou Bofinger ou un grand restaurant marocain. Certes, pour le grand malheur de tous, on trouve le Forum des Halles, fruit de l'un des plus grands désastres urbanistiques de l'époque moderne, mais également les poneys du jardin du Luxembourg, le funiculaire du métro Anvers qui rejoint le sommet de la butte Montmartre, un vestige de l'enceinte de Philippe Auguste, au premier étage d'un immeuble de la rue Descartes, dans le quartier Mouffetard. Et Paris a les plus beaux cimetières du monde.

Mis à part le temps, généralement gris et pluvieux six mois par an, on n'a que compliments à faire sur cette ville, et le monde entier y accourt. Il y a ce qu'on appelle le tourisme de masse : la capitale française est en principe la première destination touristique au monde avec ses quelque vingt-huit millions de visiteurs. Même s'il faudrait défalquer de ces statistiques flatteuses une partie des quinze millions d'heureux clients du parc Disneyland, dont beaucoup repartent chez eux sans même pénétrer à l'intérieur de la ville. En revanche, au sein de la *jet-set* ou dans les milieux cultivés d'Europe, d'Amérique, d'Afrique et d'Asie, Paris est sans aucun doute l'une des premières destinations au monde sinon la première. Le Louvre est le musée le plus fréquenté de la planète avec près de neuf millions de visiteurs par année. Les somptueux palaces parisiens — Ritz, Crillon et autres Plaza Athénée — affichent complet toute l'année, et la dizaine de restaurants trois-étoiles, où l'on paie facilement plus de trois cents euros par personne le soir, ont des listes d'attente qui dépassent le mois. Paris est une *success story*, selon l'expression en vogue dans les milieux chics.

Mais qui aime les Parisiens? Peu de gens en vérité. Tout le monde les connaît, et c'est bien là le problème. L'habitant de Paris — ou celui qu'on soupçonne de l'être — est victime de son *coefficient de notoriété*, comme disent les instituts de sondages. La France entière, une bonne partie des Européens et un nombre important de Nord-Américains et d'Asiatiques ont une opinion bien arrêtée sur le personnage, alors qu'ils n'en ont guère sur les New-Yorkais ou les Londoniens, voire les Romains, espèces moins typées.

Pendant quelques décennies, pour le compte de *La Presse*, principal quotidien du Québec, j'ai eu la tâche redoutable et amusante, depuis Paris, d'expliquer les Français aux cousins d'Amérique. Les Français, c'est-à-dire d'abord les Parisiens puisque, chacun le sait, la plupart des décisions importantes se prennent dans la capitale.

La France est le seul pays au monde à concentrer sur un seul territoire — de surcroît minuscule et parfaitement clos — tous les leviers de commande en politique, en économie et sur le plan culturel. En arrivant pour prendre son poste de correspondant du célèbre hebdomadaire le *New Yorker*, juste au moment des grandes grèves de 1995, Adam Gopnik s'étonnait de ce que des grévistes réussissent à paralyser tout un pays en se contentant de bloquer la capitale[1]. C'est que tout s'y passe ou presque. Lancez une bombe atomique à neutrons sur Paris — en débordant légèrement sur la Défense, Issy-les-Moulineaux, Boulogne et Suresnes —, vous aurez pratiquement annihilé le pays, son gouvernement, son cinéma, sa télévision, la direction de ses banques et de ses industries — à l'exception de Michelin et de quelques autres —, la Sorbonne et les Grandes Écoles les plus prestigieuses, la Comédie-Française, le Crazy Horse Saloon et l'Institut du monde arabe. Même l'agriculture se trouverait décapitée, puisque la puissante FNSEA (Fédération nationale des syndicats d'exploitants agricoles) siège au 11, rue de la Baume, en plein 8ᵉ arrondissement, pas très loin de l'Assemblée permanente des chambres d'agriculture, logée dans un ancien hôtel particulier de l'avenue George-V.

Paris monopolise les pouvoirs comme aucune autre capi-

---

1. «Cette grève est surtout parisienne, écrit-il. Elle n'en est pas moins nationale, étant donné la centralisation absolue du pays. En Amérique, pour atteindre le même résultat, il faudrait fermer le métro new-yorkais, la poste de Washington et l'autoroute de Santa Monica.» In A. Gopnik, *De Paris à la Lune*, Nil éditions, 2003.

tale dans le monde. Il m'a fallu de longues années pour prendre la mesure de cette spécificité très ancienne[1] et admettre que cette situation unique avait fini par produire un animal historique lui aussi unique — le Parisien —, dont l'originalité s'est perpétuée depuis trois ou quatre siècles malgré toutes les convulsions politiques, les guerres et les mutations sociologiques. Le Parisien n'est pas seulement — ou principalement — un citoyen du monde tout juste différent des autres, un Occidental qui aurait au fond les mêmes problèmes et les mêmes motivations que ses contemporains, qu'ils soient de Francfort, Londres, Rome ou Moscou. Il constitue un objet singulier pour anthropologues qui mériterait de se voir consacrer une chaire spécifique au Collège de France.

Le Parisien se prend pour le nombril de l'univers, cela ne fait aucun doute. Il est au courant de tout. Le garçon de café, le chauffeur de taxi et même le portier du George-V ont un avis péremptoire sur la marche de l'univers, les prix littéraires de l'année, le gouvernement des États-Unis. C'est en tout cas l'impression que le touriste ramène de son passage dans la capitale : trois fois par jour, il s'est trouvé

---

1. Dès 1783, le prolifique écrivain des Lumières Louis-Sébastien Mercier (1740-1814) écrivait : «Vu politiquement, Paris est trop grand : c'est un chef démesuré pour le corps de l'État; mais il serait plus dangereux aujourd'hui de couper la loupe que de la laisser subsister. Il est des maux qui, une fois enracinés, sont indestructibles.» In *Le Tableau de Paris*, La Découverte, 2008. La *loupe* était un terme médical signifiant, selon Littré, «une tumeur indolore qui vient sous le peau et qui contient une matière pultacée» — c'est-à-dire une «bouillie».

quelqu'un pour lui faire la leçon, lui expliquer les bonnes manières, le prendre de haut. Un patron de presse canadien qui a réservé un salon particulier chez La Pérouse (restaurant qui a depuis longtemps perdu ses trois étoiles, mais reste fort cher) commande une bouteille de montrachet en prononçant le « t », ce qui lui vaut une mise au point du larbin en tenue : « On ne dit pas *mon-Trachet*, monsieur, mais *mont-Rachet.* » Mauvaise humeur du patron : « Je ne sais pas si on dit *mont-Rachet* ou *mon-Trachet*, tout ce que je sais c'est que chaque fois que j'en ai commandé j'ai été servi. — Bien, monsieur », réplique le maître d'hôtel avec une courtoisie appuyée qui signifie : c'est quand même vous le blaireau. Les Américains de passage — et pas qu'eux — trouvent insolente jusqu'à l'obséquiosité des concierges des palaces.

Dans la comédie britannique de 2009, *In the Loop*, qui met en scène le féroce directeur de la communication de Tony Blair, Alastair Campbell, à la veille du déclenchement de la guerre en Irak, le comédien James Gandolfini[1], qui incarne un Colin Powell pachydermique, se lamente devant sa collègue britannique : « Je suis un militaire. Les civils trouvent que la guerre est une idée formidable, mais quand on l'a connue, qu'on a vu les morts, on ne veut pas y retourner. La guerre, pour tout dire, ma chère… c'est comme la France ! » On aura compris qu'il parlait de la capitale.

---

1. James Gandolfini est surtout célèbre pour avoir tenu le rôle d'un patron de la mafia du New Jersey dans *The Sopranos,* une célèbre série télévisée produite par la chaîne américaine HBO et diffusée de janvier 1998 à juin 2007.

La plupart des étrangers familiers de cette ville ont une histoire à raconter sur le sujet. Elle tourne généralement autour des chauffeurs de taxi, des garçons de café, ou simplement du snobisme ambiant. Ainsi cette équipe de production d'une chaîne canadienne anglophone, qui venait tourner un épisode d'une série télévisée à gros budget. Une scène se passait devant le célèbre Café de Flore, boulevard Saint-Germain. «Vous voyez tous ces clients en terrasse? me disait avec un sourire dépité le réalisateur. Ils tournent la tête, ils font semblant de ne rien remarquer, ça ne les intéresse pas du tout. Quels snobs!»

Au cours des houleuses primaires socialistes de l'automne 2013 en vue des élections municipales du mois de mars 2014, les deux derniers candidats en lice à Marseille — Patrick Mennucci et Samia Ghali — avaient échangé quelques noms d'oiseaux au cours d'un violent débat télévisé sur France 3. À la vérité, c'est la sénatrice des quartiers nord qui envoyait des tombereaux d'injures à la tête de son adversaire, candidat favori des sondages et de la direction nationale du Parti socialiste. L'affrontement avait culminé sur cette injure suprême : «Patrick Mennucci est le candidat de Paris!» hurlait-elle. «Samia Ghali me traite de Parisien!» tonnait Mennucci, rappelant que le très controversé président du Conseil général, le socialiste Jean-Noël Guérini, lui avait déjà fait le coup lors d'un précédent duel électoral en le représentant affublé du maillot des supporters du Paris Saint-Germain! *Parisien* constitue à Marseille l'une des deux injures suprêmes, la seconde étant de celles qu'on ne peut pas décemment reproduire dans un livre.

«Mais n'est-ce pas le nom d'une insulte dès qu'on dépasse la porte d'Orléans?» s'interrogeait alors *Le Monde* avec une pointe d'ironie.

Les provinciaux, c'est un fait avéré, ne pensent guère de bien de ces compatriotes de la capitale. D'ailleurs beaucoup d'entre eux y viennent le moins souvent possible, ou alors pour affaires, familiales ou professionnelles. Certains passent leur vie à voyager autour du monde sans presque jamais s'y arrêter. À Lyon, Angoulême, Bordeaux ou Nice, ils sont quelqu'un, on les salue, on leur tape sur l'épaule et on leur donne du Monsieur. À Paris, ils ne sont plus rien : rien que des provinciaux qui passeront inaperçus — ou pour des provinciaux justement. Les Franciliens — dénomination polie pour désigner les banlieusards — sont à cet égard dans une situation singulière. Comme on le verra plus loin, ils sont souvent les plus authentiques dépositaires de l'esprit parigot, râleurs, agressifs et parfois spirituels. Une majorité d'entre eux traversent tous les jours le périphérique pour venir vendre des tablettes tactiles chez Darty, tenir un kiosque à journaux au Palais-Royal ou faire le serveur dans une brasserie de la Bastille. Certains sont les meilleurs connaisseurs de la ville et leurs parents y habitaient. D'ailleurs, sur leurs lieux de vacances, l'été, ils se présentent volontiers comme Parisiens et réussissent par leurs vantardises à exaspérer leurs voisins de camping aussi sûrement que s'ils arrivaient directement d'un penthouse de la place Saint-Sulpice. Mais eux-mêmes savent pertinemment qu'il y a un fossé social et culturel entre Parisiens et Franciliens, entre l'intérieur et l'extérieur du périphérique. Ils n'ignorent pas ce que les Parisiens pensent d'eux et en retour eux-mêmes ne les aiment guère. La mauvaise image du Parisien est si universelle que l'impétrant en vient parfois à se détester lui-même. Côté pile, il se rengorge d'être un «vrai Parisien». Côté face, il s'empressera de vous expliquer qu'il n'a rien en commun avec tout cela, les Parisiens et le parisianisme, qu'il en a fait le tour depuis longtemps et que ça ne l'intéresse plus. Paris, dit-il volontiers, est le haut lieu du cynisme, de la futilité et des fausses valeurs, c'est une ville sans âme et sans racines, et lui-même ne se sent revivre que lorsqu'il revient dans son Périgord natal (ou sa Bretagne, ou sa bonne ville de Bordeaux). Il se flatte de venir d'ailleurs et s'inventera au besoin une enfance lorraine ou des grands-parents ardéchois, car être né dans la capitale, c'est un peu comme arriver au monde déjà vieux et décadent, sorte de Pu Yi en sa Cité interdite. L'antiparisianisme est le stade suprême du parisianisme.

En politique on ne se trompera jamais en donnant dans le *Parisien bashing*. Le «patron» très controversé de l'UMP, Jean-François Copé, a beau être né dans les beaux quartiers et y habiter, il ne manque jamais d'épingler les coteries parisiennes ou germanopratines «déconnectées de la réalité». Lui-même, assure-t-il, ne désirerait rien tant que de se consacrer à jamais à sa bonne ville de Meaux. Le ministre des Finances Pierre Moscovici, qui avoue à l'occasion avoir eu une jeunesse de «fils à papa» et de «minet», déclare sans rire qu'à la fréquentation du Café de Flore il préfère aujourd'hui celle du Clemenceau, grand café de

Montbéliard, la ville lointaine dont il est député. Avant lui, Raymond Barre balayait du revers de la main toute critique embarrassante d'un «Tout cela, c'est le microcosme parisien». En 1983, alors que le régime mitterrandien plongeait dans l'impopularité et que les syndicats de police manifestaient dans la rue contre le «laxisme» du gouvernement en matière de sécurité, l'ancien ministre de l'Intérieur de Giscard d'Estaing, Christian Bonnet, écrivait à propos du garde des Sceaux Robert Badinter qu'il était «l'incarnation d'une certaine moisissure parisienne». On y avait vu la trace du vieil antisémitisme de la vieille droite française. Cela se discute, bien qu'en vérité on se demande à quel politicien non juif, si Parisien de souche fût-il, il aurait appliqué une expression aussi connotée. On remarquera surtout que ce Bonnet avançait l'idée — rarement formulée avec autant de clarté — que tout être humain ayant vécu, depuis sa naissance ou pendant de longues années, à l'intérieur des limites du périphérique était forcément condamné à moisir, à attraper des maladies contagieuses et à dégénérer.

Le Parisien, on le voit, ne laisse jamais indifférent. Il mérite sans doute les quolibets, mais également qu'on s'intéresse à son cas. C'est ce que nous allons faire dans cet ouvrage, sans prétendre à l'objectivité ou à l'exhaustivité. Au-delà des clichés les plus gros et les plus courants — qui mettent à peu près tout le monde d'accord —, la réalité parisienne est une matière tellement riche et complexe qu'on pourrait en faire le sujet d'une encyclopédie en dix tomes et adopter des positions radicalement contradictoires sur la plupart des questions abordées. Le portrait des

Parisiens qui va suivre est forcément partiel et partial. Il se veut sans préjugés et à peu près honnête — du moins en ce qui concerne les chiffres et les dates —, même si à la vérité on pourra y découvrir ici et là, juste pour le plaisir, une pincée de mauvaise foi, disposition d'esprit elle-même très parisienne, et qui ne surprendra ni ne choquera personne sous cette latitude.

I

BALISES

1

Le cadeau d'Adolphe Thiers

Le Parisien est un personnage survolté. Paris est un champ de bataille. Une cocotte-minute dont l'inventeur, on le verra, est un certain Adolphe Thiers, mieux connu pour ses exploits de « massacreur de la Commune ».

Simple coïncidence, mais dans cette ville on s'échauffe aisément, pour un oui ou pour un non. Au café, le garçon s'empresse de vous chasser de la table que vous venez de trouver en bordure de terrasse au prétexte qu'elle est déjà réservée, ou qu'il escompte y caser quatre clients, ou encore qu'à partir de onze heures du matin elle est « montée » pour le déjeuner et que vous serez bien plus tranquille au fond du café face aux toilettes. Le buraliste accepte de vous vendre des cigarettes ou des timbres, mais en vous faisant comprendre avec l'amabilité d'un bouledogue qu'il s'agit d'une faveur relevant de son libre arbitre, et si ça ne vous convient pas vous pouvez toujours aller ailleurs, *il y a des tabacs à tous les coins de rue et d'ailleurs ça ne me rapporte rien, des clopinettes!* Le chauffeur de taxi balance entre l'intimidation et le fatalisme désabusé avant même que vous ayez indiqué votre destination et vous fait comprendre, si vous exprimez des doutes sur la direction qu'il a empruntée, qu'il n'a pas besoin de vos conseils pour choisir l'itinéraire. Si naïvement vous vous avisez de lui faire remarquer que vous avez attendu vingt bonnes minutes avant de voir apparaître une voiture libre, il vous fait savoir sur un ton lourd de menaces qu'il y a déjà bien trop de taxis dans Paris mais qu'ils sont tous coincés dans les bouchons. D'ailleurs vous vous trouvez justement rue de Rivoli, dans un embouteillage terminal où les automobilistes se défient du regard quand ils se trouvent bord à bord, chacun soupçonnant l'autre de profiter d'un moment d'inattention pour le doubler d'une superbe queue de poisson. Sous vos yeux et jusqu'à l'horizon, un amas de tôles surchauffées parfois animé de coups de klaxon nerveux et de bordées d'injures des plus diverses — *alors t'avances ton tas de ferraille eh ducon!* —, tandis que des nuées de desperados à deux roues se faufilent entre les voitures lorsqu'il reste le moindre espace, envahissent les couloirs de bus, bondissent sur les trottoirs lorsqu'il n'y a pas d'autre issue et surgissent à nouveau sur la chaussée pour se remettre en pole position au prochain feu de circulation. Très souvent il s'agit de coursiers, francs-tireurs qui constituent une sorte de poste urbaine parallèle et passent leurs journées à sillonner la ville pour le compte d'innombrables services de messagerie. Le coursier est un personnage hautement emblématique, une célébrité locale.

Bien sûr, il existe, surtout dans la matinée, des îlots de paix et de tranquillité, microquartiers situés à l'écart des principales voies de circulation, portions urbaines situées loin du centre-ville, squares et jardins. Mais même ces oasis commencent à se peupler dès le début de l'après-midi, pour peu qu'il ne fasse pas un froid polaire ou qu'il ne tombe pas des hallebardes : dans le Marais, purement résidentiel et préservé des badauds il y a un quart de siècle, la place des Vosges, devenue le rendez-vous des cars de touristes, ou la rue des Francs-Bourgeois, désormais investie par les boutiques de vêtements, grouillent de monde dès qu'il y a un rayon de soleil et parfois quand il n'y en a pas. Le parc des Buttes-Chaumont ressemble au paradis terrestre, à condition de le fréquenter à onze heures du matin, en dehors des week-ends et des vacances scolaires. Il y a des grandes villes occidentales où l'on doit presque chercher la foule : à Londres, vous vous croirez dans une ville de province si vous vous cantonnez aux quartiers de Chelsea ou South Kensington, encore mieux Hampstead, si vous évitez Oxford Street et les abords des gares. À Paris c'est le contraire : il faut être fin connaisseur pour échapper à la foule. Partout règnent le vacarme et la promiscuité. Exemple, le secteur des Grands Boulevards, régi par une activité ininterrompue de six heures du matin à minuit. Les rues du Sentier sont perpétuellement surpeuplées parce que c'est le Sentier, le temple de la fringue. Les quartiers des gares sont normalement agités du matin au soir et deviennent frénétiques aux heures de pointe. Il en va de même des abords des Galeries Lafayette ou du Bazar de l'Hôtel de Ville en temps normal. Dans les semaines précédant les fêtes de fin d'année ou pendant les soldes, on y risque sa vie dans les mouvements de foule. Mais pour quiconque est un usager régulier du métro, du redoutable RER, des stations Châtelet ou Gare-du-Nord aux heures de pointe, cette concentration humaine n'a rien que de très banal.

Le Parisien a toutes les raisons d'être d'humeur agressive. Non seulement la ville est surpeuplée, mais sa population explose tous les jours de la semaine. À partir de six heures du matin affluent pour le travail un million de salariés venus de banlieue[1], les susdits coursiers, les vendeurs des grands magasins, de Conforama, de Darty, de Castorama, les gar-çons de café, les personnels d'entretien et de sécurité des immeubles de bureaux, les employés et cadres des banques et des assurances, sans compter tous ceux qui se contentent de transiter par Châtelet, Nation ou Gare-du-Nord pour se rendre à leur travail en banlieue ouest. Pendant ce temps, quelque trois cent mille Parisiens prennent leur voiture, un taxi ou les transports en commun pour rallier leur bureau, au-delà du périphérique, généralement à la Défense, Issy-les-Moulineaux ou Suresnes. À ce flux considérable il faut ajouter, dans une moindre mesure, les touristes, les provin-ciaux et d'autres banlieusards qui viennent pendant la jour-née flâner dans Paris. Cela fait du monde, dans les gares, dans le réseau du RER ou de la RATP, qui enregistrent quatre millions ou cinq millions de passages quotidiens. À lui seul, le RER B, qui dessert notamment les banlieues

---

1. Monique Pinçon-Charlot et Michel Pinçon, *Sociologie de Paris*, La Découverte, 2012.

nord, en comptabilise neuf cent mille. Pour ce qui est de la circulation automobile, elle se résume à un embouteillage pratiquement ininterrompu sur les grands axes est-ouest et nord-sud. Le franchissement du boulevard Sébastopol par un automobiliste qui a emprunté la rue de Rivoli entre la Bastille et la Concorde est une aventure incertaine qui met les nerfs à rude épreuve.

Cet état de crise permanente connaît des pics à intervalles réguliers. Heure de pointe le matin entre sept heures et neuf heures. Heure de pointe le soir de dix-huit à vingt heures. Aggravation régulière du phénomène le vendredi soir, lorsque les familles prennent rituellement la direction de leur résidence secondaire dans la forêt de Fontainebleau, en Normandie ou en Bourgogne. La congestion devient générale aux portes sud et ouest.

L'affaire prend des proportions épiques en cas de petit imprévu supplémentaire. Les manifestations syndicales ou politiques les plus importantes se déroulent toujours à Paris, comme il se doit. Souvent le samedi, heureusement, car cela gêne moins qu'un jour de semaine. Cependant il y a de nombreuses exceptions à la règle, notamment lorsqu'il s'agit de manifestations lycéennes et étudiantes. Il arrive que la paralysie d'un secteur localisé de la ville finisse par gagner progressivement les autres quartiers. Autre particularisme sympathique : les visites officielles. Je me souviens du premier voyage officiel à Paris de Mikhaïl Gorbatchev au milieu des années 1980 sous le premier septennat de François Mitterrand. La totalité des Champs-Élysées et une bonne partie des rues avoisinantes avaient été entièrement interdites à la circulation, ce qui avait eu pour effet de provoquer de monstrueux bouchons à travers toute la ville. Apparemment, les gouvernements qui se sont succédé depuis quinze ou vingt ans ont pris la mesure de l'impopularité de ces cortèges officiels qui sont aujourd'hui moins voyants et moins nombreux. Paris est un vase déjà bien rempli en temps normal, et il suffit d'une goutte pour qu'on le voie déborder.

Cette agitation stridente a une explication : de toutes les capitales occidentales, Paris est de loin la plus densément peuplée. Selon l'INSEE, on y relevait 20 980 habitants au kilomètre carré en 2008, contre seulement 4 978 pour Londres et 2 165 pour Rome. Symbole même de la ville tentaculaire dans un pays immensément peuplé, Shanghai affiche seulement 3 600 habitants au km^2. Bien entendu, le mode de calcul n'est pas le même d'une mégapole à l'autre : le Greater London, avec ses 1 570 kilomètres carrés pour 8,1 millions d'habitants, englobe, au-delà des cinq *boroughs* du centre-ville, une proche banlieue comparable à la petite couronne parisienne. Mais nulle part sur la Terre on n'a réussi à loger 2,25 millions d'habitants dans un espace de 105 kilomètres carrés — en fait 87 seulement si l'on soustrait les bois de Boulogne et de Vincennes. Le tour de force parisien s'explique : des immeubles généralement hauts de six ou sept étages, de nombreuses rues «préhaussmanniennes» souvent étroites, et la rareté de grands espaces verts, mis à part les squares, jolis mais de modeste dimension, dont Haussmann a méthodiquement saupoudré la ville, Maigre consolation : c'était bien pire avant. En 1872, le 1er arrondissement comptait 74 286 habitants, le 2e 73 578, le 3e 89 687, et le 4e battait tous les records avec 95 003 résidents. Les quatre arrondissements centraux, qui sont également les plus petits, comptaient alors pas loin de 350 000 habitants, contre à peine 100 000 à l'heure actuelle. La surpopulation atteignit son point maximum vers 1920, avec près de 2,9 millions de Parisiens. La ville est depuis quelques siècles un chaudron infernal qui rend fous ceux qui y habitent. Elle est désormais hermétiquement fermée par le boulevard périphérique qui la condamne à ne plus jamais sortir de ses frontières. La banlieue est susceptible de bouger, de se transformer, de s'étendre, de se remodeler. La ville bute sur cette barrière architecturale, urbaine et sociale aussi infranchissable qu'en son temps le mur de Berlin. À cette différence près que jamais personne ne trouva cette séparation normale. Elle fut considérée comme une monstruosité, un héritage de la Seconde Guerre mondiale. Et on avait tout de même laissé à Berlin-Ouest de beaux espaces verts en quantité. C'était presque la ville à la campagne. *A contrario*, l'encerclement de Paris a achevé pour de bon un chef-d'œuvre de béton et de pierre où tout l'espace est déjà occupé par des immeubles d'habitation ou de bureau, des monuments, des voies de circulation. Depuis longtemps on ne peut plus construire quoi que ce soit de nouveau, sauf à détruire ce qui existait déjà, comme les grandes Halles centrales, les abattoirs de la Villette dans le 19e, la Halle aux vins dans le 12e ou les entrepôts de la SNCF dans le 13e. Quant aux rares espaces verts dignes de ce nom — jardins du Luxembourg et des Tuileries dans le centre, parc Monceau, Montsouris, des Buttes-Chaumont dans les arrondissements plus excentrés —, leur ordonnancement à la française est tellement strict qu'on les croirait eux-mêmes taillés dans la pierre[1]. Si l'on cherche un peu de paix et des bribes de nature originelle dans Paris, on n'a plus qu'à se réfugier au cimetière du Père-Lachaise ou au Jardin des Plantes.

Le chaudron infernal est un cadeau d'Adolphe Thiers. Dans la mémoire collective, le souvenir de ce dernier n'a guère survécu que pour ses exploits pendant la Commune de Paris en 1871, quand depuis Versailles et sous le regard des armées allemandes installées aux portes de la capitale il reprenait aux *enragés* le contrôle de la ville lors de la semaine sanglante du 21 au 28 mai. Un tel fait d'armes a occulté à jamais le reste de sa carrière. Et pourtant il fut l'un des personnages centraux d'une bonne moitié du XIXᵉ siècle. Sa longévité politique, son habileté et sa versatilité ont fourni le moule originel de l'homme public opportuniste et insubmersible. Thiers annonçait les grands politiciens inamovibles et tortueux de la République, Edgar Faure, François Mitterrand, Jacques Chirac et bien d'autres.

Thiers fut précoce en tout et extraordinairement persévérant dans l'effort. Partisan d'une monarchie constitutionnelle, il fut de ceux qui poussèrent Louis-Philippe d'Orléans à prendre le pouvoir en 1830. À partir de là il

---

1. En comparaison, Londres compte trois immenses jardins à l'anglaise en plein centre-ville : Hyde Park, Holland Park et St. James Park.

devint pour quarante ans un pilier de la vie politique française, classé plutôt «à gauche», plusieurs fois ministre de l'Intérieur ou des Finances, deux fois président du Conseil entre 1830 et 1848, éternel rival de Guizot. Sous le Second Empire, le voilà opposant en chef au régime autoritaire, député «libéral» à partir de 1863. À la chute de Napoléon III, il constituait, à soixante-quatorze ans, un recours naturel et devint pour un an et huit mois le premier président — et homme fort — de la IIIe République.

La célébrité du baron Haussmann ne se discute pas : on lui doit le visage moderne de la capitale. Ses travaux pharaoniques, étalés sur une quinzaine d'années entre 1853 et 1868, ont sans états d'âme remodelé le vieux Paris, détruit au passage 40 000 immeubles, donné de la respiration aux douze arrondissements surpeuplés de l'époque. On doit au baron le tracé de l'axe Nation-Étoile, les grandes avenues qui partent de la place de l'Étoile, le boulevard Voltaire, la rue de Turbigo, et toutes ces lignes droites et ces diagonales qui structurent à jamais l'espace urbain.

En revanche on a un peu oublié ce qu'on doit à Adolphe Thiers. Si le président du Conseil des ministres de Louis-Philippe en 1840 n'avait pas décidé la construction de ce qui s'appellera — jusqu'à sa démolition dans les années 1920 — l'enceinte de Thiers, le tissu urbain aurait continué à proliférer en suivant ses propres lois, l'évolution de la démographie et de l'activité économique, comme à Londres ou à Rome.

À l'instar de la plupart des grandes villes européennes, Paris s'est développé en cercles concentriques, lesquels correspondaient aux enceintes fortifiées qui se sont succédé au fil des siècles. À l'époque romaine, la population de Lutèce, installée pour l'essentiel sur la rive gauche, avait fortifié l'île de la Cité par un mur de pierres qui longeait le rivage, à quinze mètres de la Seine. Cette enceinte gallo-romaine subsistera pendant plus de mille ans. S'y ajoutera, au Xᵉ siècle, une première enceinte destinée à protéger les populations massées sur la rive droite, et qui recouvrait en partie l'actuel quartier des Halles et du Marais. Un arc de cercle qui prenait naissance en bord de Seine à la hauteur de l'actuelle rue du Louvre remontait jusqu'à la rue de la Ferronnerie et se refermait en face de ce qui est aujourd'hui le pont Louis-Philippe.

L'enceinte de Philippe Auguste, édifiée de 1190 à 1213, a laissé davantage de vestiges, enchevêtrés dans des constructions postérieures, comme dans le quartier de la Contrescarpe. Elle dessine un Paris en modèle réduit. Sur la rive droite le périmètre s'est élargi pour englober la quasi-totalité des Halles et une partie plus importante de l'actuel Marais. Un nouvel arc de cercle est dessiné sur la rive gauche, depuis la tour de Nesle jusqu'à l'actuel quai de la Tournelle, en passant aux environs de l'actuelle chapelle de la Sorbonne. Une frontière qui délimite peu ou prou le Quartier latin.

Au milieu du XIVᵉ siècle, la population de Paris est passée de 50 000 à 200 000 habitants. On décide d'abandonner le mur de Philippe Auguste. La nouvelle enceinte, dite de Charles V, construite de 1356 à 1383, sera prolongée deux siècles plus tard et englobera les Tuileries, l'actuel quartier de la Bourse et la paroisse Saint-Roch. Au début de son règne, Louis XIV, sur l'avis de Colbert, décide de la faire raser. Il garde un mauvais souvenir des années de la Fronde et préfère une capitale privée de défenses.

La vingtaine de portes qui complétaient le dispositif furent progressivement rasées, entre 1670 et 1700. Sur l'emplacement de quatre d'entre elles on construisit des arcs de triomphe, dont certains ont survécu comme à la porte Saint-Denis et à la porte Saint-Martin. La démolition de l'enceinte laissa un large trou béant qu'on transforma en une voie de circulation bordée d'ormes baptisée le Nouveau-Cours, les futurs Grands Boulevards. Libérée de ce carcan, la ville continua de s'étendre, annexant peu à peu les faubourgs (Saint-Antoine, Saint-Denis ou Saint-Martin) installés au-delà des anciens remparts.

En 1784, sur le conseil de son ministre Calonne, Louis XVI signa le décret de construction d'un mur pour assurer le paiement de l'octroi, un impôt qui frappait les marchandises entrant dans Paris. C'était une simple muraille, haute de trois mètres, flanquée d'un chemin de ronde de onze mètres de large à l'intérieur et d'un boulevard large de près de trente mètres à l'extérieur. Ce qu'on appela le mur des Fermiers généraux se situait aux limites de la ville. Il fut dès le début impopulaire : « Le mur murant Paris, rend Paris murmurant », fredonnait le bon peuple après Beaumarchais, qui avait peut-être inventé la formule. D'autres épigrammes circulaient, comme celui-ci, d'un auteur anonyme :

> Pour augmenter son numéraire
> Et raccourcir notre horizon,
> La Ferme a jugé nécessaire
> De mettre Paris en prison.

Le nouveau mur comptait cinquante-sept barrières, généralement flanquées d'un bâtiment administratif baptisé propylée. La plupart avaient été réalisés par l'architecte Claude-Nicolas Ledoux. Quatre bâtiments ont échappé à la destruction : les colonnades de la barrière du Trône qui ouvrent sur le cours de Vincennes, la rotonde de la Villette qui jouxte la place de Stalingrad, la rotonde du parc Monceau et la barrière d'Enfer, place Denfert-Rochereau.

En 1860, Napoléon III décida l'extension de Paris jusqu'à l'enceinte de Thiers et l'annexion par la ville de tous les bourgs et villages qui se trouvaient dans ce périmètre semi-urbain (comme on ne disait pas encore à l'époque), tels Batignolles, Charonne, Passy ou Vaugirard. À quelques nuances près, les nouveaux territoires correspondent, dans une configuration légèrement remodelée, aux neuf arrondissements — du 12e au 20e — qui touchent aujourd'hui le périphérique.

Cette muraille qui avait enfermé Paris pendant près de soixante-quinze ans n'avait plus de raison d'être et fut démolie, mais elle laissa dans le paysage urbain une frontière invisible entre les nouveaux arrondissements de 1860 et l'ancien Paris qui conserve une indéniable légitimité historique. L'une des premières lignes de métro, achevée en 1905, et qui relie Nation à Étoile en passant par Barbès au nord et Denfert au sud, a figé pour toujours une ligne de démarcation dessinée par l'ancien mur d'octroi.

Au recensement de 1872, le 15ᵉ arrondissement ne comptait que 8 897 habitants au kilomètre carré, et le 16ᵉ, 5 478. Au-delà de l'ancien mur d'octroi et de l'actuel métro aérien flottait un air de campagne ou de grande banlieue. Il en est resté quelque chose dans l'urbanisme, avec ces rues dégagées et souvent arborées qui aujourd'hui relient entre eux les anciens villages de Vaugirard, de Plaisance, de la Butte-aux-Cailles ou de Passy.

Comme l'écrit Éric Hazan dans *L'Invention de Paris*[1], le mur des Fermiers généraux avait certes brutalement coupé le tissu urbain, mais comme il s'agissait d'une frontière à caractère fiscal, elle suscitait à ses abords une activité économique importante. Quand on la détruisit, la continuité urbaine reprit ses droits.

La fameuse enceinte de Thiers, édifiée dans les années 1840, avait une tout autre envergure car elle avait des fonctions militaires. Il s'agissait de protéger la capitale contre des armées ennemies et de prévenir une invasion comme en 1814. La largeur dépassait les trois cents mètres, en additionnant un glacis de 250 mètres, un fossé sec de 40 mètres, une rue militaire intérieure, un parapet de six mètres et le mur d'escarpe lui-même, haut de dix mètres et

1. Éditions du Seuil, 2002, coll. Points, 2004.

large de trois mètres cinquante. Davantage qu'une muraille c'était un *no man's land* qui décourageait toute activité autre que militaire.

Certains villages se retrouvèrent par hasard absorbés en totalité : Belleville, Grenelle, Vaugirard et la Villette. Mais ailleurs on coupa par le milieu des agglomérations qui avaient pour vocation de prolonger la ville vers la périphérie. Les communes d'Auteuil et de Passy se retrouvèrent pour moitié dans le 16ᵉ arrondissement et pour l'autre moitié dans Boulogne. Le village des Batignolles fut partagé entre le 17ᵉ et la commune de Clichy. Montmartre entre le 18ᵉ et Saint-Ouen. Charonne entre le 20ᵉ d'un côté, Montreuil et Bagnolet de l'autre. Le décor était planté pour les siècles à venir.

L'absurdité de ces fortifications parut dès le départ tellement évidente que des opposants libéraux de l'époque, Étienne Arago et Lamartine, accusèrent le gouvernement Thiers de ne chercher qu'à prémunir le régime contre les explosions populaires. Au milieu du xviiᵉ siècle, la Fronde avait commencé autour du Parlement de Paris et de Notre-Dame, sur l'île de la Cité. Les émeutes de 1789 au faubourg Saint-Antoine, notamment une certaine prise de la Bastille, avaient donné le signal de la Révolution. Les Trois Glorieuses de 1830 avaient fait tomber le régime de Charles X. Paris était une ville à forte concentration ouvrière, où les centaines de milliers de prolétaires — les « classes dangereuses » — constituaient une menace permanente pour l'ordre public. Des jacqueries en Languedoc ou des émeutes à Lyon, c'était embêtant. Une insurrection à Paris, et on risquait la Révolution. Avec cette nouvelle enceinte, il suffirait de fermer les portes, de verrouiller et d'attendre que la population affamée signe sa reddition. On en eut la démonstration en 1871 : l'artillerie prussienne, installée sur les hauteurs, pilonna tranquillement la ville que le gouvernement de Thiers n'eut qu'à encercler avant de lancer l'assaut final.

Dès 1882, on parla de démolir l'enceinte. Elle fut déclassée mais s'incrusta pour quelques décennies de plus dans le paysage. Le *no man's land* ainsi créé attira pauvres, vagabonds et délinquants. Les constructions sauvages se multiplièrent. Au tournant du siècle, quelque trente mille personnes peuplaient ce qu'on appela la *zone*, où florissaient la prostitution et les trafics. L'enceinte militaire avait laissé la place à une ceinture tout aussi infranchissable. Sa démolition, entre 1919 et 1929, laissa sur place un terrain vague mal famé où, même après l'expulsion définitive des campements sauvages, peu de gens auraient eu envie d'habiter. On aménagea de grands bâtiments publics, le Palais des Sports ou le Palais des Congrès de la porte de Versailles, des équipements sportifs, l'hippodrome d'Auteuil, les premiers logements sociaux, ces Habitations à bon marché des années 1930 qu'on trouve notamment à la porte d'Orléans. Le boulevard périphérique, commencé en 1956 et terminé en 1973, n'est pas responsable de la fracture urbaine. Il n'en fut que la confirmation.

L'urbanisation accélérée de Paris, qui culmina en 1920, alla donc buter sur l'ancienne enceinte de Thiers, au lieu de s'étendre aux anciens villages de la périphérie, à ce que sont aujourd'hui Montrouge, Montreuil, Clichy, Charenton ou Boulogne. À New York, on peut vivre à Brooklyn comme le romancier Paul Auster et être un pur New-Yorkais, tandis qu'une résidence dans Manhattan — surtout dans certains quartiers — ne constitue pas toujours une garantie de citoyenneté estampillée Big Apple. À Londres, il y a certes des quartiers plus centraux que d'autres, mais nul ne peut affirmer avec certitude à quel endroit précis s'arrête la vraie ville, où se trouve la ligne de démarcation. À Paris, la question ne se pose pas : il y a le dedans et le dehors. Si vous souhaitez avoir une maison avec un petit jardin — et à moins d'avoir des millions d'euros pour habiter l'une de ces rares «villas» qu'on trouve à la Mouzaïa dans le 19ᵉ, autour du métro Pernety dans le 14ᵉ ou dans d'autres quartiers, il vous faut *sortir* de Paris, et donc renoncer au système parisien de transport en commun, au Vélib, au bus, à la marche à pied, accepter de prendre le RER ou de vous morfondre matin et soir dans les embouteillages suburbains. Quelques centaines de mètres d'écart, et on bascule dans un autre mode de vie, presque dans un autre monde. Si vous refusez de vous exiler, il faut alors, pour un jeune couple avec deux enfants, soit disposer miraculeusement ou par héritage du million d'euros à mettre sur la table, soit acheter quarante mètres carrés au mieux avec l'aide des parents, contracter à la banque un important crédit sur vingt ou vingt-cinq ans et se résoudre pour les années à venir à grimper plusieurs étages à pied. Il y a longtemps eu, dans les grandes villes américaines, ces quartiers *on the wrong side of the track*

— c'est-à-dire du mauvais côté de la ligne du chemin de fer, généralement en contrebas de la ville. Paris est la seule grande capitale à être entièrement encerclée par un *wrong side*, celui du périphérique.

2

Carrez, l'inconnu le plus célèbre

C'est l'inconnu le plus célèbre à Paris. Personne ne sait vraiment ce qu'il a fait dans la vie, si même il a vraiment existé. C'est comme les ampoules : elles ont six ou vingt ampères, du nom de l'unité internationale d'intensité électrique, mais qui se souvient d'André-Marie Ampère ? Ainsi pour Gilles Carrez : son patronyme est si obsédant qu'on n'imagine même pas qu'il s'agit d'un député UMP en chair et en os, devenu en 2012 président de la commission des Finances de l'Assemblée nationale. Carrez est le nom d'une abstraction ou d'un mirage pour une foule innombrable : les locataires qui rêvent de devenir un jour propriétaires et s'arrêtent devant la vitrine de toutes les agences immobilières, les jeunes couples étouffant dans leurs trente mètres carrés, les cadres en pleine ascension sociale qui songent à s'installer *dans plus grand*, les retraités qui veulent vendre au meilleur prix possible pour aller profiter de leurs vieux jours au bord de la Méditerranée.

Le 18 décembre 1996, sous le gouvernement d'Alain Juppé, l'Assemblée nationale adopta une loi portant le nom de Gilles Carrez, et qui faisait obligation à tout vendeur de produire un métrage officiel et précis du bien immobilier concerné, lequel se retrouvera à la virgule près dans l'acte de vente. Vous croyiez avoir acheté un appartement de quarante-huit mètres carrés dans le 11ᵉ arrondissement. Erreur : l'acte de vente vous précise que l'appartement en question mesure en fait 47,88 mètres carrés, ni plus ni moins. Avant décembre 1996, le mètre carré parisien était déjà une matière précieuse : quatre-vingt-dix et quatre-vingt-quinze mètres carrés, ce n'était ni la même chose ni le même prix. Le lingot restait de confection artisanale. On vous en donnait le poids approximatif mais il valait mieux vérifier par vous-même s'il n'y avait pas tricherie dans les calculs. Depuis la contribution de Gilles Carrez au code civil, on a désormais affaire à des lingots certifiés par la Banque de France : quand un agent immobilier vous annonce 48 mètres carrés, vous pouvez vous y fier, d'ailleurs il s'empressera d'exhiber la cote officielle, ce fameux 47,88 qui figure sur la fiche du produit à vendre. *C'est le chiffre en loi Carrez, bien entendu*, vous dit l'agent immobilier en son agence. Ce qui clôt la discussion.

Le mètre carré en loi Carrez, on le sait, est constitué de tout espace habitable dont la hauteur sous plafond est d'au moins un mètre quatre-vingts. Ce qui entraîne dans bien des cas cet important distinguo lorsqu'on a une surface habitable, disons, de quatre-vingt-douze mètres carrés au sol, mais de soixante-quinze en loi Carrez. Parfois il s'agit d'un appartement aménagé dans un ancien grenier ou dans trois chambres de bonne réunies, parfois au contraire, dans un espace très haut de plafond, on aura créé de la surface habitable en construisant une loggia où l'on peut à peine tenir debout, et donc *hors loi Carrez*. Cette subtilité dans le métrage donne tout son piquant à la chasse au logement. Car à supposer que l'*appart'* en question se situe dans un quartier où la moyenne du mètre carré atteint les dix mille euros, mais que l'état des parties communes de l'immeuble laisse à désirer et que le logement, situé au second, est un peu sombre, à combien exactement pourrait-on évaluer ce surplus de dix-huit mètres carrés, certes appréciable, mais vaguement hors la loi ? Mieux encore : combien vaut un petit espace habitable bricolé qui, pour des raisons techniques, équivaut à près de zéro mètre carré officiel ? En dehors des grandes familles assises depuis deux ou trois générations sur de la vieille pierre à perte de vue et où l'on a cessé à jamais de parler argent, la question du mètre carré occupe une place majeure dans le cerveau de tout Parisien normalement constitué.

Il y a ceux qui continuent inlassablement à comparer le prix d'achat de leur appartement, trente ans plus tôt, avec sa valeur actuelle supposée et se réjouissent de la fortune — virtuelle — ainsi amassée. Dans une somptueuse cour intérieure du XVIIᵉ siècle donnant sur le faubourg Saint-Antoine, un appartement de quatre-vingts mètres carrés a été acheté en 1979 à moins de trois mille francs le mètre carré, alors que dans le reste de l'immeuble le fameux mètre étalon est désormais évalué à dix mille euros. Sa propriétaire, modeste salariée de l'Éducation nationale à deux mille cinq cents euros par mois en fin de carrière n'a aucune intention de déménager, mais cela lui fait éprouver de délicieux frissons de songer à la plus-value qu'elle engrangerait si elle vendait. La surface habitable, acquise en 1979, en vaut vingt fois plus aujourd'hui. Sans même se raconter d'histoires, tout propriétaire entré dans ses murs au milieu des années 1970, de préférence avant les dévaluations successives des années 1975-1985, peut estimer qu'il a gagné le gros lot. Certes, le profit, même gigantesque, reste théorique puisqu'il n'a pas en général l'intention de quitter la ville et qu'il faut bien se loger. Mais cette idée qu'il caresse de façon passagère lui procure d'agréables sensations.

La valeur du mètre carré a toujours été au-dessus des moyens du commun des mortels, c'est-à-dire de tous ceux qui n'avaient pas de très gros salaires ou des parents aisés prêts à leur donner un coup de pouce. Au milieu des années 1970, son prix moyen équivalait à trois mois de smic. Fin 2012, les transactions réalisées sur tous les arrondissements parisiens le mettaient en moyenne à 8 400 euros, c'est-à-dire à quelque sept mois et demi de salaire minimum.
Au prix du marché, les locations sont tout aussi inabordables pour les salariés lambda, fonctionnaires, enseignants, cadres moyens et même journalistes, sauf pour ceux, souvent jeunes et célibataires, qui acceptent de vivre dans un espace réduit. Avec un salaire de deux mille euros par mois, un professeur du secondaire s'estimera heureux s'il trouve un studio bien situé ou un minuscule deux-pièces à huit cents euros. D'ailleurs il n'est même pas certain d'être agréé par le propriétaire, qui peut exiger un salaire trois voire

quatre fois supérieur au loyer, ou à défaut un garant qui s'engage à payer en cas de défaillance du locataire. Dans ce contexte, un couple avec enfant(s) touchant à deux quelque quatre mille euros n'a plus qu'à s'exiler en banlieue, à moins de chercher et de se voir attribuer un miraculeux HLM. Mais les listes d'attente pour les logements sociaux intra-muros sont estimées à 120 000 personnes. On en enregistre 20 000 de plus chaque année et, dans le 11ᵉ, les délais dépassent dix ans[1]. La ville est désormais réservée aux héritiers, aux riches, français ou étrangers, ou alors à des salariés moyens résignés à vivre dans des placards.

Et l'époque des combines est révolue.

Il y a trois décennies, le problème se posait dans les mêmes termes : on ne pouvait pas décemment se loger dans Paris si l'on était journaliste pigiste, vendeur dans un grand magasin, chargé de cours à l'université, attachée de presse débutante, encore moins comédien à la carrière fluctuante. Mais il y avait des échappatoires.

C'était encore le paradis des débrouillards. Il y avait d'un côté les loyers au prix du marché : on n'y pensait même pas, c'était bon pour les *blaireaux* et les bourgeois. Il y avait de l'autre côté les *bons plans*.

Le meilleur du meilleur des bons plans avait pour nom loyer de 48 — ainsi dénommé suite à la loi de 1948 qui encadrait les loyers dans l'immobilier ancien. Il y en avait un peu partout. Une dame dans la soixantaine avait plus

---

1. Selon les chiffres de l'APUR pour 2007, on comptait 109 397 demandeurs de HLM dans Paris, alors que la totalité des logements sociaux s'élevait à 171 502 en 2006 (Pinçon-Charlot, *op. cit.*).

de cent mètres carrés boulevard des Capucines, sans doute bruyant mais certains aiment le quartier, et pour lequel elle payait environ cinq cents francs par trimestre. Un essayiste de renom avait cinquante mètres carrés dans le 5ᵉ, face à la Mutualité, qu'il payait trois cents francs par trimestre. Et ainsi de suite jusqu'à l'infini. Ces appartements avaient été classés « loi de 48 » selon certains critères, principalement l'absence d'installations sanitaires complètes[1]. Une fois le bail coulé dans le béton, le locataire pouvait bricoler à ses frais une douche dans les WC, ou des WC chimiques dans la salle d'eau. Le bail, dans certains cas de figure, pouvait se transmettre à un nouveau locataire, et celui-ci se trouvait à nouveau indélogeable. Un loyer de 48 se revendait à prix d'or. On achetait la clé pour cinq ou dix *briques*, c'est-à-dire cinquante ou cent mille francs de l'époque, soit cinquante ou cent mois de smic[2].

Il y avait une sorte d'apothéose dans le système *loi de 48* : la surface corrigée. J'en avais appris l'existence au cours de mes premières années à Paris. Une jeune artiste de la Contrescarpe, stripteaseuse intermittente et mère d'un petit garçon, me dit un jour : « Je suis en train de chercher un

---

1. En 1968 — il n'y a pas si longtemps —, 72,6 % des logements du 11ᵉ arrondissement ne possédaient pas d'installations sanitaires complètes, c'est-à-dire salle de bains et WC intérieurs. APUR, *Paris Projet* 1974.
2. L'âge d'or de la « loi de 48 » est révolu depuis longtemps, car on ne peut plus « racheter » les baux en question. Mais leurs bénéficiaires légitimes ont été maintenus dans les lieux et on peut constater que les loyers de ce type continuent d'être augmentés chaque année par voie administrative. En décembre 2012, les propriétaires ont obtenu le droit de revaloriser les loyers de 2,24 %, pour les catégories de I à III, ceux de catégorie IV étant définitivement bloqués pour cause d'« insalubrité ».

appartement pour faire une surface corrigée. » C'était alors un sport largement pratiqué par des jeunes gens astucieux — souvent des jeunes femmes —, venus de province, de banlieue ou simplement d'une famille modeste. Il consistait à dénicher sur le marché libre un appartement de belle dimension et bien situé, mais où un œil expert repérait le petit défaut rédhibitoire, la très légère infraction aux normes permettant de ramener le bien dans l'une des quatre catégories de la loi de 48. « Ce peut être la hauteur sous plafond, me dit l'artiste, l'installation électrique, les sanitaires, la position des fenêtres. On visite, on signe, on emménage, et après hop ! On fait un procès au propriétaire ! »

Quelques années plus tard, une autre amie avait exécuté pratiquement sous mes yeux ce fameux tour de passe-passe. Elle avait trouvé en face du tout nouveau centre Beaubourg un appartement, certes un peu étriqué, trois pièces étroites en enfilade qui évoquaient des wagons de métro. Elle avait signé un bail à 1 500 francs par mois, pris un avocat et finalement gagné son procès après trois ans de procédures. Le loyer avait été ramené à 400 francs, et le propriétaire avait été forcé de rembourser tous les loyers *injustement* encaissés pendant trois ans. Au moment de finalement quitter les lieux dix ans plus tard, l'heureuse locataire s'était fait payer de généreuses indemnités par le bailleur trop heureux de récupérer son bien. C'était l'horizon indépassable de la surface corrigée.

Un cran au-dessous en matière de débrouillardise, il y avait les appartements de la mairie de Paris, qui à l'apogée du système en possédait plus de cinquante mille, non compris le parc HLM qui en comptait environ deux cent mille. Ils se louaient à la moitié ou au tiers du prix du marché. Il y en avait de somptueux, qui faisaient cent cinquante mètres carrés en plein 6ᵉ arrondissement, tel celui d'Alain Juppé rue Jacob. Serge July, alors patron mal payé de *Libération*, jouissait d'un modeste cinquante mètres carrés dans l'est de Paris. Les bénéficiaires du système étaient innombrables : on trouvait des enfants, des cousins, des neveux, des belles-mères de pontes municipaux, mais aussi des élus de province qui avaient besoin d'un pied-à-terre parisien et à qui on rendait ce petit service même s'ils n'étaient pas du même bord politique, mais encore de simples électeurs ou militants dévoués qui s'étaient retrouvés chassés de leur appartement et n'avaient pas les moyens de se loger au prix du marché. Il y avait également les — plus ou moins — vrais artistes à qui on louait un espace aménagé baptisé atelier de la Ville de Paris. Même si les places se libèrent au compte-gouttes, le système existe encore aujourd'hui. Il tournait alors à plein régime et n'avait rien de vraiment clandestin : si une copine vous annonçait un jour qu'elle venait enfin de mettre la main sur un (faux) atelier, c'est-à-dire un appartement de ville arbitrairement classé atelier, et qu'elle devait sa bonne fortune à Xavière Tibéri ou à quelque conseiller haut placé à la mairie, personne n'aurait songé à lui reprocher ces mauvaises fréquentations ou l'accuser de magouillage. On s'empressait au contraire de la féliciter, car le jeu consistait précisément à tirer les bonnes ficelles.

Encore un échelon plus bas, on trouvait le parc

immobilier des *institutionnels* : les grandes banques, les compagnies d'assurances, diverses puissantes associations, des ministères, la Banque de France, l'Académie française, l'Académie des beaux-arts. Les heureux locataires restaient généralement discrets sur le montant de leur loyer et les conditions d'accès à leur appartement. *L'immeuble appartient à l'UAP, ça va, ils ne sont pas trop gourmands, les prix sont restés décents.* Ou alors : *Oui, ça vient du stock de l'Académie des beaux-arts, le loyer est raisonnable.* La vérité, c'est que, là encore, le locataire ne payait parfois que le tiers du prix normal et qu'il fallait de sacrées relations pour mettre la main sur de telles aubaines. À cette époque on reconnaissait le vrai Parisien à sa capacité à infiltrer cette caverne d'Ali Baba que représentaient les parcs immobiliers officiels-officieux. Au début des années 1980, encore, il existait rue de l'Odéon «les appartements de *Libé*», comme on disait alors d'un air entendu. Il s'agissait de quatre appartements plus ou moins contigus loués à des prix dérisoires et que se refilaient les journalistes du quotidien.

Cet âge d'or a fini par mourir de sa belle mort. Le système des loyers 48 ne concerne plus que quelques vieillards accrochés à leur deux-pièces-cuisine et indélogeables pour cause de grand âge. N'essayez pas de faire le coup de la surface corrigée, ça ne marche plus. Du côté des institutionnels, ça ne va guère mieux. En 2001, j'avais rendu visite à l'immortel Bertrand Poirot-Delpech, qui habitait depuis longtemps dans un ancien hôtel particulier de la rue Saint-Guillaume : «Oui, c'est à l'Institut, mais je ne sais pas si je pourrai rester ici encore longtemps, tellement on augmente les loyers. » Traduction : il habitait de longue date ce bel appartement grâce à l'Académie, mais la Cour des comptes avait mis son nez en 1994 dans les livres du parc immobilier du quai Conti. Des logements, moyens ou parfois immenses, loués pour presque rien à de méritants académiciens ou à des amis et parents. L'Institut et les académies avaient été obligés de réviser les loyers à la hausse pour éviter l'accusation d'abus de bien social. Du côté de la Ville de Paris, les médias avaient révélé en 1995 que la famille Tibéri s'était attribué cinq appartements de la mairie, que le fils d'Alain Juppé en était également bénéficiaire. Petit scandale : Rony Brauman, l'irréprochable président de Médecins sans frontières, s'était de lui-même précipité à la télévision pour expliquer que s'il occupait un cent mètres carrés agréable dans le 11e, malgré un salaire mensuel modeste, c'est qu'il s'agissait d'un HLM amicalement attribué par l'Hôtel de Ville. Car il y avait également, de façon certes marginale, la case HLM dans cette affaire. Un «ami» — journaliste, universitaire, artiste ou simplement ami — voyait un jour son nom mystérieusement arriver en tête de la liste d'attente pour les rares logements sociaux situés pas loin du centre, comme dans le 10e, le 11e, le 14e. Et hop! il se retrouvait pour le reste de ses jours à l'abri des spéculateurs urbains, à moins que quelque fonctionnaire zélé ne vienne vérifier l'état de ses revenus et décréter qu'il n'avait rien à faire dans un HLM avec un salaire aussi confortable. Mais les heureux élus qui avaient un jour obtenu de tels logements bon marché à l'époque où ils étaient en début de carrière et peu argentés ne se sont jamais empressés deux décennies plus tard d'en rendre les clés alors que leur revenu réel avait été parfois multiplié par cinq. Comme par hasard ces appartements classés HLM, et qui se trouvent parfois en plein cœur d'agréables quartiers centraux — ainsi le bas du 14ᵉ —, sont souvent occupés par une population nettement plus *bobo* que dans le 9-3. Dans ce domaine il n'y a pas de limite à la fantaisie : en pleine affaire des appartements de la mairie de Paris, on apprenait que le président Chirac, fraîchement élu en mai 1995 après avoir été maire de Paris pendant dix-huit ans (et député de Corrèze pendant vingt-huit), avait fait racheter le discret pavillon qu'il occupait rue du Bac par une société d'économie mixte de la Ville qui le lui louait — chiffres de 1995 — pour la modique somme de onze mille francs mensuels. Il s'agissait d'une maison de 189 mètres carrés habitables donnant sur un jardin privatif qui en faisait cinq cents. Jacques Chirac ou l'art d'obtenir de l'or au prix du vil métal. L'homme n'était pas seulement le maire de Paris mais un vrai Parisien. La preuve : après son départ de l'Élysée, il s'est fait «prêter» un somptueux appartement situé quai Voltaire par la richissime famille libanaise Hariri.

Ces combines se sont progressivement taries du côté de l'Académie française et de la mairie de Paris. Puis ce fut le tour des institutionnels. *Je suis en guerre avec l'UAP*, fulmine une libraire qui avait trouvé un toit accueillant pour trois francs six sous à Montmartre à l'époque de sa gloire, *les salauds, ils commencent à vendre à la découpe*. L'expression, qui évoque des amputations sur les champs de bataille ou des séances d'équarrissage, est apparue il y a dix ou quinze

ans et a aussitôt connu une belle fortune dans les médias
nationaux et les conversations de salon en tant qu'illus-
tration obscène de la vague ultralibérale submergeant la
République : telle vénérable association, une banque pri-
vatisée, les assurances machin, étaient en train de réaliser
de colossales plus-values en se débarrassant de locataires
installés depuis des décennies. Faute de pouvoir rajuster
les tarifs à la hausse ou changer de locataires, les institutionnels vendaient les appartements un à un en les offrant
en priorité aux occupants avec un rabais proportionnel à
leur ancienneté dans les lieux[1]. Stupeur des locataires —
libraires, enseignants, journalistes, parfois commerçants —
installés dans les murs depuis des décennies et se croyant
inamovibles. *Je suis en procès avec eux, et si ça ne marche pas
je serai obligée d'aller en banlieue*, soupire la même libraire,
prenant le Ciel à témoin de cette injustice monstrueuse.

Les Parisiens ont donc vu poindre le XXIe siècle sous les
plus fâcheux auspices. Il y eut encore un dernier sursis : les
bons petits plans pourris — espaces commerciaux désaffec-
tés à retaper, anciens garages ou ateliers de confection, tri-
plettes de chambres de bonne à rénover, mansardes situées
entre des cités HLM et les portes de Paris. Ils finirent par
être réquisitionnés jusqu'au dernier.

Depuis, c'est la loi impitoyable du marché qui régit la

---

1. Selon Bertrand de Feydeau, ancien gestionnaire du patrimoine de
l'assureur Axa, «Le désinvestissement des institutionnels de l'immobilier est
l'un des faits les plus marquants des quinze dernières années. Un million de
logements environ ont été cédés pendant cette période.» Cité dans *L'Express*
du 9 octobre 2013.

vie immobilière. Parfois chacun retient son souffle, car pour un court instant les prix cessent de monter après une hausse ininterrompue de dix ans, et une singulière poussée de fièvre dans les trois dernières années. Dans les agences, les spéculations vont bon train. On constate indéniablement un *palier* dans la hausse, mais s'agit-il d'une simple *pause*, d'un petit *tassement*? Des biens affichés à huit mille euros du mètre carré, et qui se négociaient à sept mille, sont soudain accessibles à six mille euros. Une aubaine! Mais le miracle a ses limites et ne dure qu'un temps.

Si vous demandez à un agent immobilier de vous trouver, en toute modestie, un espace à rénover entièrement dans l'est de Paris (10ᵉ, 11ᵉ, 12ᵉ), et négociable à cinq mille euros au maximum, il secoue la tête : *Oui, vous pourrez le trouver, mais à Vincennes, d'ailleurs, il y a le métro.* Ou alors : *J'ai ça, mais c'est un appartement rue de Ménilmontant, au premier étage juste au-dessus d'un kebab, je ne vous le conseille pas, surtout si vous n'aimez pas le bruit des casseroles et les odeurs de cuisine épicée.*

Début 2013, les chambres de notaires situaient les actes de vente dans Paris à 8 200 euros du mètre carré en moyenne. Les aficionados avaient compris : cela signifiait entre douze et quatorze mille euros dans les arrondissements centraux de Paris, plus de neuf mille dans les 14ᵉ et 15ᵉ. Au-dessous de la barre des six mille euros il ne restait plus que le 19ᵉ, les zones réputées infréquentables du 13ᵉ et du 18ᵉ, ou alors des espaces en rez-de-chaussée dans des immeubles en mauvais état. Il n'y avait plus d'échappatoire possible.

Mais Paris a de la ressource. Si l'on ne peut plus acheter

ou louer du mètre carré à moitié prix, il n'y a plus qu'à en inventer. Un ami sculpteur, très doué pour le bricolage immobilier, avait ouvert la voie de longue date. Il avait repéré dans une allée privée donnant sur la rue Oberkampf un petit atelier de vingt-cinq mètres carrés à vendre en rez-de-chaussée. On y stockait ou fabriquait je ne sais quels produits. En 1990, cela valait un prix dérisoire vu l'exiguïté des lieux et le manque d'intimité d'un espace avec verrière donnant directement sur une allée. Mais le sculpteur en question, habitué à retaper des espaces improbables ou de vrais taudis, avait flairé la bonne affaire. Car le local disposait d'une cave dont la surface dépassait celle de l'atelier. Elle était en terre battue, mais qu'à cela ne tienne : cela facilitait les travaux. Au bout de deux ans, N*** avait aménagé en sous-sol un espace d'une propreté impeccable sur plus de quatre-vingts mètres carrés. Des pavés lumineux laissaient passer la lumière du jour. Il avait achevé un grand atelier, aménagé une chambre d'ami et une salle de bains. On se demandait à quel moment il finirait dans ses excavations par atteindre le réseau souterrain de la RATP et pouvoir ainsi faire irruption gratis dans le métro. En creusant, en grattant, en sortant des tonnes de terre et de gravats, il avait obtenu plus de cent mètres carrés habitables après en avoir acheté vingt-cinq pour le prix de sept.

Vingt ans plus tard, cet exploit est devenu presque banal, bien que moins profitable. Début 2009, on constatait dans la bible *De particulier à particulier* qu'il y avait à vendre place de la République du mètre carré à trois mille cinq cents euros, un prix anormalement bas. Vérification faite, il s'agissait d'une cave, mais on nous assurait qu'on pouvait y amener de la lumière du jour, l'eau et l'électricité. Depuis, ce genre d'offre est devenu courant : cela s'appelle un *souplex*. Vous achetez un rez-de-chaussée qui fait trente mètres carrés au sol, et par la suite vous vous agrandissez en creusant sous terre. Il vous suffira de démolir entièrement ou partiellement le sol du rez-de-chaussée pour faire venir la lumière du jour. Les fenêtres sur rue seront pourvues de vitres teintées qui permettent de voir sans être vu. Et si ça ne suffit pas, vous vous équiperez d'éclairage solaire artificiel, comme cela se pratique à Helsinki pendant la nuit polaire. La grotte en question vous aura coûté trois ou quatre mille euros du mètre carré, c'est-à-dire moins cher que pour une belle maison à Lyon, Bordeaux ou Montpellier. Mais qu'importe : vous voilà intra-muros et, pour avoir accompli de telles acrobaties architecturales, vous serez sacré Parisien de l'année. Et vous pourrez dire aux gens que vous rencontrez, et qui forcément ne sont au courant de rien : *Oui, j'ai trouvé une affaire en or, un bijou, un truc bizarre. J'habite un souplex.*

Nul ne peut être considéré comme Parisien s'il ne connaît pas aujourd'hui l'existence du souplex. Comble du chic : en avoir acheté un — *pour une misère dans le 5e, à l'ombre du Panthéon, un vrai paradis grâce à mon maçon polonais !* —, y habiter, y donner des fêtes d'enfer et trouver ça *formidable*.

À Paris on ne cherche ni son petit confort ni la tranquillité, on cherche le bon plan, la bonne adresse, *the place to be*. Les candidats sérieux à la *parisianitude* le savent : une adresse postale indiquant la rue Bonaparte, ou la rue

Charles-Baudelaire ou la rue Campagne-Première, vous pose définitivement quelqu'un. Que cette adresse corresponde à vingt-deux mètres carrés loi Carrez, situés au cinquième étage sans ascenseur, personne ne vous en tiendra rigueur. À Paris, la pauvreté n'est pas un vice, pour peu que vous manifestiez avec désinvolture une connaissance parfaite des codes en vigueur. Le seul péché impardonnable sous cette latitude, c'est le mauvais goût.

3

L'erreur de Pierre Bérégovoy

Le 1er mai 1993, quelques semaines après son départ de Matignon où il avait pendant un an désespérément tenté de garder à flot un navire socialiste en voie de dislocation, l'ancien Premier ministre Pierre Bérégovoy décédait d'une balle dans la tête au bord d'un canal dans sa bonne ville de Nevers. Un probable suicide, même s'il subsiste des zones d'ombre sur les circonstances de sa mort — versions contradictoires sur son emploi du temps ce jour-là, soudaine mutation aux antipodes de deux témoins essentiels, le chauffeur et le garde du corps, disparition définitive du dossier d'autopsie. À tel point qu'on ne peut totalement exclure l'hypothèse où l'on aurait voulu neutraliser un dirigeant politique parfaitement informé de tous les dossiers troubles du règne mitterrandien.

Il avait été secrétaire général de l'Élysée, puis ministre des Finances, puis Premier ministre, et connaissait une infinité de secrets. Gravement affecté par la débâcle socialiste aux élections législatives dont il se jugeait responsable, il avait également le sentiment d'avoir été lâché par Mitterrand et son entourage. Ou alors était-ce que Bérégovoy menaçait de déballer des affaires embarrassantes, par exemple celle des frégates de Taïwan ?

On sait en tout cas pourquoi l'homme était profondément déprimé. À deux mois du scrutin de mars 1993, *Le Canard enchaîné* avait révélé l'existence d'un prêt sans intérêt — peut-être un cadeau — consenti au milieu des années 1980 par un ami proche du président Mitterrand, Roger-Patrice Pelat, d'un montant d'un million de francs. Cette somme avait permis à Pierre Bérégovoy d'acheter un appartement de cent mètres carrés dans le 16ᵉ arrondissement. La somme n'était pas négligeable, Pelat avait une réputation sulfureuse, on le soupçonnait d'avoir bénéficié de complaisances du régime : son entreprise, Vibrachoc, avait été « nationalisée » en 1982 à un prix qu'on disait sans rapport avec sa valeur réelle, et par la suite certains l'avaient accusé d'avoir touché des commissions sur de gros contrats à l'étranger. Or Bérégovoy avait la haute main sur les dossiers économiques, à titre de secrétaire général de l'Élysée puis de ministre de l'Économie et des Finances, et faisait partie des familiers de Pelat, le « président *bis* ».

Un documentaire réalisé en 2008, *La Double Mort de Pierre Bérégovoy*, défendait avec quelques arguments troublants — et d'autres plus discutables — la thèse de l'assassinat. Il contenait par ailleurs plusieurs témoignages d'anciens proches qui s'apitoyaient sur le sort injuste réservé à l'« ancien ouvrier » parvenu au plus haut sommet de l'État à la force du poignet : « Qu'on lui ait fait grief de ce prêt sans intérêt est simplement ridicule, répétaient-ils à l'unisson. Que Bérégovoy ait été obligé d'emprunter un million de francs à Pelat pour s'acheter un malheureux appartement est la preuve même de son honnêteté : en quarante ans de vie politique il n'a pas mis un sou de côté!» Une affaire franchement dérisoire, selon le parlementaire socialiste François Colcombet, qui avait été l'un des premiers dirigeants du Syndicat de la magistrature, l'une des corporations les plus noblement républicaines de France : «On lui reprochait, ironisait-il, de s'être offert cent mètres carrés, de surcroît dans un quartier aussi bourgeois que le 16e. En réalité, cela prouvait qu'il n'avait rien compris aux vrais usages bourgeois : il croyait avoir atteint les sommets, et il avait échoué dans une rue moche et un quartier ringard. Il ne savait même pas que le vrai chic parisien consiste à s'installer dans de beaux quartiers de la rive gauche, comme Roland Dumas, Robert Badinter ou François Mitterrand…»

Le principal tort de Bérégovoy, en somme, n'avait pas consisté à fréquenter Pelat mais à se tromper de quartier en croyant accéder à la bourgeoisie de droit divin. Comme aurait dit Talleyrand, c'était pis qu'une faute : une erreur. Même dans Paris il y a des lieux où il vaut mieux habiter, et d'autres où il ne faut surtout pas habiter.

Bien entendu — on l'a vu plus haut —, il vaut toujours mieux vivre en deçà qu'au-delà du périphérique. Ce n'est pas suffisant, mais c'est un prérequis. Dans des milieux un peu sélects, il y aura un léger passage à vide dans la conversation si votre interlocuteur vous confesse, à contrecœur ou avec un souci méritoire de transparence : J'habite en banlieue.

Les gens qui passent leur vie à Neuilly l'avoueront plus spontanément, peut-être même en se rengorgeant. Il est vrai que c'est la commune la plus riche de France, qu'elle assure automatiquement le label *bourgeois authentique* à tous ses citoyens, qu'on y accède sans avoir à traverser le périphérique et que c'est un peu Paris. Si Katherine Pancol, Patrick Bruel ou Jacques Attali y ont élu résidence, ça ne peut pas être complètement ringard. À des degrés moindres, cette indulgence pourra s'étendre à des communes voisines, Boulogne, Levallois-Perret ou Saint-Cloud. Mais indulgence limitée tout de même : certes, pour le prix d'un simple appartement à Saint-Germain-des-Prés vous pouvez y trouver un jardin, de l'espace et du calme, trois atouts qu'il est difficile de réunir à Paris, mais on se demandera tout de même pourquoi vous n'habitez pas comme tout le monde le 7ᵉ, place Saint-Sulpice ou sur les jardins de l'Observatoire. Si vous rendez visite à Jacques Attali, dans sa belle maison, légèrement en retrait de l'avenue du Roule, cette rue trop passante de Neuilly, vous ne pourrez vous empêcher de vous interroger : Jacques Attali serait-il à ce point fauché qu'il n'a même pas les moyens de se payer un hôtel particulier dans le Marais ou dans le 6ᵉ ?

Tant qu'à franchir le périph', autant aller le plus loin possible : cela sentira son Marc Aurèle ou à tout le moins son Julien Gracq, cela ressemblera à un exil volontaire, loin des mondanités futiles. Longtemps, Alain Finkielkraut habita Bourg-la-Reine, une commune paisible et verdoyante au sud de Paris, suffisamment éloignée de la porte d'Orléans pour qu'on ne la confonde pas avec la banlieue — et d'ailleurs Finkielkraut n'est-il pas un misanthrope avéré? Michel Tournier, lui, s'était irréprochablement installé dans un ancien presbytère de la vallée de Chevreuse, l'exil le plus parisien qui soit, car Saint-Rémy-lès-Chevreuse est depuis toujours directement relié à la capitale — stations Port-Royal ou Luxembourg — par la ligne de Sceaux, le distingué ancêtre du RER. Saint-Germain-en-Laye ou la ville de Sceaux restent des solutions de rechange acceptables. Beaucoup de Parisiens éminents avouent y être nés sans rougir.

Le 16ᵉ, indéniablement, se situe dans Paris. Jusque dans les années 1970, il fut même, avec le 7ᵉ, le lieu de résidence le plus prestigieux de la bourgeoisie. Avoir une adresse à Auteuil ou Passy vous posait son homme. Habiter avenue Georges-Mandel constituait une forme d'apothéose sociale. La rue de la Pompe avait grande réputation. Aujourd'hui, on ne va guère dans le 16ᵉ que pour voir son dentiste ou parce qu'on a rendez-vous dans un consulat. Les ambassades y pullulent. Quand on passe avenue Georges-Mandel, on se demande ce qu'abritent les façades somptueuses : de nouveaux milliardaires chinois qui viendraient de se payer un hôtel particulier? Des oligarques russes? De richissimes retraités américains inquiets pour leur sécurité aux States? Aux abords de la place du Trocadéro, tout comme dans les contre-allées de l'avenue Foch, on devine quelques marchands de canons en leurs six cents mètres carrés fortement sécurisés, des résidences d'ambassadeurs, des armateurs grecs, des Jackie Kennedy ou des Bernard Madoff.

En trente ans de carrière journalistique, je ne suis jamais allé dans le 16ᵉ que parce que j'avais affaire à l'OCDE, à l'ambassade d'URSS et dans d'autres légations étrangères. À deux exceptions près : une interview avec François Nourissier à Auteuil dans son magnifique hôtel particulier avec jardin ; une autre avec le célèbre Paul-Loup Sulitzer, qui avait poussé le sens de la dérision jusqu'à emménager, juste à côté de la porte de la Muette, square des Écrivains-Combattants-Morts pour la France !

Personne — personne de normalement constitué du moins — ne s'installe plus le 16ᵉ. On ne connaît pas grand monde non plus qui élise domicile dans l'arrondissement voisin, le 17ᵉ, qui ne retrouve de l'intérêt que dans sa partie est, vers les Batignolles. Mais les Batignolles, ce n'est plus le vrai 17ᵉ, justement.

Conversation saisie au vol à l'occasion d'un événement littéraire parisien. Une romancière qui a déjà à son actif quelques livres, mais au succès modeste, se plaint de ses mésaventures éditoriales à un collègue croisé là par hasard : son dernier manuscrit vient d'être refusé par la nouvelle directrice littéraire de sa propre maison d'édition. D'ailleurs la même directrice littéraire, qui l'avait alors reçue pendant une demi-heure dans son bureau, ne la reconnaît manifestement pas un peu plus tard alors qu'elle se trouve à la même table qu'elle.

« Où habitez-vous ? lui demande le collègue écrivain.

— Dans le 15ᵉ.

— Dans le 15ᵉ ?! répond-il en feignant l'accablement.

Ne vous posez plus de question ! Aucun éditeur parisien digne de ce nom ne vous publiera si vous racontez à tout le monde que vous habitez le 15ᵉ !

— Ah bon ! Vous croyez ?

— Oui, le 15ᵉ fait partie des arrondissements moches de Paris, c'est presque pire que le 12ᵉ. Ce n'est ni pauvre ni sale, c'est seulement banal et donc moche. Personne n'habite là. »

Des propos ironiques et désabusés comme il s'en tient dans les cocktails, mais pas si loin de la vérité. Personne n'aurait aujourd'hui l'idée d'aller habiter dans le 15ᵉ[1]. Du moins personne qui compte. À l'exception de François Hollande, ce qui est tout dire.

Pendant plusieurs décennies, cet arrondissement fut le symbole modeste d'une certaine réussite sociale, de la prospérité et de la tranquillité bourgeoise. Vous étiez du bon côté de la frontière, chez les gens propres, ceux qui ne travaillent pas de leurs mains et qui mettent tous les jours un costume-cravate. Vous n'étiez pas à l'est. Depuis qu'il n'y a plus de frontière, que l'Est est devenu fréquentable et même prisé, l'arrondissement apparaît dans sa nudité.

---

1. Tout est affaire de nuance dans la géographie parisienne. L'arrondissement voisin, le 14ᵉ, est depuis toujours un quartier branché, surtout dans sa partie haute, située entre le cimetière Montparnasse et la rue d'Alésia. Dès 1840, le lotissement Plaisance, pourtant construit au-delà du mur d'octroi, à la lisière du cimetière, constituait un ensemble urbain compact, avec des rues étroites et de petites maisons pauvres. Le quartier attira des artistes dès les années 1920. En raison des prix qu'on y pratiquait et de la proximité de Montparnasse, cette portion du 14ᵉ devint le premier « boboland » avant la lettre de la capitale dès les années 1970.

Le 15ᵉ est une morne plaine. « C'est devenu l'un des quartiers les plus petits-bourgeois, les plus provinciaux de Paris, écrit Éric Hazan[1]. Son tissu hétéroclite mêle de rares maisons de village, beaucoup d'immeubles des années 1880 sans caractère et un grand nombre d'ensembles et de barres des années 1960-1970. » Que pouvez-vous bien dire à votre interlocuteur ? Que vous habitez au métro Convention[2] ? Que vous avez un deux-pièces moche à la porte de Versailles qui est bruyante et mortifère ? Au Front de Seine, cette éclatante manifestation de la nullité architecturale ?

Si celui-ci est un connaisseur, il risque de vous répondre : je vous envie, ce doit être tranquille par là, il n'y a pas de jeunes pour faire la fête, et vous n'avez pas dû payer trop cher…

Le 15ᵉ est tellement passe-partout que d'y habiter est devenu un signe de modestie. Ainsi cette repartie notée récemment — le 13 mai 2013 — au cours de l'émission hebdomadaire de Laurent Ruquier, On n'est pas couché. L'invitée politique de la soirée, candidate UMP à la mairie de Paris, Nathalie Kosciusko-Morizet, avait décidé d'asticoter l'un des chroniqueurs de l'émission, Aymeric Caron,

---

1. In *L'Invention de Paris*, *op. cit.*
2. Un jour, j'ai interviewé Michel Houellebecq, à l'occasion de la sortie de son roman *Les Particules élémentaires* (1998). Cela se passait chez Flammarion, dont les bureaux étaient déserts à cette heure-là. À la fin de l'interview, Houellebecq, habillé comme d'habitude d'un jean incertain et d'une chemisette à manches courtes, a enfilé une vieille parka. Mis sur son dos un imposant sac pour routard grand format. Où allait-il ? « Je vais à Convention chez une copine. » Houellebecq faisait toujours le contraire des autres et allait volontiers là où personne ne voulait aller.

au prétexte que celui-ci serait un thuriféraire de la gauche, forcément de mauvaise foi face à la droite.

« Mais non, je suis un simple électeur de la Ville de Paris, proteste celui-ci.

— C'est très bien, dit NKM, j'irai vous relancer dans votre quartier. Et où habitez-vous ? »

C'était dit avec une pointe d'ironie, la candidate UMP à la mairie de Paris espérant que son détracteur lui cite Saint-Germain-des-Prés ou Montparnasse, bastions de la gauche caviar.

« Je suis dans le 15ᵉ, venez, je vous accueillerai avec plaisir[1]. »

Un aveu proféré avec une satisfaction évidente, et l'air de dire : vous espériez que je vous cite un quartier chic et cher, or j'habite l'un des arrondissements les plus ringards de la capitale. L'arrondissement le plus peuplé[2], le plus tranquillement policé, solidement ancré à droite, et dont le grand homme fut le paisible Édouard Balladur, héros des rentiers. Un lieu où, de l'aveu même d'Aymeric Caron, personne ne viendrait habiter s'il était le moins du monde préoccupé de son image.

---

1. À noter cependant qu'on peut habiter le 15ᵉ mais se trouver dans cette minuscule portion « chic » à la lisière de Montparnasse. Au métro Pasteur, vous n'êtes pas encore vraiment dans le 15ᵉ, contrairement à ce que prétendent les plans de Paris, vous vous trouvez encore dans Montparnasse.
2. On comptait en 2009 dans le 15ᵉ arrondissement 238 914 habitants, selon l'INSEE. Suivi d'assez loin par le 18ᵉ avec ses 201 975 ressortissants.

Pendant un siècle et demi, il suffisait de se poser le plus à l'ouest possible de Paris pour être du bon côté de la frontière.

Prenons le Paris balzacien des années 1830, une capitale compacte délimitée par le mur des Fermiers généraux, et donc circonscrite, on l'a vu, à l'équivalent des onze premiers arrondissements actuels. Les aristocrates et grands bourgeois de *La Comédie humaine* constituent une petite minorité face au peuple des artisans et ouvriers qui s'entassent dans les arrondissements du Centre et de l'Est. Eux-mêmes se regroupent dans un petit secteur de l'Ouest qui correspond peu ou prou aux 7e, 8e et 9e arrondissements actuels. Les vieilles familles campent au faubourg Saint-Honoré, aux Champs-Élysées et au faubourg Saint-Germain, quartiers nobles par excellence. Des fortunes plus récentes achètent ou font construire des hôtels particuliers un peu plus au nord, dans un nouveau quartier alors à la mode et en plein essor, et élisent résidence dans des rues où plus personne aujourd'hui ne songerait à emménager, à moins de vouloir passer pour un original. Delphine de Nucingen, l'ambitieuse fille du père Goriot, mariée à un financier puissant sinon bien né, a son hôtel particulier rue Saint-Lazare. Sa sœur, qui a elle aussi fait un beau mariage, habite dans le même quartier, rue du Helder. Camille Maupin a une magnifique résidence rue de la Chaussée-d'Antin. D'autres grands bourgeois ont jeté leur dévolu sur la rue Neuve-des-Mathurins, la rue Saint-Georges. Mais c'était avant la révolution haussmannienne, la construction de la gare Saint-Lazare et des grands magasins, ce qui change tout. Il s'agissait d'un quartier estampillé bourgeois, c'était là une qualité suffisante.

Dans les *Scènes de la vie parisienne*, on note également les quartiers où à des degrés divers il ne faut surtout pas habiter.

Cela vaut pour la quasi-totalité de la rive gauche, à l'exception du faubourg Saint-Germain. La pension Vauquer où est forcé de descendre le provincial Eugène de Rastignac parce qu'il est sans le sou est située rue Neuve-Sainte-Geneviève, un quartier que ne fréquentent que les pauvres. L'épouse répudiée de Joseph Brideau, la « rabouilleuse », finit misérablement ses jours dans « un des coins les plus sinistres de Paris »… la rue Mazarine ! La rue Cassette où Carlos Herrera — alias Vautrin — installe Lucien de Rubempré est presque aussi louche. Quant au faubourg Saint-Marcel, où le colonel Chabert a trouvé refuge, les cochers refusent de s'y engager car les rues sont des bourbiers où l'on s'enfonce dans le crottin.

Sur la rive droite, le secteur du Marais qui avoisine le boulevard du Temple (l'actuel 3e arrondissement) est un peu moins misérable, tout juste décent, peuplé d'artisans, de modestes salariés, de retraités tombés dans la gêne : sexagénaire esseulé, le cousin Pons partage avec un compagnon d'infortune « une tranquille maison de la tranquille rue de Normandie ». Plus à l'est se dresse l'ombre du faubourg Saint-Antoine, avec ses masses ouvrières indistinctes et menaçantes : aucun personnage de *La Comédie humaine*, même le plus pauvre, n'y a jamais habité, personne n'y met jamais les pieds.

Pendant un siècle et demi — jusqu'au milieu des années 1970 — cette distinction primaire entre l'est et l'ouest de Paris resta de mise. Dans les agences immobilières, de jeunes cadres s'empressaient de préciser : «Je cherche dans l'ouest de Paris.» Peu leur importait de se retrouver dans des quartiers aussi tristes et banals que la porte d'Auteuil, le Front de Seine ou la porte de Versailles : cela leur permettait d'afficher ce qu'ils croyaient être une bonne adresse, de faire savoir qu'ils étaient du bon côté de la barrière, qu'ils n'étaient pas chez les pauvres, qu'ils ne faisaient pas partie des «classes dangereuses». Certes, dans les années 1970, l'embourgeoisement de Paris avait déjà beaucoup progressé : les quatre arrondissements centraux, jadis populaires et surpeuplés, avaient perdu les deux tiers de leurs habitants du début du XXe siècle. Dans le Marais, il restait encore de rares loyers de 48, et quelques bonnes affaires à dénicher dans le parc immobilier des institutionnels. Au début des années 1970, lorsque Georges Simenon s'installe place des Vosges, celle-ci est encore peuplée d'artisans et de gens modestes. En 1975, quelques rares immeubles résistaient encore à l'embourgeoisement : façades non ravalées, étages estropiés par de faux plafonds pour économiser le chauffage. Au passage du troisième millénaire, la normalisation était achevée.

Rive gauche, le 6e et même le 5e avaient, plus tôt que le Marais, basculé dans le camp des nantis, et les prix de l'immobilier étaient en train d'y dépasser ceux du 16e arrondissement. L'Ouest bourgeois avait poursuivi son expansion et annexé des quartiers jadis considérés comme infréquentables. La rue Mazarine, que Balzac mentionnait avec horreur, était en passe de devenir l'une des plus chics et chères de la capitale. Les bourgeois français cultivés, les riches étrangers en mal de bohème, s'y installaient en masse, frissonnant de bonheur à l'idée de côtoyer de vrais survivants *intellos* ou artistes de l'époque héroïque. Lesquels, de moins en moins nombreux, s'accrochaient encore dans les lieux. Certains avaient réussi à acheter au bon moment un sixième sans ascenseur, deux chambres de bonne transformées en petit appartement. Mais le mouvement vers la *gentrification* était inexorable. Dès le début de la Ve République, la circonscription recouvrant Saint-Germain, l'Odéon et le Luxembourg était solidement ancrée à droite, et le député gaulliste Pierre Bas y était réélu au premier tour. Malgré les ricanements du Café de Flore et les imprécations de ceux qui ne risquaient pas de voter pour lui, comme Sartre et Marguerite Duras.

Aujourd'hui la révolution urbaine est parachevée. Symbole par excellence de la tradition ouvrière, le faubourg Saint-Antoine, et plus généralement le 11e arrondissement, est devenu le nouveau *boboland* de la capitale. On roule en Vélib, on fait ses courses au marché d'Aligre, on se signe rue de Montreuil devant la plaque commémorative de l'émeute Réveillon qui, en mars 1789, donna le coup d'envoi de la Révolution. On entretient le souvenir de la Commune de Paris, dont la dernière barricade se situait précisément à la mairie du 11e, boulevard Voltaire. Plus à l'est, la gentrification a gagné les trois quarts du 20ᵉ arrondissement. Aux élections législatives de 2012, la circonscription qui recouvre le 11ᵉ et une partie du 20ᵉ arrondissement a élu au second tour une parachutée, la chef de file des Verts, Cécile Duflot, avec 72 % des voix. Aux municipales de 2008, le 11ᵉ avait donné une majorité absolue à la liste Delanoë dès le premier tour.

Dans une interview récente à France Inter, la sociologue Monique Pinçon-Charlot, qui s'est beaucoup intéressée avec son mari à la réalité urbaine de Paris[1], estimait que l'embourgeoisement de la ville était en grande partie achevé : « Même dans les quartiers encore les plus populaires de la capitale, le mouvement de gentrification est irrésistible, disait-elle. Prenez le quartier de la Goutte-d'Or, dans le 18ᵉ, où l'habitat était récemment encore dans un état misérable : vous voyez aujourd'hui s'installer au rez-de-chaussée des boutiques de mode, des ateliers de design, des cafés dans le vent. La reconquête du quartier par les bobos n'est plus qu'une question de temps. En fait, dans Paris, les seuls quartiers qui résisteront toujours à cette évolution sont ceux où se trouvent de fortes concentrations de HLM ou de grands ensembles. »

Malgré la volonté de rééquilibrage affichée par la majorité de gauche à la mairie depuis 2001, on constatait alors

---

1. Leur ouvrage, *Paris, Quinze promenades sociologiques*, paru pour la première fois en 2001, a fait l'objet de plusieurs rééditions revues et augmentées, notamment en 2009 aux éditions Payot.

que trois arrondissements «périphériques», les 13ᵉ, 18ᵉ et 19ᵉ, abritaient encore à eux seuls près de la moitié des logements sociaux. En 2009, les HLM représentaient 32,9 % de l'habitat dans le 19ᵉ, mais seulement 8,2 % dans le 11ᵉ. Et dans le 6ᵉ, un tout petit 1,7 %

À l'époque de Balzac, les deux tiers de la capitale étaient donc des quartiers populaires, et ceux-ci prenaient en tenaille l'Ouest bourgeois. C'est aujourd'hui l'inverse. Les secteurs qui ont échappé à la gentrification se réduisent à trois ou quatre gros secteurs plutôt périphériques occupés par les logements sociaux et les tours d'habitation. Des stations de métro comme Tolbiac ou Olympiades dans le 13ᵉ, Place-des-Fêtes, Laumière ou Crimée dans le 19ᵉ, resteront pour toujours de *mauvaises* adresses pour quiconque cherche une belle carte de visite. On dira donc, en le précisant : j'habite les Buttes-Chaumont et non pas : j'habite dans le 19ᵉ. De la même manière : j'habite la Butte-aux-Cailles et non pas : je suis dans le 13ᵉ. Et bien sûr : je vis à Montmartre et non pas : dans le 18ᵉ. On évitera autant que possible les adresses aux portes de Paris.

Mis à part ces zones d'exclusion, la quasi-totalité des 8 699 hectares de Paris (hors bois de Vincennes et de Boulogne) sont devenus *fréquentables*, et la ligne de démarcation entre l'ouest et l'est a définitivement volé en éclats.

En conséquence, les bonnes adresses qui avaient rassuré les familles pendant des générations ne sont plus de si bonnes adresses.

Pendant les deux ou trois décennies qui ont suivi la

Libération, le 6ᵉ perpétua un certain esprit frondeur et non conformiste, même si le quartier s'embourgeoisait. Au début des années 1960, on y trouvait encore juste assez de loyers de 48 et de vieilles combines pour conserver au quartier un vernis bohème, et le Petit Saint-Benoît, dans la rue du même nom, à quelques mètres de la demeure de Marguerite Duras, était une cantine bon marché pour habitués, ce qu'il est à peu près resté encore aujourd'hui, mais c'est une exception. L'hôtel Saint-André-des-Arts louait des chambres pour trois fois rien à des étrangers avertis œuvrant dans la mode, la photo, l'édition.

Le 6ᵉ arrondissement est désormais le plus cher de la capitale. Aujourd'hui il n'y a plus que des nouveaux riches, des jeunes loups de la finance et des nababs étrangers pour y acheter des appartements qui se vendent quinze mille euros du mètre carré.

Il y a une quinzaine d'années, j'avais croisé un obscur éditeur américain qui avait fait fortune dans l'édition scolaire. Ce petit capitaine d'industrie inculte n'avait pas hésité sur le choix de son logement : il avait acheté cent vingt mètres carrés avec terrasse au dernier étage d'un immeuble de la place Saint-Sulpice. La clientèle qui pendant des décennies n'aurait pour rien au monde acheté ailleurs que dans le bon 16ᵉ, avenue Georges-Mandel, ou dans le 7ᵉ le plus guindé, au Champ-de-Mars, ne jure plus que par le 6ᵉ.

Cet arrondissement où il faisait bon flâner, et où le carrefour de Buci restait un lieu de mélanges et de rencontres, est devenu tout juste fréquentable pour une petite bourgeoisie qui prétend pratiquer ce que les Pinçon-Charlot appellent le «résidentiellement correct», c'est-à-dire un minimum de mixité sociale. Certes, si l'on y a un bel appartement depuis quelques décennies, et qu'on ait le privilège d'aller à pied à son travail chez Gallimard ou au Collège de France, on ne va pas déménager sous le seul prétexte que des *parvenus* achètent du mètre carré à tour de bras et pourrissent le quartier. On y est on y reste. Ainsi le journaliste-écrivain T***, installé dans un immeuble en arc de cercle de la place de l'Odéon, ou l'auteur-éditeur R***, qui a une vue imprenable sur le boulevard Saint-Germain, ou D***, ancienne éditrice installée rue Jacob. Bernard-Henri Lévy, qui jadis habita au-dessus du bar le Twickenham, rue des Saints-Pères, presque en face de Grasset, sa maison d'édition, occupe plus de deux cents mètres carrés boulevard Saint-Germain, au-delà de la rue du Bac. Aux dernières nouvelles, Catherine Deneuve n'a toujours pas quitté la place Saint-Sulpice.

Jadis on se vantait d'habiter l'arrondissement, aujourd'hui on s'excuse presque de vivre chez les nouveaux riches. On s'empresse de préciser : *J'y habite depuis des siècles! J'ai connu les appartements chauffés au charbon! J'ai attendu le téléphone trois ans! Il y a vingt ans encore, il y avait de petits bistrots sympas pour déjeuner! J'ai acheté ça pour une bouchée de pain!* En un mot comme en cent, votre interlocuteur se pose en habitant légitime, en dernier des Mohicans de Saint-Germain-des-Prés, celui qui fait de la résistance face aux envahisseurs et aux horreurs de la vie moderne. Il ne va surtout pas *leur* faire ce plaisir de déménager, car *c'est mon chez moi, ici!* Mais, bien entendu, s'il n'y était pas arrivé à l'âge de vingt ans, jamais il ne lui viendrait aujourd'hui à l'esprit d'emménager dans ce quartier pour touristes. *D'ailleurs, au prix actuel du mètre carré, je n'aurais même pas les moyens de m'acheter une chambre de bonne !*

Avec un temps de retard sur le 6ᵉ, l'arrondissement voisin connut le même processus de gentrification. Le 5ᵉ reste aujourd'hui un quartier d'habitués, discret, presque familial, même si le mètre carré est à peine moins cher que dans le 6ᵉ. En dehors de la place de la Contrescarpe et de la rue Mouffetard, désormais envahies en permanence par les fêtards, tout est paisible et résidentiel : la place Monge, le quartier du Panthéon, les rues avoisinant le Jardin des Plantes, le plus charmant îlot de verdure de la ville. On y trouve des facultés illustres, le lycée Henri-IV, d'anciens couvents, le Collège de France : que des institutions rassurantes. Les cafés et les restaurants sont discrets, on peut sortir les enfants sans crainte, on ne risque rien de grave si ce n'est de croiser ce collègue de Jussieu qui essaie de devenir directeur de département à votre place, ou ce voisin de bureau qu'on déteste. On n'y trouve pour ainsi dire pas de grande concentration de cinémas. Et pratiquement aucun de ces bars de nuit qui attirent les hordes du week-end. On est ici dans un entre-soi modeste et raffiné, d'autant plus appréciable que cette félicité s'épanouit à l'insu du commun des mortels. Malgré le prix du mètre carré, la population semble avoir fait vœu de pauvreté et de décence : beaux appartements hérités de la famille et payés depuis longtemps, petites additions dans des restaurants *sympas* à prix modérés. Les riverains revendiquent avec fierté leur appartenance locale, et laissent croire qu'ils y sont depuis toujours et ont connu l'époque où c'était *presque un quartier de pauvres*. Tout naturellement, l'arrondissement a annexé la *bonne* portion du 13ᵉ, celle qui se trouvait à l'intérieur du mur des Fermiers généraux et qui est aujourd'hui délimitée par les boulevards Saint-Marcel et Arago jusqu'à la place Denfert-Rochereau. Ne vous fiez pas aux cartes d'état-major : le 5ᵉ qu'on est si fier d'habiter ne s'arrête pas à la place des Gobelins mais va jusqu'à la place d'Italie.

Dans cet environnement policé, on croise des universitaires, des profs de lycée, des éditeurs, des journalistes, des professionnels de l'édition, des commis de l'État, mais guère de gros commerçants, jamais de marchands d'armes, non plus que de riches Américains ou des Russes. L'argent ne se voit pas à l'œil nu et on n'en parle jamais à table. Cela n'a pas de prix.

Sur la rive droite, on trouve une autre valeur sûre parce que discrète : le 3ᵉ arrondissement. Sur son flanc sud, le 4ᵉ, autrement dit le Marais historique, resté un quartier de taudis pendant deux siècles et jusqu'au début des années 1960[1], a connu en deux décennies le sort du 6ᵉ. Il y a trente ans encore, on y trouvait des affaires somptueuses. Jean-Edern Hallier et sa femme, Delphine Seyrig et Sami

---

1. La transformation du quartier a été particulièrement foudroyante. On y comptait encore 66 000 habitants en 1955. Quatre décennies plus tard, il en restait 28 000.

Frey habitaient *depuis toujours* place des Vosges. Jack Lang et Anne Sinclair ont sans doute acheté *quand il était encore temps*. Au milieu des années 1970, j'avais interviewé Edgar Morin, qui au hasard de ses tribulations parisiennes s'était retrouvé rue des Blancs-Manteaux au second étage d'un hôtel particulier sublime et délabré. Aujourd'hui tout l'arrondissement est un terrain de chasse pour nouveaux riches, comme le 6e. S'y installer n'est même plus original. Malgré la somptuosité des immeubles xviie, c'est presque tape-à-l'œil. La rue des Francs-Bourgeois a été envahie par les boutiques de mode. La place des Vosges est submergée par les touristes.

Juste au-dessus de la rue des Francs-Bourgeois commence le 3e. C'est presque aussi cher que le 6e, mais comme dans le 5e cela se voit moins. Tout ici est plus discret. Mis à part le musée Carnavalet — situé à la frontière du 4e — il n'y a guère de bâtiments célèbres. Même l'hôtel Salé, qui abrite le musée Picasso, semble surgir inopinément au détour d'une rue étroite. Le Parc-Royal et la rue Payenne, pas très loin, sont juste de petits bijoux qu'on a la joie de découvrir au hasard d'une promenade, et qui n'ont pas trois étoiles dans le Michelin vert. L'ancienne résidence parisienne du mage Cagliostro avec sa cour pavée est restée en l'état, à l'angle de la rue des Arquebusiers et du boulevard Beaumarchais. Dans le quartier, les styles et les époques se côtoient et se mélangent. La rue de Normandie dont parlait Balzac, les rues de Saintonge ou Debelleyme sont préhaussmanniennes ; la rue de Bretagne, prolongement de la rue Réaumur, est en revanche une œuvre du baron. Aux abords de la mairie d'arrondissement flotte un air paisible, les jeunes couples promènent leur progéniture autour du Carreau du Temple, on va au marché des Enfants-Rouges. Le célèbre couscous Omar est devenu bien trop cher — signe des temps —, et l'embourgeoisement terminal menace, mais pour l'instant le secret n'est pas trop éventé. Tout comme le 5ᵉ, le 3ᵉ est un quartier idéal dont les habitants continuent de la jouer modeste et prétendent qu'ils ont fait le choix audacieux de vivre dans un quartier anciennement peuplé à ras bord de pauvres. Il n'y a plus ici ni audace ni aventure. Reste le simple bon goût.

Pour l'aventure, il faut aller un peu plus loin. Sur des terres encore partiellement en friche, qui sont de plus en plus rares. Les gens qui se veulent à la fine pointe de la mode recherchent ces territoires exotiques, îlots de bon goût encerclés par les dernières tribus insoumises. Les écrivains Virginie Despentes et Philippe Djian, sans se concerter, se sont retrouvés aux Buttes-Chaumont, un lieu excentré d'où l'on ne ressort qu'en payant un taxi au prix fort ou en s'infligeant un long périple compliqué dans le métro. Le cinéaste Jean-Pierre Mocky habite depuis des décennies place d'Aligre, si prisée des *happy few*. Le canal Saint-Martin a ses adeptes, ils cultivent le souvenir d'Arletty dans *Hôtel du Nord* et se plaignent seulement d'avoir à traverser des zones moins pacifiées pour se rapatrier vers le centre de Paris. Nouveau secteur *qui monte* et attire le respect : Belleville. Pour certains il n'y a pas plus tendance, car c'est l'un des rares quartiers de l'Est parisien où la mixité sociale bat son plein : les bobos sont arrivés, mais les anciens occupants n'ont pas encore quitté. Toutes les ethnies de la planète s'y sont succédé. Jadis le quartier était à dominante juive séfarade, aujourd'hui c'est chinois. Mais on y trouvera des Turcs, des Maghrébins, des prostituées asiatiques. Monica Bellucci et Vincent Cassel élurent longtemps domicile au métro Belleville. Le journaliste et ancien éditeur Éric Naulleau et le romancier Daniel Pennac y vivent encore.

Pour faire un bon Parisien, il faut manifester de l'originalité, se trouver en un lieu dont peu de gens savent qu'il est déjà à la mode. Qui savait que le métro Saint-Georges, au cœur du 9e arrondissement, serait un jour l'épicentre du nouveau quartier *where to be* ? Il y a trois ou quatre ans encore, les prix y restaient très raisonnables selon les standards parisiens. Les immeubles étaient souvent haussmanniens. Peut-être la curiosité des gens de bien fut-elle attisée par le fantôme de personnages de *La Comédie humaine* qui flottait encore dans ces rues étroites et sans arbres, à la limite de Pigalle. On assista au fil des ans à une migration quasi clandestine de citoyens distingués, psychanalystes, écrivains, éditeurs, journalistes de haut niveau. Sur le flanc est, Emmanuel Carrère occupe un immense loft new-yorkais rue des Petits-Hôtels, presque à la place Franz-Liszt. Jean Échenoz se trouve rue Condorcet, pas loin de la rue des Martyrs. L'éditeur POL est également dans le secteur. L'écrivain et scénariste Jean-Claude Carrière y possède une belle maison. Le romancier Régis Jauffret, lui, est resté à Montmartre et donne ses rendez-vous au café Chez

Ginette. Montmartre est difficile d'accès ? Illusion d'optique. Quand le besoin d'aller en ville se fait sentir, il suffit à Jauffret et quelques-uns de ses congénères de monter dans le métro à la station Lamarck-Caulaincourt. À la station suivante, Abbesses, on ramasse de nouveau quelques intellectuels de gauche, implantés à Montmartre de longue date, à l'époque où les prix étaient ici abordables. Nouvel arrêt à Pigalle, qui a toujours eu les faveurs de quelques originaux de bonne famille. Quatre-vingt-dix secondes plus tard, on fait le plein de psys, de gratte-papier et de soutiers de l'édition à Saint-Georges, et à partir de là tout le monde se met en apnée, on traverse Paris le temps de feuilleter *Libération* pour finalement se réveiller au métro Rue-du-Bac ou à la station Notre-Dame-des-Champs. Entre gens du même monde.

C'est si simple et si compliqué à Paris de ne pas se tromper.

4

Hors les murs

La scène se passe vers la fin des années 1980. Elle est relatée par le Britannique Peter Mayle, dans *A Year in Provence*[1], un petit livre qui accumulait avec humour et une totale mauvaise foi tant de remarques acides, voire de clichés sur les mésaventures auxquelles on s'expose quand on choisit des villégiatures provençales, qu'il en devint un best-seller mondial. La maison que l'auteur et sa femme avaient retapée dans le Luberon devint par la suite une attraction officielle qu'on faisait visiter aux groupes de touristes américains ou japonais. Les mêmes sans doute qui, douze ans plus tard, allaient faire à Paris l'itinéraire du *Da Vinci Code*. C'est dire à quel point *Une année en Provence* — qui fut également un énorme succès de librairie en France — est un ouvrage indispensable.

Dans ce récit astucieux, il ne manque ni le paysan madré qui cherche à vendre son bout de terrain trois fois son prix, ni le restaurateur à l'affût du touriste à plumer, ni les

---

1. Peter Mayle, *A Year in Provence*, Pan Books, Londres, 1990.

plombiers qui ne viennent jamais au rendez-vous, ni les maçons qui vous laissent tomber après avoir réduit la moitié de votre maison à l'état de ruine. D'un côté le couple de Londoniens *baba cool*, admirables de simplicité, de l'autre tous ces Méditerranéens hauts en couleur mais retors.

Un soir du début août, Peter Mayle et sa femme étaient invités à une fête chez des amis d'amis à Gordes. Pas vraiment une soirée intime car il y avait là une cinquantaine d'invités. À son arrivée, le couple fut frappé de stupeur : la quasi-totalité des invités s'étaient habillés pour la soirée, à tel point que nos candides Anglais, qui se croyaient pour de bon à la campagne, là où l'on vit *décontracté*, se sentirent misérables, lui avec ses chaussures poussiéreuses, elle avec ses vêtements de tous les jours. Les femmes avaient des robes légères mais de grande marque, des bijoux, des talons aiguilles. «Nous avions été lâchés dans une *soirée*!» ironise le publicitaire londonien comme s'il tombait sur la Lune. «Ils avaient une coupe de champagne à la main. Personne ne buvait de pastis. La conversation ressemblait à un discret chuchotement selon les standards provençaux. On aurait pu être à Paris!» De fait les voitures garées en contrebas de la maison sur plusieurs dizaines de mètres portaient toutes la fatidique plaque 75. En cette belle soirée du mois d'août de la fin des années 1980, après plus de six mois passés à retaper une maison à Bonnieux, ce jeune couple prospère issu des milieux de la publicité faisait cette découverte stupéfiante : le Luberon en général et Gordes en particulier est un domaine réservé pour Parisiens, un enclos de luxe pour mondains des bords de Seine, l'équivalent en quelque sorte de ce qu'étaient les concessions internationales dans la Chine impériale agonisante.

On ne mettra pas en doute la sincérité de ce Peter Mayle : jamais bien entendu il n'avait eu vent de la réputation mondaine du Luberon, et c'est par le plus grand des hasards que lui et sa femme avaient choisi Bonnieux pour s'installer en Provence, en croyant n'y trouver que des viticulteurs âpres et besogneux, des retraités tapant le carton au fond des bistrots et des joueurs de pétanque. Jamais personne ne leur avait soufflé que Bonnieux — tout comme Lourmarin, Gordes ou Roussillon — était un endroit *super bien fréquenté l'été*.

Au cours de cette soirée mondaine, ils sympathisent avec un couple — « le moins chic de la soirée, lui petit avec une bonne tête de Normand » — qui achève de détruire leurs dernières illusions. Le Normand est de la même race que Peter Mayle : c'est un homme qui n'a que faire des modes et des *beautiful people*. Il est venu dans le coin vingt ans plus tôt, a acheté une maison de village pour trente mille francs de 1970, l'a retapée puis revendue, en a acheté une autre, etc. Sa première maison, aujourd'hui hyper-rénovée et décorée, vient de se vendre un million de francs de 1990. « C'est de la folie, dit le Normand, mais ces gens qui font partie du Tout-Paris — il désigna du menton les autres invités — veulent absolument être avec leurs amis au mois d'août. Si quelqu'un achète, tout le monde achète. Et ils paient le prix parisien[1]. »

1. *Op. cit.*

Peter Mayle croyait avoir trouvé à Bonnieux un paradis heideggérien de l'authenticité rurale, il découvrait l'univers frelaté de la capitale, un satellite estival de la vie parisienne. Bien entendu, il n'avait jamais entendu parler de cette vieille tradition qui consiste pour un Parisien à ne quitter sa bonne ville que pour des villégiatures estampillées parisiennes.

Certains habitants de la capitale refusent de pratiquer ce rite : ils n'iront certainement pas dans *un de ces endroits affreux où l'on ne croise que des Parisiens*. Ils passeront leurs vacances ailleurs, là où enfin ils sont sûrs de ne connaître personne et où *les snobs* ne mettent pas les pieds. Cela veut-il dire qu'ils iront n'importe où ? C'est moins sûr. Ils se flattent de ne pas fréquenter des lieux *tendance* et le font savoir. Ils cherchent l'originalité qui les distinguera du lot. Mais ils ne passent pas non plus le mois d'août, bien sûr, à Port-Grimaud ou à La Grande-Motte. Ces aventuriers solitaires vantent la simplicité du Gers ou du Lot, la tranquillité d'un village dans les Pyrénées *dont je suis le seul à connaître le nom*. Une attitude haut de gamme qui consiste à dire : l'endroit à la mode est celui où je me trouve. Il suffit d'y croire. Beaucoup y croient.

Les autres se conforment à la règle : être là où vont les vrais Parisiens. Fin des années 1980, Peter Mayle feignit de découvrir que le Luberon était une annexe de la capitale. On suppose, sans grand risque de se tromper, qu'il le savait, car c'était déjà une vieille histoire.

J'avais entendu parler de cette province mystérieuse et lointaine vers la fin des années 1970, dans une magnifique maison avec jardin de Montmartre, classée «atelier de la Ville de Paris» et occupée par un vieil artiste plutôt obscur mais pourvu d'un patronyme célèbre. C'est dire que son loyer était proche de zéro. Dans cette maison, S***, la fille aînée de la famille, recevait parfois ses amis, qui avaient comme particularité d'avoir des liens familiaux avec des célébrités de la vie culturelle ou politique et de ne pas faire grand-chose dans la vie. C'étaient des *fils de*, donc au courant de tout.

«Vous connaissez le dernier scandale? lança à la blague la maîtresse de maison. Entre Saint-Germain et Montparnasse, on a mis à prix la tête de Jean-Francis Held pour avoir dévoilé sur la place publique le secret du Luberon...»

Jean-Francis Held était alors un journaliste vedette, spécialiste des questions de société au *Nouvel Observateur*, organe officieux de l'intelligentsia. Dans un long reportage, il avait sans vergogne révélé le fameux secret de famille, à savoir quel était ce lieu mystérieux où depuis plusieurs années la gauche caviar prenait clandestinement ses quartiers d'été. Dans la préhistoire, Albert Camus avait, peut-être sans le savoir, ouvert la voie en s'installant non loin de là, certes sur le «mauvais» versant du Luberon, à Lourmarin. Au milieu des années 1960, le journaliste-écrivain Jean Lacouture avait déniché une ruine paradisiaque jouxtant le bureau de poste de Roussillon. Parmi les célébrités germanopratines qui lui avaient emboîté le pas, non loin de là à Gordes, on mentionnait avec des trémolos dans la voix le nom du philosophe Étienne Balibar. Le Luberon était discret, à l'écart des grandes voies de communication, on sillonnait des chemins vicinaux pour aller rendre visite à des amis dans le village voisin ou prendre l'apéro à une terrasse ombragée. On croisait des journalistes de gauche, des directeurs de musée, des acteurs, des apparatchiks socialistes. Au mois de juillet, on faisait deux ou trois virées au festival d'Avignon, question de voir la version intégrale du *Soulier de satin* monté par Antoine Vitez et de saluer de loin quelques vieilles connaissances du 6ᵉ, d'autres habitués du Flore ou des Deux Magots.

Le Luberon fut pendant deux ou trois décennies la villégiature idéale, préservée de tout tape-à-l'œil, et par-dessus le marché inconnue du vulgaire. Il avait supplanté la presqu'île de Saint-Tropez, jadis point de ralliement de la bohème de luxe. À l'époque, Françoise Sagan partait de Saint-Germain à minuit et y arrivait tôt le matin pour y prendre des croissants au beurre chez Sénéquier. Mais Brigitte Bardot, *Paris Match*, les paparazzi, la clientèle du Byblos, les nouveaux riches, et les hordes de touristes et de curieux, avaient réussi à pourrir ce coin de paradis. Le vieux port de Saint-Tropez était devenu un mythe pour les magazines qu'on trouve chez le dentiste, il était temps pour la gentry parisienne d'aller planter ailleurs son jardin secret. Peu à peu, sans avertir les populations, elle émigra vers le Luberon.

Et voilà qu'en cette fin des années 1970, la sérénité de cette tribu insouciante qui ne demandait qu'à se faire oublier était troublée par un traître issu de ses rangs. Circonstance aggravante, on pouvait lire dans ce reportage, photos aériennes à l'appui, que toutes les belles maisons provençales achetées jadis pour une bouchée de pain, rénovées à grands frais, étaient désormais pourvues de piscines de belle dimension et que nos intellectuels menaient une vie de nouveaux riches. Il ne manquait plus que cette publicité intempestive pour attirer, justement, une vague de vrais nouveaux riches, circulant à bord de Mercedes climatisées et d'Alfa Romeo vrombissantes. Le fond distingué et bienséant du Luberon était solide, et la région demeura une référence, mais une référence un peu trop évidente. Puisque désormais tout le monde connaissait la *branchitude* de la région d'Apt, y compris les vendeurs de cabriolets ou de piscines, elle n'était plus vraiment tendance. Le prix du mètre carré continua de monter, mais la valeur morale et esthétique du Luberon se retrouva sur la pente déclinante, chacun savait que *ce n'était plus ce que c'était.*

La bonne société parisienne a toujours recherché des lieux hors les murs où on était assuré de se retrouver *entre soi.* À l'époque de Proust, il suffisait d'aller sur la côte normande, au hasard, à Deauville, Cabourg, Honfleur ou Étretat : on était assuré de n'y faire que de bonnes rencontres. Avec le développement du tourisme de masse, on n'est plus sûr de rien. Pour savoir où il convient de mettre — et surtout de ne pas mettre — les pieds, il faut être dans le coup, dans la confidence, ne pas croire ce qu'on lit dans *Paris Match.*

La côte normande demeure et restera, pour des raisons de commodité et de proximité, une villégiature pour Parisiens acceptable pour les week-ends ou le pont de la

Toussaint. Mais on n'a guère entendu parler ces dernières années de gens un tant soit peu *in* qui y passeraient leurs vacances d'été. Honfleur et Trouville, c'est un délice à l'automne ou au printemps, il s'agit d'un petit déplacement en voiture improvisé, comme si l'on allait au coin de la rue. *La côte normande, c'est banal, sans surprise, c'est notre banlieue à nous,* clame le Parisien dûment informé. Dans ce contexte et à la condition d'avoir compris qu'on y côtoiera essentiellement une clientèle bourgeoise tendance fric, Deauville restera une destination valable pour de brèves escapades et la morte-saison. On continue d'y faire une virée le samedi après-midi pour jouer quelques plaques le soir au casino, puis *bruncher* le lendemain sur les planches avant de rentrer à Paris, et on assume. Cependant, les Parisiens un peu plus pointus ont depuis longtemps compris qu'il vaut mieux rester juste à la lisière de la cité balnéaire et opter pour sa fausse jumelle Trouville, qui partage la même gare de chemin de fer, et dont elle n'est séparée que par un petit pont. Bien qu'on y trouve là aussi un fort joli casino, et l'hôtel Flaubert, vieille maison donnant sur la plage, Trouville n'a rien de spectaculaire, et les nouveaux riches habitués du Normandy ou de l'hôtel du Golf ignorent souvent jusqu'à son existence. Bien que des commerçants et des journalistes locaux aient de longue date vendu la mèche et répandu ce slogan du *Trouville, 21e arrondissement de Paris,* le lieu a été jusqu'à maintenant relativement épargné par les foules et le tout-venant touristique. Il reste le plus parisien qui soit. Avant sa mort, Marguerite Duras y avait une résidence où elle écrivit ses derniers ouvrages[1]. Gérard Depardieu y passait du temps. Le soir, on allait au Central ou aux Vapeurs, deux brasseries presque interchangeables dont la cote ne cessait de monter et de descendre l'une par rapport à l'autre. On y croisait le chanteur Carlos, mais aussi Jacques Attali qui avait réussi à s'échapper d'un ennuyeux sommet international qui se tenait à Deauville. On y voyait des écrivains, des éditeurs, des psychanalystes connus. On aurait pu être chez Lipp, ou à La Coupole de la meilleure époque. De ces établissements où il est préférable de connaître certains habitués avant d'y mettre les pieds. Certes, la direction n'interdira pas l'accès à des nouveaux riches ou à des touristes japonais qui auraient découvert les lieux par inadvertance ou grâce à un guide, mais leurs voisins de table leur feront sentir qu'ils ne sont pas tout à fait bienvenus. Sauf cas d'espèce, les gens de droite n'y sont pas accueillis à bras ouverts non plus. D'ailleurs lorsque quelqu'un vous glisse au passage, *Oui, le week-end dernier, on a décidé de se payer un bol d'air frais à Trouville,* vous pouvez prendre pour acquis que ce quelqu'un se veut plutôt de gauche, et qu'il y a fréquenté d'autres gens du même bord.

Mais Trouville, si distingué soit-il, ne peut servir que pour les dépannages de courte durée. Il faut envisager

1. Dans une interview donnée un matin à France Inter, une semaine avant la célébration du trentième anniversaire de P.O.L., sa maison d'édition, Paul Otchakovsky-Laurens racontait, parmi ses souvenirs épiques d'éditeur, une engueulade homérique avec Marguerite Duras, dont il avait publié deux ouvrages tardifs. «Cela se passait, précisa-t-il, devant la terrasse des Vapeurs.» À Trouville, donc.

d'autres destinations pour les longues vacances, des lieux préservés de la foule et où l'on se retrouve entre soi.

Si l'on a depuis longtemps une maison dans le Luberon, on la gardera, en faisant savoir à ses visiteurs qu'on est là depuis des décennies, que jamais au grand jamais on n'a payé les prix pour nouveaux riches des dernières années. Mais si l'on doit choisir de nouveaux quartiers d'été et que l'on a une certaine estime de soi, on cherchera un lieu plus original dont le nom ne s'étale pas déjà dans les magazines, un refuge discret, inconnu ou presque du grand public.

Ainsi le golfe du Morbihan. La dénomination reste suffisamment vague pour ne pas éveiller les soupçons du plus grand nombre. Dites Deauville, Cannes ou Monaco, et tout le monde aura compris que vous parlez de lieux de villégiature pour célébrités et richissimes. Mais le golfe du Morbihan ? Voilà qui reste assez flou et mystérieux. Certes les paysages sont beaux et — petit détail — le climat y est nettement plus clément que dans les Côtes-d'Armor ou le Finistère : on parle avec solennité d'un microclimat. Cela suffit-il à expliquer l'engouement discret et persistant de la bonne société parisienne ? La raison principale ne serait-elle pas plutôt celle-ci : si l'on pose ses pénates dans la région de Vannes ou de Quiberon, ou mieux encore à l'Île-aux-Moines, on est assuré de se retrouver en bonne compagnie. Ici vous aurez un ténor du barreau, là un romancier illustre, là encore un éditeur en vogue. En somme un voisinage flatteur, beaucoup de relations aimables et utiles, et pas trop de tourisme de masse. Un signe qui ne trompe pas : sur une carte touristique Michelin, vous découvrez dans cette zone une concentration impressionnante d'hôtels de charme et de restaurants étoilés, infiniment plus que dans le reste de la Bretagne. Ce qui donnerait à penser qu'on trouve dans la région une clientèle prospère et raffinée qui fera tourner ces établissements hors de prix. À la rentrée de septembre, on entendra dans des cantines à la mode de Montparnasse ou du faubourg Saint-Antoine des dialogues du genre :

« Et toi, t'étais où ?

— Oh ! On était nulle part, dans la maison de famille de ma femme, sur le golfe du Morbihan. Et toi ?

— Bof… Pareil. On était à l'île de Ré pour ne rien changer. »

Dans les couloirs de Canal +, si l'on en croit Ollivier Pourriol, qui assura pendant une saison une chronique de « philosophie » au Grand Journal, on peut entendre une variante « internationale » du même dialogue : « T'es super bronzé. Tu reviens d'où ? — Los Angeles. — Toi aussi ? Vous allez tous en vacances au même endroit ou quoi ?

— On est grégaires[1]. »

Pour le commun des mortels, il est aussi étrange de chercher à acheter à tout prix un appartement au métro Saint-Georges que de vouloir à tout prix passer ses vacances autour de Vannes ou Lorient. Ces lieux restent invisibles aux yeux du vulgaire. C'est ce qui leur donne justement tout leur charme.

Ainsi l'île de Ré, qui n'a rien de spectaculaire, et qui serait même plutôt banale en comparaison d'Ouessant,

---

1. O. Pourriol, *On/Off*, Nil éditions, 2013.

Noirmoutier ou Belle-Île-en-Mer. Soyons juste : Belle-Île constitue depuis plusieurs décennies un lieu de rendez-vous privilégié pour la gentry parisienne. Mais peut-être justement un peu trop privilégié : l'île est relativement difficile d'accès et, tout comme pour la petite île d'Yeu, il est presque impossible d'y faire passer une voiture pendant la belle saison. C'est un lieu pour habitués de longue date. Certains y ont une maison de famille sommairement retapée où ils gardent une voiture en fin de vie. D'autres prennent à grands frais l'avion depuis Lorient et vont directement au Castel Clara, un palace donnant sur les falaises de Port-Goulphar que l'éditrice Françoise Verny, le président Mitterrand et quelques autres honoraient de leur présence. On y fait de la marche à pied en bordure de falaise. D'autres prennent le bateau qui mène à Sauzon, s'installent à l'hôtel du Phare et louent des vélos. Ici on n'a pas le culte des voitures de sport bruyantes, la clientèle appartient à l'Éducation nationale, à l'université, au monde de l'édition et de la fonction publique. Les conversations sont feutrées, on ne hurle pas à la terrasse des cafés et des restaurants, on n'entend pas de musique techno. Belle-Île a toujours eu vocation à constituer un refuge pour Parisiens distingués. De là à dire qu'on peut y transporter et y caser la population de la rive gauche, il y a une marge : ici le terme *happy few* a une connotation vraiment restrictive.

C'est ce qui a peut-être fait la fortune de l'île de Ré, pourtant moins séduisante, mais qui a l'avantage appréciable d'être reliée au continent par un pont depuis un quart de siècle. Cette révolution aurait pu amener des hordes de touristes. Mais pourquoi seraient-ils venus ? À Ré il n'y a pas de paysages spectaculaires et on bronze beaucoup moins qu'en Méditerranée. La masse des estivants français ignore précisément que c'est le lieu le mieux fréquenté qui soit. On y croisera Philippe Sollers et Lionel Jospin, des journalistes célèbres et les éditeurs les plus exigeants, des écrivains et des artistes, des membres de cabinets ministériels, des directeurs de musée. Une population qui a les moyens d'acheter au prix fort une simple maison de pêcheur mais qui jamais n'étale son argent. Pendant l'été l'île de Ré abrite une société idéale en modèle réduit. Les écrivains sont invités à dîner chez des éditeurs — de préférence autres que le leur —, on discute des affaires du monde avec des essayistes réputés, on s'élève l'esprit. Les seules querelles qui surviennent certains soirs sous les étoiles consistent à savoir si en dernière analyse Ars-en-Ré n'est pas en train de dégringoler et de se faire damer le pion par Les Portes-en-Ré au titre de *place to be*. Étant bien entendu que Saint-Martin est depuis longtemps à éviter car le soir il y a *la foule*.

Il y a des gens de votre connaissance dont vous pouvez être sûr à l'avance qu'ils vous diront : *Mes vacances, oh, j'étais à l'île de Ré.* Certains, plus avisés des mouvements de mode à venir, ajouteront : *Je me dépêche d'en profiter car bientôt ce sera infréquentable.* Les enclaves parisiennes de haut niveau restent à la merci de quelques indiscrétions malintentionnées dans la presse.

L'île de Ré, c'est le *nec plus ultra* dans le genre Paris hors les murs, mais de gauche. Les gens qui la fréquentent avec assiduité n'ont que dédain pour l'argent.

La bourgeoisie d'affaires — ou paillettes — de la capitale dirige donc ses pas dans d'autres directions. Les femmes et même les hommes de ces milieux apprécient le bronzage intensif et les boîtes de nuit. Où aller passer l'été sinon en Méditerranée ? De ce point de vue, un yacht privé peut constituer une solution de bon goût : *On était avec les Durand sur leur bateau, on a fait les calanques, c'était formidable, on n'a vu personne pendant dix jours.* Mais le yacht privé n'est pas à la portée de tout le monde.

Dans les années 1920, on pouvait avec Scott Fitzgerald aller sur la Côte d'Azur — au sens large — les yeux fermés, tout était bien, depuis Cavalaire jusqu'à Menton, on n'y voyait que des gens de son monde, l'arrière-pays était une aventure sublime. Aujourd'hui cela fait déjà longtemps que le littoral des Alpes-Maritimes et du Var a mauvaise réputation. Si l'on ne choisit pas avec discernement son terrain d'atterrissage, on risque aussi bien de tomber sur une invasion de Russes ou de Saoudiens. Sans parler des hordes de campeurs. Saint-Tropez reste un pôle d'attraction prioritaire pour ceux qui ont envie de voir de belles filles sexy, des bateaux de luxe amarrés sur le port, l'étalage du fric et peut-être même quelques vedettes de cinéma. Mais comment avouer à son interlocuteur qu'on a passé le mois d'août à Saint-Tropez, ce qui prête à confusion ? On préférera lâcher négligemment : *J'ai trouvé à louer une maison à Ramatuelle, il y avait plein de copains dans les environs.*

Certes, Ramatuelle n'est pas ni ne sera jamais l'île de Ré, car la bourgeoisie Rolex, liée au showbiz, à la pub, à la télévision, qui fréquente la presqu'île n'a pas la légitimité de la gauche caviar, ce n'est pas elle qui dit le bon goût. Mais la bourgeoisie paillettes l'ignore. Elle ne lit pas toutes les semaines *Le Nouvel Observateur* ou *Les Inrockuptibles* et ne sait pas que, malgré sa relative discrétion, Ramatuelle — sa plage 55, sa proximité avec Saint-Trop' — est secrètement marquée au coin d'une certaine vulgarité. Ses habitués, quand ils rentrent à Paris en septembre, ne doutent pas un instant d'avoir fréquenté le lieu le plus furieusement parisien qui soit. La preuve : à la Plage 55 où ils ont leur rond de serviette ils ont croisé Robert De Niro l'autre jour en train de déjeuner à la bonne franquette d'une simple salade à soixante euros, *comme tout le monde*.

Ces Parisiens tendance grégaire, qu'ils soient plutôt paillettes et Ramatuelle, ou plutôt psychanalyse et pêche aux bigorneaux à l'île de Ré, cherchent tous la même chose : se retrouver en bonne compagnie, avec des gens de leur niveau, qui pensent à peu près comme eux et vénèrent les mêmes idoles. Un luxe à savourer dans la discrétion et qui n'a pas de prix.

II

REPÈRES

5

L'*homo parisianus* n'existe pas

C'était une jeune femme à la fois amusante et exaspérante, qui parlait beaucoup et ne se laissait pas facilement oublier. Appelons-la Anne-Marie. Ce n'était pas une beauté, mais elle avait un charme indéniable et s'habillait avec un goût parfait, une pointe de provocation de manière à se faire remarquer, mais pas la moindre trace de tape-à-l'œil. C'était une *flibustière* sans véritable revenu fixe, qui avait sévi au sein de la nébuleuse de *Libération*, une joueuse de poker capable de faire tapis avec une modeste paire ou rien du tout dans les mains. Elle connaissait par cœur les lieux où il convenait de se montrer et s'y montrait aussi souvent que possible. Elle lâchait à bon escient les noms de ses relations. La fréquentation épisodique de Jean Baudrillard lui permettait de soutenir sa réputation auprès du tout-venant et d'aller frapper avec aplomb à la porte d'autres sommités parisiennes. Elle enrôlait autour de projets fumeux — qui avaient zéro budget et à peine davantage de vraisemblance — des inconnus croisés la veille mais qui pouvaient être utiles, parfois des personnalités de niveau plutôt convenable au regard de la vacuité de ses entreprises.

Je ne sais plus exactement dans quel but précis j'avais été recruté — à titre de journaliste nord-américain je suppose — mais j'avais retrouvé Anne-Marie dans un cocktail à la résidence de l'ambassadeur de Grande-Bretagne, où elle travaillait au corps un conseiller culturel à qui elle essayait de vendre un fantaisiste projet de fondation dont elle espérait devenir la directrice influente et rémunérée. Après qu'elle eut terminé ses mondanités, on ressortit de là et, sans la moindre hésitation, elle décida que la prochaine étape serait forcément l'hôtel Costes, un établissement discret situé rue Saint-Honoré. Des célébrités parisiennes s'y donnaient rendez-vous dans la semi-clandestinité de petits salons feutrés, on ne pouvait faire plus chic, d'ailleurs on commença par buter ce soir-là sur Catherine Deneuve.

Un autre soir elle opta pour la Brasserie Lipp, qui restait et demeure encore aujourd'hui un lieu incontournable de la vie parisienne, où se retrouvent les vedettes de la vie politique, du journalisme, de l'édition ou de la culture. Sans surprise le maître d'hôtel laissa tomber le verdict : « Il y a de la place mais à l'étage. » On y alla. Elle avait une conversation si divertissante que le maître d'hôtel en second — le chef de rang ? — laissa à son tour tomber son verdict à la fin de la soirée et glissa au responsable du rez-de-chaussée : « La prochaine fois tu les installeras en bas. » Y a-t-il à Paris consécration plus flatteuse ? Une autre fois encore, elle m'attira dans un autre guet-apens où elle avait l'intention de ferrer quelque poisson pour sa fantomatique fondation. Il y avait tout de même autour de la table deux ou trois « historiques » de *Libération*. Un peu oubliés mais historiques tout de même. Comme par hasard le rendez-vous avait été fixé au Tchao Bar, boulevard Rochechouart. Un bar-restaurant sur deux étages, avec de lourds fauteuils encombrants et prétentieux, bref l'un de ces lieux de nuit qui seraient totalement ringards si l'esprit parisien n'avait décrété qu'ils étaient désormais parfaitement à la mode. En fait, à cette époque, le quartier de Pigalle venait tout juste de basculer dans la branchitude et vivait un nouvel âge d'or, d'autant plus que seuls les meilleurs initiés étaient au courant de ce changement de statut. Rien de plus chic à Paris que de fréquenter un lieu que les ploucs tiennent pour vulgaire ou démodé, alors que justement il *revient très fort*, un secret jalousement gardé par les aficionados. Le Tchao Bar était alors à Paris un tel *must* que, lors des primaires à la candidature socialiste pour la présidentielle de 2007, l'équipe de Dominique Strauss-Kahn y avait installé son quartier général pour les soirs de débats télévisés. DSK, Anne Sinclair, Jean-Christophe Cambadélis, la séduisante communicante Anne Hommel, bref le gratin du microcosme se pressait dans cet endroit presque louche et lui donnait son onction, ce qui valait consécration officielle pour le temps présent et plusieurs années à venir.

Dans la jungle parisienne semée de pièges redoutables et de mirages, Anne-Marie faisait un parcours sans faute. Sans conteste, elle méritait le titre de Parisienne. J'avais croisé par la suite ce diplomate britannique de rang moyen à qui elle essayait de soutirer des subventions. Le jeune homme, de toute évidence impressionné par la capitale française, l'était tout autant par Anne-Marie qu'il tenait pour une parfaite incarnation du génie parisien. Ce en quoi il n'avait pas tort. Par pure malveillance, j'avais ricané : « Anne-Marie ? Elle est aveyronnaise ! » Il en était resté bouche bée : « Aveyronnaise ? J'ai toujours pensé qu'elle était parisienne ! »

Pour bien des gens, à commencer par les étrangers qui fréquentent la France avec assiduité et parlent sa langue, le Parisien se reconnaît au fait qu'il a l'air parisien : il prend volontiers l'air supérieur de celui qui sait tout, il est au courant des dernières modes, des dernières rumeurs, il connaît ou feint de connaître un tas de personnalités de l'art, des médias ou de la politique, et aborde son interlocuteur avec le ferme propos de l'intimider[1]. Pour ce jeune attaché d'ambassade britannique, Anne-Marie était la Parisienne exemplaire. Ni riche ni célèbre ni même promise à un avenir radieux, simplement parisienne. Il n'avait pas tout à fait tort.

Il y a des gens que vous croisez dans Paris et dont vous voyez immédiatement qu'ils ne font pas partie du tableau. Ils ont le projet d'aller au Caveau de la République applaudir des humoristes désopilants et croient que Jean Amadou

---

1. Mis à part le fait qu'on soit désormais en république et que, bien entendu, il n'y ait plus de Cour, presque rien n'a changé depuis que Louis-Sébastien Mercier écrivait, en 1783, à propos du Parisien : « Il parle de la Cour comme s'il la connaissait ; des hommes de lettres comme s'ils étaient ses amis ; des sociétés comme s'il y avait donné le ton. Il connaît aussi les ministres, les hommes en place. » In *Le Tableau de Paris, op. cit.*

est encore vivant. Ils rêvent d'aller voir la dernière pièce de boulevard avec Pierre Arditi et ensuite de souper au Pied de Cochon. Ces gens sont de simples touristes, des visiteurs qui passent épisodiquement pour affaires, des *provinciaux*, des Franciliens qui viennent rarement en ville. Ils cherchent leur chemin, regardent avec appréhension les Parisiens, c'est-à-dire tous les autres, les clients des bistrots, les passants qui ont l'air de savoir où ils vont et semblent avoir des relations dans le quartier.

Le Parisien se signale au contraire par son aisance à se mouvoir dans l'espace urbain. Comme cet univers est extrêmement compliqué, l'observateur étranger en conclura que cette agilité s'acquiert dans l'enfance, entre une maternité de Neuilly et une école primaire de la place Monge. Là où l'on apprend à avoir réponse à tout même quand on ne sait pas, à marcher d'un pas pressé pour éviter les quémandeurs, à se placer à proximité des belles femmes et des gens de pouvoir sans avoir l'air de chercher quoi que ce soit, à jouer de la distraction rêveuse dans les dîners en ville. Une telle science, se dira le non-initié, doit forcément se transmettre à la naissance ou au contact prolongé de l'air ambiant. La qualité d'*homo parisianus* semble susciter tant de respect — ou tant d'envie — que de toute évidence il doit s'agir d'une distinction comparable au titre de noblesse. Un club sélect et très privé où forcément l'on ne pénètre que par cooptation, à la condition d'avoir quelques atouts personnels, des appuis en haut lieu et un peu de chance.

À l'usage, le même étranger, s'il gratte un peu, constatera qu'il n'en est rien. Ici le droit du sol ne s'applique pas. La majorité des Parisiens les plus éminents qu'il lui arrive de croiser — ou de voir à la télévision — ne sont justement pas de la capitale. Ils viennent de Lyon, de Marseille, du fond de la France profonde, de nulle part. Si l'on consulte leur notice biographique, on constate que le plus sophistiqué, le plus brillant, le plus insupportablement parisien des cinéastes contemporains, Éric Rohmer, était natif de Tulle. Vous avez bien lu : Tulle ! Patrice Chéreau venait du Maine-et-Loire, ce qui *a priori* ne disposait pas davantage à une brillante carrière au sein de l'avant-garde théâtrale.

Y avait-il quelqu'un de plus parisien que François Mitterrand ? Il connaissait tous les codes en vigueur, savait où il fallait habiter, dîner, flâner, bouquiner. Il avait sa table attitrée chez Lipp où M. Roger Cazes, patron et redoutable cerbère de l'établissement, le considérait comme un égal. En conséquence de quoi il posait au provincial inconsolable, vantait les mérites du romancier Jacques Chardonne et traitait avec mépris toutes les formes de parisianisme. Il sortait de chez lui sans argent, ce qui lui permettait de lâcher à un compagnon de table ou de taxi : « Ça ne vous dérange pas de régler la note, hein ? On s'arrangera après. » Savoir regarder l'argent de haut est une qualité très prisée dans cette région du monde. Mitterrand ne répugnait certes pas à fréquenter les restaurants trois-étoiles, qui ne l'impressionnaient pas, ou, un peu à l'écart de la foule, au bas des Champs-Élysées, Ledoyen qu'il appréciait. Mais il préférait les brasseries traditionnelles et les simples bistrots. Il avait ses habitudes chez Dodin-Bouffant (longtemps une étoile Michelin) parce que la nourriture y était bonne et que ça se trouvait à cinq minutes de son domicile. Mais il allait volontiers, encore plus près de chez lui, au pied de son immeuble, au couscous de la rue de Bièvre avec son célèbre beau-frère, Roger Hanin. Un soir que le chancelier Kohl était en visite, Mitterrand l'avait emmené dans un bistrot dont on reparlera, à trois rues de chez lui. Côté immobilier, Mitterrand avait un instinct sûr : longtemps il habita — en simple locataire — un bel appartement qui donnait sur les jardins de l'Observatoire, l'un des plus beaux cadres de Paris. Peut-être justement l'affaire de l'Observatoire[1], qui le poursuivit longtemps, l'avait-elle dégoûté de cette adresse. Avec Roger Hanin, il finit donc par acheter une maison de trois étages, située au fond d'une cour intérieure de la rue de Bièvre et que les journalistes rebaptisèrent abusivement hôtel particulier. Pouvait-on imaginer pour se loger un choix plus avisé et modeste que celui de cette rue vieille de plusieurs siècles, étroite et sombre, où les immeubles étaient il n'y a pas longtemps à l'état de taudis ? Pendant ses jeunes années, depuis la Libération jusqu'à la chute de la IVe République, Mitterrand fut un habitué, ou plutôt une vedette locale de Saint-Germain-des-Prés, LE quartier à la mode. Il y croisait, notamment à la librairie La Hune, sa vieille copine Marguerite Duras, peut-être François Nourissier, en tout cas des écrivains, car il n'y avait rien de plus

---

1. En 1961, alors qu'il faisait figure de principal opposant à de Gaulle, Mitterrand avait été pris dans une ténébreuse affaire. Ayant été «averti» par un individu louche d'un attentat qui se préparait contre lui, il avait feint d'échapper aux balles de tueurs postés à proximité de son appartement et avait alerté la presse. Ce faux attentat faillit lui coûter sa carrière politique.

chic à Paris. Signe extérieur suprême de réussite sociale, Mitterrand engrangeait de beaux succès féminins.

Voici comment Jean Cau le dépeint en 1956 :

> Un homme jeune, au cheveu noir solidement planté, au teint blanc, sur le trottoir, à Saint-Germain-des-Prés, qui patrouillait devant le «Royal» et paraissait humer l'air chargé d'odeurs de femmes. (…) «Tiens, me dit-on, c'est Mitterrand qui drague…» Il était garde des Sceaux, en ce temps-là. Jeune, je l'ai dit, avec quelque chose d'avide et de chasseur de femmes (…). On m'assura qu'il était un chaud lapin et avait, pour l'heure, les faveurs d'une danseuse célèbre[1]…

Sous couvert de méchanceté, c'était l'hommage suprême.

Les écrivains, les livres, les librairies, les femmes, les bistrots à la mode, la connaissance des quartiers *utiles*, le mépris de l'argent : il n'y avait donc pas de plus parfait Parisien que ce Mitterrand, né à Jarnac, élevé par les bons pères, devenu maire de Château-Chinon et inamovible député de la Nièvre. En comparaison, Giscard d'Estaing ressembla dès la quarantaine à un fin de race un peu démodé, et Jacques Chirac, malgré une naissance pourtant parisienne, à un gars de la campagne encombré par des bras et des jambes interminables et qui n'en finit plus de regretter la simplicité et les espaces corréziens. On peut avoir vu le jour intra-muros, avoir fréquenté le lycée Janson-de-Sailly et demeurer toute sa vie un provincial égaré dans la capitale.

---

1. Jean Cau, *Croquis de mémoire*, Julliard, 1985, coll. La petite vermillon.

Mitterrand n'avait pas franchement le complexe du provincial quand il se promenait boulevard Saint-Germain. S'il était un peu raide et emprunté au festival de Cannes, où il courtisait les starlettes, c'était simplement que, chose bizarre pour un homme public d'une telle envergure, il était un grand timide, notamment avec les femmes. Et pourtant il venait de très loin, c'est-à-dire du plus profond de la France profonde, de cette Charente si harmonieuse et modérée qu'on pourrait finir par croire n'y être nulle part.

Par pure coïncidence — mais en était-ce une ? — l'autre provincial arrivé aux plus hautes cimes de la vie parisienne, Roland Dumas, était lui aussi originaire du pays profond, de cette ville de Limoges où les adultères, les crimes et même quelques atrocités, si elles s'y produisent, sont promptement relégués au rayon des vieux souvenirs, bientôt recouverts d'une fine couche de poussière que plus rien ne vient troubler pendant des décennies.

« Roland Dumas, disait Bernard-Henri Lévy, était sans qu'on l'ait remarqué le personnage le plus romanesque de la mitterrandie, bien au-delà de Mitterrand lui-même. » Crinière de mousquetaire, puis de vieux séducteur impénitent, œil de velours, Dumas, né en 1922, était entré dans la Résistance à vingt ans, fut arrêté, s'évada, fut décoré de la croix de guerre à la Libération, songea à devenir chanteur d'opéra. Il a toujours eu du panache.

Devenu avocat en 1950, il additionnera les causes retentissantes : François Mitterrand pour l'affaire de l'Observatoire, Francis Jeanson et les réseaux de soutien au FLN algérien, les écoutes du *Canard enchaîné*. On le retrouve partie civile au procès Ben Barka, dans les affaires Markovic et Jean de Broglie. Il compte parmi ses clients quelques-uns des plus grands noms de la littérature et de l'art : Jean Genet et Jacques Lacan, les successions Picasso, Giacometti, Braque, De Chirico et Chagall. Côté sentimental, Roland Dumas commencera par faire un beau mariage avec une héritière des apéritifs Lillet, férue de psychanalyse, et continuera de papillonner.

Portant beau à plus de quatre-vingts ans, il lui arrive d'évoquer avec un sourire entendu quelques conquêtes amoureuses, notamment Nahed Ojjeh, richissime veuve d'un marchand d'armes saoudien installée à Paris et fille de l'ex-ministre syrien de la Défense. Pour couronner le tout, il habite un bel appartement dans l'île Saint-Louis.

Pour la totalité des observateurs étrangers de la vie française, qu'ils fussent journalistes, diplomates ou autres, François Mitterrand et Roland Dumas incarnaient la quintessence du parisianisme. Aucun d'entre eux n'aurait cru un seul instant qu'ils venaient de paisibles chefs-lieux de province dont même les Français ne savent rien, sinon qu'on y a déjà produit de la porcelaine, un festival de la BD ou quelques Rastignac.

Le fait d'être né à l'intérieur de l'ancienne enceinte de Thiers — ou mieux : de l'ancien mur des Fermiers généraux — devrait pourtant constituer un avantage décisif dans la course vers les sommets de la société. On peut compter sur la famille, surtout si elle est nombreuse et prospère, pour vous mettre le pied à l'étrier. On se trouve à portée de fusil de l'École alsacienne, des lycées Henri-IV et Montaigne, des meilleures classes préparatoires, de la quasi-totalité des grandes écoles, de Sciences Po et de Paris-Dauphine. À moins d'être complètement idiot, on peut sans grand effort se constituer à vingt ans un beau carnet d'adresses.

Mais voilà la surprise : les personnalités que l'on juge éminemment parisiennes sont rarement natives de la capitale. À se demander ce que sont devenus les rejetons des grandes familles qui tenaient le haut du pavé depuis des décennies. Se pourrait-il en effet que l'atmosphère confinée de cette ville ait pour conséquence de dessécher ceux qui y ont trop longtemps habité ? En politique, une personnalité véritablement ambitieuse qui a eu le « malheur » de naître intra-muros s'empressera de se bâtir un fief en province, là où se trouvent les « vrais gens ». François Baroin est à Troyes, Benoît Apparu à Châlons-en-Champagne, Bruno Le Maire à Évreux. Avoir une circonscription dans la capitale, à proximité du pouvoir suprême, est une fausse bonne idée. C'est un peu comme être élu de nulle part. Claude Goasguen, Françoise de Panafieu ou Pierre Lellouche, qui ont ou avaient des circonscriptions de droite inexpugnables, ont toujours eu du mal à convaincre leurs interlocuteurs du fait qu'ils avaient de vrais électeurs, moyens et ordinaires. Un siège de député de Paris, tout confortable qu'il soit, reste le plus mauvais chemin qui soit pour faire une carrière nationale. Tant qu'à chercher à avoir ses aises dans une circonscription proche de son appartement du 6ᵉ arrondissement, il vaut mieux à tout le moins franchir le périphérique, telle Valérie Pécresse à Saint-Germain-en-Laye ou

Nathalie Kosciusko-Morizet, un temps maire de Long-jumeau et députée de l'Essonne. On considère volontiers que François Fillon a commis une erreur en venant faire main basse en 2012 sur la circonscription la plus vieille-bourgeoise de Paris, dans le 7e.

Parmi les vedettes de la politique, la liste des Parisiens de naissance est étonnamment courte, et encore ceux-ci se sont-ils toujours empressés d'effacer cette tare originelle. Jamais on n'aurait pu penser que Michel Debré, premier Premier ministre de De Gaulle et chantre de la natalité française, était né à Paris : en 1958 on le retrouve député de la Réunion puis, plus tard, de la ville d'Amboise. Valéry Giscard d'Estaing a cherché toute sa vie à se faire passer pour un Auvergnat, Jacques Chaban-Delmas pour un pur Bordelais et Jacques Chirac pour un Corrézien. Est-ce que la carrière de Michel Rocard, d'une certaine manière, n'a pas souffert de cette naissance presque parisienne à Courbevoie, ville natale de Céline et d'Arletty, quintessence d'un certain Ouest parisien jadis populaire, aujourd'hui englouti par la Défense ? Pour n'avoir jamais consenti à se refaire une virginité politique au fond de la province, Michel Rocard a peut-être attiré sur lui le soupçon terrible de ne rien comprendre à la campagne, aux arbres et à la nature, contrairement à son heureux rival Mitterrand. Le même reproche poursuit depuis toujours l'ex-maire de Neuilly Nicolas Sarkozy : trop urbain, trop ignorant des choses de la terre, indifférent à la France profonde, un peu louche en somme. Pour faire une belle carrière nationale, il convient de conquérir Paris avec un peu de fumier à ses semelles, ou en tout cas de venir d'ailleurs. Dominique de Villepin, fort à l'aise dans les milieux les plus distingués, est né au Maroc. Edgar Faure, qui maîtrisait fort bien lui aussi les codes en vigueur — au point d'écrire des romans policiers sous le pseudo d'Edgar Sanday —, avait vu le jour dans une ville aussi improbable que Béziers. Quant au «juif allemand» Daniel Cohn-Bendit, n'est-il pas l'incarnation même de l'esprit parisien, frondeur, cultivé, brillant débatteur et peu conformiste?

Dans le domaine culturel ou littéraire, la liste des Parisiens de souche est courte. Les éditeurs Claude Gallimard et Jérôme Lindon sont nés à Paris — mais pas Bernard Grasset, natif de Chambéry. Plusieurs comédiens : Jean-Paul Belmondo (Neuilly), Alain Delon (Sceaux), Catherine Deneuve, Pierre Arditi. Le chanteur Renaud. Édith Piaf. Quelques metteurs en scène : François Truffaut, Antoine Vitez, Mais pas Jean-Luc Godard (Suisse) ou Jean-Pierre Mocky (Nice), non plus que Patrice Chéreau (Maine-et-Loire) ou Éric Rohmer (Tulle), Maurice Pialat (Puy-de-Dôme) ou Alain Resnais (Vannes).

Parmi les gloires de la chanson, Charles Aznavour mis à part, tous ceux qui ont enflammé Paris viennent d'ailleurs : Jacques Brel de Bruxelles, Léo Ferré de Monaco, Gilbert Bécaud de Toulon et Georges Brassens — qui n'avait certes rien de parisien — de Sète.

Dans le monde de l'édition et de la littérature, on trouve quelques misanthropes, qui sont toujours restés cachés au fond de leur province — Julien Gracq et Pierre Michon — ou exilés dans des contrées lointaines comme Le Clézio.

C'est presque malgré eux qu'ils sont devenus des célébrités parisiennes : provinciaux ils étaient, et heureux de l'être. On trouve également, en petit nombre, de purs produits du pavé parisien : Françoise Sagan et Patrick Modiano, qui ont d'ailleurs en commun d'exprimer dans leurs romans la même fatigue désabusée, une certaine étrangeté au monde, comme si Paris était un décor, un théâtre de la décadence, une serre artificielle, un huis clos dont les protagonistes ne sont pas tout à fait réels. Frédéric Beigbeder, qui a vu le jour dans une maternité de Neuilly, marche sur leurs traces avec un certain brio. Mais si l'on devait citer les vedettes les plus incontestables apparues au cours du xxᵉ siècle et qui ont régné sur le Tout-Paris, pratiquement aucune ne venait de la capitale : Jean Anouilh et François Mauriac venaient de Bordeaux, Julien Green était américain, Marguerite Duras était née en Indochine et Albert Camus en Algérie. En ce début de xxiᵉ siècle, notons que ceux qui incarnent au plus haut point le parisianisme sont des pièces rapportées : Philippe Sollers est lui aussi de Bordeaux, Bernard-Henri Lévy d'une famille pied-noir d'Algérie, Christine Angot de Châteauroux, Marie Darrieussecq de Bayonne. Quant aux frères Olivier et Jean Rolin, ils sont peut-être nés à Boulogne-Billancourt, mais ils ont passé leur enfance en Afrique, suivant les pérégrinations de leur père aux colonies. Et pourtant quoi de plus parisien que les frères Rolin ? Ils ont été maos, ont joué un rôle central au sein de la Gauche prolétarienne, dont ils se sont bien sûr séparés mais sans jamais abjurer leurs «erreurs de jeunesse», ont réussi à s'accrocher à de beaux appartements idéalement situés, ont fait partie de la mouvance *Libé*, ce qui facilite l'accès aux plus hautes sphères parisiennes. Olivier Rolin fut même pendant quelques années le chevalier servant de Jane Birkin, l'une des personnalités les plus chics de la vie parisienne. Elle est londonienne, chacun le sait, elle a même conservé et cultivé un accent britannique pour bien faire savoir au tout-venant qu'elle n'est pas native du département de la Seine. C'est une grande mondaine venue d'ailleurs qui a mis en pratique cet aphorisme de Sacha Guitry : « La duchesse M*** était si manifestement étrangère que chacun la croyait parisienne. »

La naissance en sol parisien, loin de constituer une garantie d'accès à la meilleure société, serait plutôt un motif de méfiance : il restera à l'impétrant à démontrer qu'il n'est pas seulement un héritier à la cervelle vide, un produit anémié des beaux quartiers et de la vie nocturne. Le handicap n'est pas insurmontable, mais il faut faire ses preuves. Si vous arrivez de la province lointaine ou de l'étranger, fût-ce à dix-huit ou dix-neuf ans, l'âge idéal pour réussir le concours d'entrée à Normale sup, on dira de vous que vous apportez du sang neuf dans la capitale, que vous avez un bagage, un jardin secret, de l'originalité, une touche personnelle. Encore faut-il vous faire remarquer, arriver jusqu'à la rue d'Ulm, être coopté à Saint-Germain-des-Prés, être admis dans la nébuleuse Gallimard, avoir vos entrées au *Nouvel Obs*, bref prouver que vous avez cette vitalité qui manque aux fins de race parisiens. On ne dira pas de vous : c'est un plouc, mais au contraire : c'est le jeune homme qui monte.

Paris n'est pas un lieu géographique où il suffit de naître ou d'habiter, c'est une abstraction, un concept qu'il faut intégrer dans son organisme. Pour plagier Simone de Beauvoir, on ne naît pas parisien, on le devient. Et on tente de le rester.

6

Les intouchables

Paris est une ville de castes où les visiteurs en provenance de l'Inde ont de fortes chances de ne pas être dépaysés. Comme chez eux, il y a tout en haut de la pyramide la caste suprême des *brahmanes*; juste en dessous, les *kshatriya* (guerriers) qui ont la charge du gouvernement et de l'armée, puis les *vaishya* (commerçants) qui ont celle de l'économie. Plus bas, les très nombreux *shudra* (serviteurs) qui exercent les métiers manuels et « inférieurs ». Et finalement, quelque part dans les soubassements de la société, les *chandâl*, les hors-castes qui dans leur pays exercent les métiers *sales* dont personne ne veut : blanchisseurs, embaumeurs, balayeurs. On les appelle le plus souvent les *intouchables*[1].

Comme à New Delhi ou à Bombay, les brahmanes parisiens jouissent de la considération générale : ils sont enseignants, professeurs, intellectuels, fonctionnaires, jadis ils étaient prêtres. Des professions qui ne salissent pas les

---

1. Voir Marc Boulet, *Dans la peau d'un intouchable*, Éditions du Seuil, 1994.

mains car on n'y touche pas à l'argent. On situait traditionnellement les brahmanes sur la rive gauche, dévolue à l'université depuis environ mille ans. Les aléas de l'immobilier ont brouillé les cartes, et les brahmanes sans fortune ont progressivement migré vers l'Est parisien — certains dans le 5ᵉ, la plupart vers les anciens arrondissements populaires de la rive droite, les 9ᵉ, 10ᵉ, 11ᵉ et 20ᵉ.

Les *guerriers* — militaires et gouvernants — se retrouvent disséminés à travers la capitale, selon leur grade et leur état de fortune. Certains vivent au-delà du périphérique. Il en va de même pour les *commerçants*, autrement dit les gens de la finance et de l'industrie : les plus importants ont toujours occupé l'ouest de la capitale. Le 16ᵉ reste leur château fort : ils y ont voté à 78 % en faveur de Nicolas Sarkozy au second tour de la présidentielle de mai 2012. Les brahmanes ne fréquentent guère les commerçants et réciproquement. Les *serviteurs*, quant à eux, ont depuis longtemps émigré en banlieue, d'où ils reviennent chaque matin pour faire le ménage des castes privilégiées, les voiturer, réparer les tuyaux qui fuient. Et puis il y a les intouchables, les exclus. La plupart sont pauvres et vivent où ils peuvent en Île-de-France. Quelques-uns, pas très nombreux, sont riches ou très riches et vivent somptueusement dans les plus beaux quartiers de la capitale. Ce qui ne veut pas dire qu'ils y sont les bienvenus.

On peut avoir beaucoup d'argent et même du pouvoir, posséder un hôtel particulier dans l'une des rues les plus prestigieuses de la capitale, et ne pas être véritablement un Parisien. Pour avoir droit à ce titre, il faut avoir été coopté par ses pairs et admis dans leur cercle privé. Le titre de Parisien ne s'achète pas. Ou plutôt : si l'on a dépensé des millions pour l'acquérir, il n'aura pas plus de valeur — aux yeux de ceux qui savent — que les titres de noblesse distribués par le Vatican au début du xxᵉ siècle.

Ainsi Bernard Tapie. Si le droit du sol s'appliquait, il n'y aurait pas plus parisien que lui. Il a passé son enfance dans une famille ouvrière de La Courneuve, mais sa notice biographique indique une naissance dans le 20ᵉ arrondissement — tout comme Jacques Delors —, ce qui constitue un vrai début de légitimité. Tapie a été une vedette de la télévision, un allié du puissant Francis Bouygues lors de la privatisation de TF1, un homme d'affaires — dans tous les sens du terme — à succès. Il a été le propriétaire — et dirigeant — de l'Olympique de Marseille, club de football mythique, le seul à avoir gagné la prestigieuse Ligue des champions. Il a été député radical de gauche de Marseille. Il a été ministre du gouvernement Bérégovoy en 1992-93. Le président Mitterrand avait des bontés pour lui. Sur la liste MRG (Mouvement des radicaux de gauche) menée par «Nanard» aux européennes de 1994 — pour nuire à Michel Rocard — figuraient Kouchner, le politologue Olivier Duhamel ou Christiane Taubira. L'homme avait de puissantes relations, et sa liste obtint plus de douze pour cent des voix, torpillant à jamais les ambitions présidentielles de Rocard.

Je l'avais rencontré chez lui, à la fin du mois d'août 1996. Rendez-vous avait été fixé à son hôtel particulier de la rue des Saints-Pères, à la frontière des 6ᵉ et 7ᵉ arrondissements, à ma grande surprise, car officiellement le Crédit Lyonnais avait depuis longtemps saisi la maison, lors de la mise en faillite de Bernard Tapie Finance.

Le motif de la rencontre : Bernard Tapie venait d'entamer une carrière d'acteur et tenait la vedette dans le dernier opus de Claude Lelouch, *Hommes femmes mode d'emploi*. Un film copieusement assassiné par les critiques, même si on les avait par prudence privés des habituelles projections de presse. Il est vrai que l'œuvre était particulièrement nulle et appartenait à la catégorie du sous-Lelouch. Mais Bernard Tapie devenu acteur de cinéma, c'était un événement et une curiosité, même si plus rien n'étonnait de la part du petit gars de La Courneuve qui avait commencé sa carrière publique trente ans plus tôt en poussant la chansonnette.

Tapie se trouvait à ce moment-là au plus creux du creux de la vague, au bord de l'abîme. Il était encore député (apparenté socialiste) des Bouches-du-Rhône et député européen, mais une affaire de truquage d'un match de football entre son club de Marseille et celui de Valenciennes était en train de le rattraper. Tapie avait été condamné pour corruption en première instance puis en appel et il était désormais menacé de prison à brève échéance, à moins d'un improbable revirement de la Cour de cassation. Fatalement, on allait le déchoir de ses deux mandats de député — français et européen — et le déclarer inéligible pour cinq ans.

En cette fin du mois d'août 1996, le scénario-catastrophe est pratiquement écrit, d'ailleurs la levée de son immunité parlementaire au Palais-Bourbon aura lieu quelques jours plus tard, le 5 septembre. La superstar Bernard Tapie, que l'on imaginait un an plus tôt encore candidat à la présidence de la République ou à tout le moins maire de Marseille, est désormais failli et ruiné, à la veille de se voir déchu de ses mandats politiques et condamné à une peine infamante. C'est à un quasi-paria que je rends visite.

On dira ce qu'on voudra sur la subtilité, les bonnes manières ou la moralité du personnage, mais Bernard Tapie a du ressort : il n'y a pas si longtemps encore, il fréquentait les grands de la République, le Crédit Lyonnais lui prêtait sans discuter les deux milliards de francs nécessaires à l'achat d'Adidas, il était à la fois riche et puissant. Le voilà sans le sou, menacé d'expulsion de sa propre maison, chassé de la scène politique et au seuil de la prison. D'autres ont été détruits par moins que ça. Pas lui. Il encaissera la mise en faillite, l'inéligibilité, cinq mois de prison, et on le verra refaire surface avec le même aplomb que la veille. On ne veut plus qu'il fasse des affaires ou se mêle de politique ? On le retrouvera acteur de théâtre dans *Vol au-dessus d'un nid de coucou*, où il reprend le rôle de Jack Nicholson, et dans *Oscar*, où il succède sans complexe à Louis de Funès. Ce n'est ni Shakespeare ni Jean Vilar, mais les salles sont pleines, et Tapie l'acteur n'est pas plus mauvais que bien d'autres dans des pièces de boulevard. Il fera plusieurs télé-films, dont douze épisodes de *Commissaire Valence*. Deviendra un temps simple commentateur de matchs de football. Il n'a pas peur de se retrousser les manches et de se salir les mains. Tapie est une forte personnalité.

Quand je le vois ce jour-là, peu après la sortie du film de

Claude Lelouch, il manifeste une assurance imperturbable. À sa place je n'aurais pas une folle envie de parler aux journalistes. Encore moins de les recevoir dans cet hôtel Givenchy marqué du sceau de la banqueroute. La cour intérieure est entièrement vide, les murs en mauvais état. En principe, le bâtiment a été saisi par le Crédit Lyonnais qui l'a mis en vente. Derrière les vitres sales, on devine qu'il a été vidé de ses meubles. Curieusement, l'ancien propriétaire a obtenu le droit de rester sur place, mais dans un réduit qui a les dimensions d'une petite maison de gardien sur deux étages. À l'intérieur, de gros meubles sont entassés et des tapis roulés comme dans un entrepôt. Très à l'aise, tenue décontractée avec un simple pull, Tapie me fait signe de le suivre et se faufile au milieu du capharnaüm. Au passage il adresse quelques remarques désagréables à un jeune homme qui doit être son fils. On arrive dans une pièce encombrée où il s'installe derrière un bureau trop grand qui manifestement ne sert à rien.

Alors il commence une carrière d'acteur ? Oui, répond-il négligemment, à la manière d'un Howard Hugues qui vous dirait : les affaires m'ennuient, j'en ai fait le tour, je vais désormais me consacrer exclusivement au cinéma… Rien à voir avec sa mise en faillite personnelle ni ses ennuis judiciaires, bien sûr. Bernard Tapie a simplement envie de connaître de nouvelles expériences. Qu'il soit le nouveau Marlon Brando français, le rival de Gérard Depardieu, il n'a aucun doute là-dessus. D'ailleurs, me dit-il, « j'ai été approché par les Américains : ils me proposent le rôle de Che Guevara dans une production en train de se faire ».

Le rôle de Guevara? Rien que ça? Ce jour-là, Tapie n'en dira pas plus : ni quel en sera le réalisateur, ni pourquoi ce remake d'une production où Omar Sharif tenait le rôle-titre quinze ans plus tôt. Sur le coup, je suis éberlué, et un peu sceptique. Mais l'homme a de réels talents de vendeur, il lâche ça au détour d'une phrase avec une parfaite désinvolture… Et si c'était vrai? Tapie est le champion toutes catégories des annonces mirifiques et des déclarations tonitruantes. Quand plus tard on l'entendit, après l'arbitrage en sa faveur dans l'affaire Adidas, expliquer les larmes aux yeux à la commission parlementaire pourquoi il méritait, outre les 358 millions d'euros généreusement décidés par l'arbitrage, ces 45 millions supplémentaires accordés à titre de préjudice moral, on finissait par penser, au moins une fraction de seconde : c'est vrai, il a été victime d'une telle injustice… Je me suis donc dit : et si en effet Hollywood lui confiait le rôle de Che Guevara?

Pour rester dans l'actualité — la levée de son immunité parlementaire va être prononcée dix jours plus tard —, je lui demande s'il craint la prison, s'il pourrait sortir indemne de cette dégradation publique. Sans se démonter, calé dans son fauteuil, au milieu de ce bureau inutile, il répond avec une gravité qui semble parfaitement naturelle : «La prison, ça ne vous détruit pas si vous avez la force de caractère, on peut très bien y survivre. Prenez l'exemple de Nelson Mandela…»

Nelson Mandela!

Je n'ai pas osé lui faire remarquer que Nelson Mandela n'avait pas fait vingt-sept ans de prison pour avoir truqué un match de foot mais pour des raisons politiques et qu'il avait été condamné par un régime pas vraiment démocratique.

Un aplomb et un culot illimités, même dans les situations les plus désespérées : ce seraient plutôt des qualités personnelles incontestables, pas si courantes dans les hautes sphères de la société. Mettez Bernard Tapie dans un salon distingué, entre un philosophe mondain et un physicien candidat au Nobel : d'abord il s'intéressera à eux et établira le contact, puis il tiendra le crachoir sans discontinuer jusqu'au café. Sans le moindre complexe. Peut-être ne sera-t-il pas réinvité mais, le temps d'une soirée, il aura occupé le haut du pavé. Peut-être même aura-t-il amusé. Envoyez-le dans les bas-fonds : il deviendra chef de bande. Bernard Tapie a de la vitalité, pour ne pas dire qu'il *en a*. Il est capable de faire face à toutes les situations, ce qui n'est pas la qualité première du bourgeois parisien.

Mais justement Tapie n'est ni un bourgeois ni vraiment un Parisien, au sens où il aurait été reconnu comme tel par ses pairs et ceux qui décident de l'appartenance au club. Il incarne assez bien ce qu'on pourrait appeler l'intouchable à Paris. À moins qu'il ne soit le roi des Roms, à l'image de cet étrange héritier d'une étrange couronne qui, en Roumanie, s'est construit un épouvantable palais décoré de marbre, de velours et de dorures, roule en super-limousine pour aller rendre justice à travers le pays et régler des litiges d'ordre commercial ou privé au sein de la communauté tsigane.

Le passage par la case prison n'a certes pas arrangé les affaires de Tapie aux yeux de la bonne société, mais la bonne société, il n'en a jamais fait partie. On se souvient de cette extraordinaire photo, publiée dans *Paris Match* après l'acquisition du fameux hôtel particulier de Cavoye, racheté en 1986 à la maison Givenchy pour cent millions de francs de l'époque. Le nouveau maître des lieux posait avec son épouse pour le petit déjeuner (fruits multicolores, cristal, porcelaine et argenterie comme dans les publicités pour hôtels de luxe) devant une monumentale table de marbre ouvragée aux pieds sculptés.

À l'époque, une amie urbaniste m'avait juré que, dans certains (beaux) quartiers de Paris, il y avait des personnages riches et douteux à qui on n'acceptait pas de vendre. Le *bon* 7ᵉ arrondissement, les nobles rues de Grenelle, de Varenne et de Babylone arrivaient en tête de liste. Or Tapie, avec ses lourdes chevalières et ses Rolex, avait précisément débarqué au cœur de la «Cité interdite», dans ce bâtiment de 1640, vaste cour intérieure, 600 mètres carrés habitables, jardin arrière de 882 mètres carrés. L'une des plus somptueuses résidences privées du faubourg Saint-Germain. En réalité, cette amie voulait sans doute dire que si un acheteur douteux fait son apparition, on n'acceptera de lui vendre qu'avec une rallonge de vingt ou trente pour cent. Il est possible qu'en 1986 on ait fait payer à Bernard Tapie un prix fortement majoré : huit ou neuf ans plus tard, la filiale du Crédit Lyonnais n'en demandait plus que soixante-dix millions, trente de moins que ce qu'avait payé Bernard Tapie Finance, et ne trouvait pas acquéreur. À Paris, on accepte de marcher sur ses principes, de vendre à des intouchables, des oligarques russes, des dictateurs exotiques, des héritiers de fortunes douteuses ou des marchands de canons à la condition qu'ils mettent sur la table des sommes très supérieures à ce que paieraient de *vrais* Parisiens. Des membres du sérail, passant devant l'hôtel particulier aujourd'hui de plus en plus délabré de Bernard Tapie — ou le pied-à-terre de 600 mètres carrés de Takieddine —, feront remarquer que *c'est le palazzo acheté à coup de dizaines de millions par un parvenu qui croyait s'offrir un quartier de noblesse et que bien sûr personne ne fréquente.*

Voici donc le critère. Le ticket d'entrée dans Paris ne s'achète pas, il se mérite. On ne pénètre pas de force dans les salons, il faut être coopté. Une grosse fortune ne suffit pas, elle ferait même plutôt mauvais genre. De vouloir s'imposer de manière aussi voyante à coups de dizaines de millions, dans le saint des saints, est une circonstance aggravante. Si Tapie avait eu le bon goût de se faire discret, de suivre les conseils d'un mentor généreux, d'attendre patiemment les invitations, de grimper un à un les échelons, il aurait eu une petite chance de faire oublier les origines douteuses de sa fortune. Peut-être au passage une maîtresse de bon niveau lui aurait-elle expliqué le B.A.BA du bon goût et les effets désastreux des grosses bagues. Mais il n'était pas dans la nature de notre self-made-man de patienter ou de se plier aux bonnes manières du faubourg Saint-Germain. Peut-être même était-ce au-dessus de ses capacités.

Un homme comme Bernard Arnault n'avait pas partie gagnée à l'avance lorsqu'il a débarqué à Paris : fils d'une bonne famille d'industriels de Roubaix sans plus, polytechnicien tout de même, brièvement exilé en Floride en 1981 pour ne pas avoir à frayer avec les *collectivistes*, il était à la fois un obscur et un homme d'argent réputé rapace. Mais en débarquant à Paris, Arnault s'est employé à ne jamais être vu dans les cercles du Tout-Paris, à ne pas avoir l'air de chercher les relations en haut lieu, à jouer les hommes invisibles. Tout juste a-t-on appris qu'à la manière des grands carnassiers le jeune homme timide et policé avait de deux coups de patte estourbi l'un après l'autre les vénérables patrons de Louis Vuitton et Moët Hennessy, mais aussi qu'il avait un jour embauché un orchestre symphonique réputé au Japon et loué une salle de concert pour exécuter lui-même au piano le concerto de Tchaïkovski. Il avait fait fortune un peu trop rapidement et sans s'embarrasser de scrupules superflus, mais c'était dans le secteur du grand luxe et cela constituait une circonstance atténuante. Par ailleurs, il était devenu — à la hauteur de son rival François Pinault — un mécène généreux et avisé, ce qui effaçait beaucoup de « fautes ». Il était devenu fréquentable.

Tapie, c'est autre chose. « Est-ce que j'ai une tête à être l'amie Bernard Tapie ? » lançait au journal télévisé, lors de l'affaire du fameux arbitrage Adidas, Christine Lagarde, dont le genre patricien n'est plus à démontrer.

Le célèbre flibustier a été ministre en 1992-1993. Et ministre d'un gouvernement socialiste, une fonction qui en principe lave encore plus blanc quand on est un homme d'affaires réputé vulgaire. Il avait la protection de Mitterrand, on l'a dit. Le ministre de la Ville et propriétaire de l'Olympique de Marseille en était-il pour autant adoubé dans la bonne société ? On pouvait fort bien penser que la faveur de Mitterrand ne valait pas brevet de vertu ou de noblesse car, en tant que monarque, celui-ci se jugeait au-dessus de ces considérations morales et fréquentait ou adoubait qui il voulait, sans jamais se compromettre. Louis XIV ne disait-il pas à cette roturière de Mme de Maintenon, pour la rassurer sur sa légitimité : «C'est moi qui décide de la noblesse des uns et des autres»? Mitterrand avait long-temps déjeuné avec René Bousquet, il avait passé sa vie à fréquenter Roger-Patrice Pelat, il pouvait bien serrer la main de Bernard Tapie sans se salir. Cela ne faisait pas pour autant de ce dernier un chevalier de la Table ronde. Les autres preux chevaliers, garants de la République, tels Pierre Mauroy, Robert Badinter ou Lionel Jospin, ne se sentaient pas pour autant obligés de faire des courbettes à cet éphé-mère favori. Badinter, Jospin ou Martine Aubry recevaient-ils ou auraient-ils reçu Tapie dans le cercle familial ou amical? Rien de moins sûr. Il a pu arriver que de grands témoins de moralité partagent la table de Tapie (à déjeuner et en ter-rain neutre) parce qu'on leur en avait donné l'ordre ou parce qu'un important dossier requérait leur présence. Pour autant qu'on le sache, même Roland Dumas, mitterran-dien pourtant sulfureux, parfois ostracisé par les profes-seurs de vertu, se serait bien gardé d'aller passer ses soirées rue des Saints-Pères à l'hôtel ex-Givenchy, même à l'époque où son propriétaire était ministre de la Ville. Le 5 sep-tembre 1996, jour de la levée de l'immunité parlementaire, on vit Jack Lang poser sa main sur l'épaule du député déchu des Bouches-du-Rhône. Quand il fut emprisonné, Bernard Kouchner fut l'un des seuls à lui rendre visite avec assiduité. Dans les deux cas, on ne peut que remarquer l'élégance du geste, mais Kouchner et Jack Lang sont toujours demeurés des originaux pour ne pas dire des marginaux du Parti socialiste et de la politique. On pourrait penser que l'infortuné Pierre Bérégovoy, qui par ailleurs avait de la fascination pour ceux qui ont réussi en affaires, recevait parfois Bernard Tapie dans son cercle intime, mais justement Bérégovoy était, on l'a vu, un non-Parisien qui ne savait absolument pas qui il ne fallait pas fréquenter.

Faut-il à tout prix pour se voir décerner le brevet de Parisien fréquenter Robert Badinter ou d'autres aussi éminentes consciences de la République en leur 6ᵉ arrondissement parisien ? Dieu merci, ce n'est pas exactement ainsi que cela se passe. Mais Paris est une société de castes où, pour avoir droit au respect de ses voisins, il convient à tout le moins d'être *persona grata* au sein de votre profession, de votre corporation, de votre milieu. Un universitaire (de gauche) parisien peut tout aussi bien aller se jeter dans la Seine s'il n'est pas reçu par d'autres universitaires, s'il est traité comme un intrus. Un psychanalyste ne peut marcher la tête haute dans Saint-Germain ou Montparnasse s'il n'est pas salué par d'autres freudiens de son acabit. Un journaliste politique est mal vu s'il n'est pas reçu par des collègues de même rang. Il en va de même pour les limonadiers du Sud-Ouest, pour les derniers fourreurs du Sentier, pour les Aveyronnais du Tout-Paris : obligation est faite à chacun de fréquenter dans sa catégorie, d'être reçu avec les honneurs, et à son propre niveau.

Bernard Tapie était un homme d'affaires parti de moins que rien et qui avait spectaculairement réussi, sans toucher ni au commerce des armes ni au trafic de drogue. Il aurait pu et dû se retrouver, par intermittence et dans des circonstances officielles, à la même table qu'un Claude Bébéar ou un François Pinault. Il n'en fut rien. Il est vrai qu'il devait l'essentiel de sa fortune à son activité de repreneur d'entreprises en faillite, considérée comme peu honorable dans les milieux industriels et financiers.

En guise de commensaux, même à l'époque de ses succès, il dut probablement se contenter de seconds couteaux qui avaient le sentiment de se valoriser à son contact, ou de déclassés qui eux-mêmes cherchaient en vain leur place dans la hiérarchie. On suppose qu'il dîna souvent avec Claude Lelouch à l'occasion du tournage de *Hommes femmes mode d'emploi*, avec des éditeurs comme Michel Lafon, mais pas vraiment avec Alain Resnais ou Antoine Gallimard. Un peu partout dans les quartiers traditionnellement bourgeois de Paris, avenue Foch ou parc Monceau, parfois même à l'orée du 7e arrondissement, des intouchables montent dans de rutilantes limousines et vont fréquenter d'autres intouchables, quand ils n'ont pas tout simplement rendez-vous avec des clients fortunés.

Dominique Strauss-Kahn, ancien brahmane promis aux plus hautes destinées, est aujourd'hui déchu. Cela le met-il au-dessus ou au niveau de Bernard Tapie? On peut penser que le grand brahmane, même tombé dans le ruisseau, conserve les réflexes du vrai Parisien et préférera la compagnie d'autres brahmanes tombés, ruinés, voire alcooliques plutôt que celle d'un Tapie. Qui n'a jamais été autre chose que ce qu'il était au départ : un petit gars très intelligent et charmeur venu de sa banlieue, plein d'énergie et dépourvu de scrupule, indécrottablement vulgaire. Les intouchables ont le droit de venir dans Paris, de s'acheter des maisons, des places à l'Opéra et même des convives qui impressionnent la galerie dans des restaurants chers. Mais ils ne font pas illusion : chacun sait d'où ils viennent et qui ils sont. En Inde un intouchable, Kocheril Raman Narayanan, fut président de la République de 1997 à 2002. Tout arrive. Mais il resta intouchable. À Paris ne devient pas brahmane qui veut, même celui qui a conquis le pouvoir suprême. En mai 2007, Nicolas Sarkozy fut élu président de la République. Mais il resta aux yeux de beaucoup l'homme à la Rolex, le copain du chanteur Didier Barbelivien, le héros du Fouquet's des soirs de triomphe. Des taches qui à Paris sont considérées comme indélébiles. Est-ce que vous achèteriez à cet homme une voiture d'occasion ? disait-on en 1960 aux États-Unis à propos de Richard Nixon, à qui on trouva toujours un air louche. La gauche a en leur temps copieusement vilipendé Pompidou, Giscard d'Estaing et Chirac. Mais aucun président n'a suscité autant d'hostilité et de mépris, à gauche et bien au-delà, que ce Nicolas Sarkozy, dont on trouvait les origines familiales un peu obscures, le cursus académique bien léger, les goûts indigents en matière de culture, et une tendance déplacée à la familiarité. Comme on le dit de manière plus enveloppée dans la bonne société parisienne, Nicolas Sarkozy n'a jamais été *du sérail*. Y aurait-il de l'intouchable chez lui ?

7

Le syndrome Jean Cocteau

À première vue, le rêve de tout habitant de Paris consiste à se voir décerner le titre de Parisien. Que ce soit dans un salon huppé du 7ᵉ arrondissement, un bistrot à la mode ou dans une capitale étrangère, rien ne sera plus agréable à son oreille que d'entendre susurrer : « Mais vous êtes un vrai Parisien ! »

Cela veut dire un peu tout et n'importe quoi : que vous avez de l'esprit, du style, de l'élégance, que vous êtes malin (et même un peu trop), débrouillard, au courant des dernières modes et de ce qu'il faut connaître en ville. Cela peut également signifier — surtout si la remarque vous est adressée *en province* — que vous êtes franchement insupportable. Mais cela reste un compliment. Car le vrai Parisien, si l'on en croit l'opinion générale, est forcément insupportable.

Mais trop de *parisianité* risque de tuer ou de rendre stérile. Comme si le pur Parisien souffrait de ne pas disposer d'arrière-pays physique et mental, finissait par s'étioler dans une atmosphère raréfiée, faute d'avoir suffisamment respiré l'air frais de la campagne et fréquenté de « véritables» humains. Celui qui n'a rien d'autre à offrir que sa parisianité est forcément suspect de vacuité, de frivolité, d'inexistence. Il n'a pas de substance, pas d'épaisseur, il est transparent.

C'est ce qu'on pourrait appeler le syndrome Jean Cocteau. Cocteau n'est pour ainsi dire jamais sorti de Paris. Il est né en 1889 rue La Bruyère dans le 9ᵉ arrondissement de Paris, a partagé son enfance entre cet hôtel particulier et une résidence familiale à Maisons-Laffitte. C'est dire que la ruralité et les espaces sauvages, il n'a guère connu. Sa famille était parisienne, bourgeoise et cultivée. Sa mère, belle femme qui tenait salon, avait hérité d'un père agent de change. Son père était un rentier effacé qui rêvait de devenir peintre et se suicida lorsque Jean avait neuf ans.

Cocteau fut toute sa vie un rat de ville et ne quitta jamais vraiment Paris que pour des escapades elles-mêmes très parisiennes : séjours studieux et mondains à la villa Santo Sospir, propriété de sa richissime protectrice Francine Weisweiller au Cap-Ferrat, week-ends à la feria de Séville, vacances d'hiver à Marbella, tournées quasi protocolaires de capitales européennes où l'écrivain célèbre était pris en charge par l'ambassadeur en poste. Pour toute concession à la France rurale, il passa les deux dernières années de sa vie à Milly-la-Forêt, dans l'Essonne, et s'y fit enterrer en guise de pied de nez à ce parisianisme qu'il avait tant cultivé et qui l'avait tant fait souffrir.

Cocteau était un bourgeois déclassé et un inclassable. Il avait quitté la maison familiale à quinze ans, puis le lycée Condorcet sans avoir passé son bac. Sa mère avait financé ses débuts dans la bonne société, mais ses moyens n'étaient pas illimités, et le brillant jeune homme apprit très tôt à voler de ses propres ailes. C'était un nomade, qui changeait souvent d'appartement, vécut à l'hôtel, notamment dans la suite que Coco Chanel conservait au Ritz comme pied-à-terre. L'appartement du 36, rue Montpensier où il passa les vingt-trois dernières années de sa vie était un mouchoir de poche, mais donnait directement sur les arcades et les jardins du Palais-Royal. Cocteau avait des goûts de luxe, il adora Maxim's *quand c'était encore bien.* Par la suite il jeta son dévolu sur le Grand Véfour, le restaurant le plus célèbre de cette époque, et qui avait le mérite d'être en bas de chez lui : «Il avait toujours évité de demander l'addition au restaurant — puisqu'il nourrissait spirituellement ses convives, c'était à eux de le faire matériellement —, il se mit à refuser systématiquement de payer. (…) Il aimait dîner au Grand Véfour, chez Raymond Oliver, le cuisinier d'alors? [Grâce aux largesses de Francine Weisweiller] il y trouva table ouverte[1].»

Cocteau est fait pour Paris, qui succombe instantanément à son charme et à sa précocité. En 1908, à dix-neuf ans, il donne sur la scène du théâtre Femina un premier récital de poésie. L'année suivante il publie son premier recueil, *La Lampe d'Aladin.* On le surnomme «le prince frivole» et c'est sous ce titre qu'il publie en 1910 son second recueil. Il est remarqué par la célèbre romancière américaine Edith Wharton qui tient salon. Il attire l'attention

---

1. Claude Arnaud, *Jean Cocteau*, Gallimard, 2003.

et les faveurs d'Anna de Noailles, se lie avec Diaghilev, fréquente Reynaldo Hahn, Marcel Proust, Erik Satie, André Breton, Louis Aragon, Apollinaire et André Gide. Début de la vingtaine, il devient l'enfant prodige du Tout-Paris. Il est de tous les groupes qui brillent, de toutes les chapelles, de tous les événements parisiens, de toutes les fêtes.

Il peint et dessine, il écrit de la poésie, des romans, des pièces de théâtre, des ballets. Il réalise une dizaine de films — un peu maniérés — dans la veine surréaliste, dont *La Belle et la Bête* ou *Orphée*. Sa bibliographie comptera plus d'une centaine de titres en tout genre. À lui seul son journal posthume, *Le Passé défini*, dépasse les quatre mille pages. Aucun de ses contemporains — même les plus illustres : Aragon, Gide, Picasso, Breton, etc. — n'a comme lui réuni autant de dons si divers. Cocteau est le surdoué de son époque.

Et pourtant il ne sera jamais heureux ni comblé. Il passera sa vie à s'angoisser, à s'inquiéter de ce qu'on pense de lui. De la Libération jusqu'à sa mort en 1963, cette angoisse tournera au complexe de persécution. Dans son *Journal* il ressasse sans fin la méchanceté de ses collègues et anciens amis, l'ingratitude de l'époque, l'inculture de la jeunesse qui le dédaigne au profit de la Nouvelle Vague, du Nouveau Roman. Le triomphe de Sartre, de Robbe-Grillet, de Duras, de Resnais, le relègue au rayon des vieilles gloires. Certains pensent qu'il est déjà mort.

Le septième tome de son journal[1], qui recouvre les

---

1. *Le Passé défini*, tome VII, Gallimard, 2012.

années 1960-61, est un interminable lamento. Un jour, Cocteau se demande pourquoi on a *panthéonisé* ses illustres aînés, Paul Valéry, André Gide et même François Mauriac, alors que le soupçon de légèreté et de superficialité continue de le poursuivre comme une malédiction. On a nobélisé Albert Camus, « un écrivain médiocre qui bénéficia des mensonges de la Libération ». Quand un admirateur ou un commentateur le complimente pour son « immense talent », il note amèrement : « Le mot *génie* ne leur peut sortir de la gorge ! » Dans le secret de son journal, il peut se permettre de se rendre justice à lui-même : « Quand je songe à ce que disent de moi Breton et la plupart des intellectuels de France, je me demande si je ne suis pas la victime d'une erreur judiciaire aussi épouvantable que celle de Lesurques dans *Le Courrier de Lyon*. »

En ce début des années 1960, cela fait un bon moment que plus personne ne le prend au sérieux. Il est certes connu, et les médias rendent compte de ses faits et gestes, mais ils en parlent comme de ceux d'un vieux mondain homosexuel, habile, charmeur, agréable. « Je suis le Paganini du violon d'Ingres », ironise-t-il. Il n'en croit rien : si on ne le prend pas au sérieux, c'est qu'il est trop subtil, trop compliqué. « Cette croix, conclut-il le 2 décembre 1960 pour se consoler, m'évite un de ces destins sans mystère comme ceux de Gide, de Giraudoux ou de Valéry. » Si André Breton le poursuit de sa haine, Jean-Paul Sartre de sa commisération amusée et Jean Paulhan de son dédain policé, c'est qu'il « dérange ». Mars 1960 : « Un numéro de *Réalités* trouvé chez le dentiste. Je ne suis même pas cité parmi les cinéastes célèbres. Voici jusqu'où peut aller la haine partisane. »

De fait, presque tout le monde l'évite. François Mauriac le traite de haut. Le jour de la mort du poète, il écrira dans son *Bloc-notes* : « Jamais libellule ne fut si évidemment condamnée à rester libellule. » Quand, pour se mettre dans le sillage de Sartre, il écrit en 1951 une pièce à thèse, *Bacchus*, Simone de Beauvoir note cruellement : « Ce vieux clown s'est soudain imaginé que Sartre le concurrençait. » Même Alain Resnais, un de ces jeunes dont il recherche désespérément l'amitié, le double effrontément dans la course à la gloire : *L'Année dernière à Marienbad* connaît à la rentrée de 1961 un triomphe absolu[1] et donne le coup de grâce aux prétendues audaces cinématographiques de Cocteau. Un an plus tôt, la sortie de son dernier film, *Le Testament d'Orphée*, lui vaut les hommages hypocrites de la profession pour un créateur en fin de vie et la totale indifférence du public. Dans le secret de son *Journal inutile*, Paul Morand écrira dix ans plus tard : « Effrayant avec le recul ! Cocteau y apparaît comme une sorte de Sacha Guitry du surréalisme. »

Parmi les grands de l'époque, Louis Aragon est l'un des seuls à le fréquenter. Mais avec des arrière-pensées politiques. À la Libération, Cocteau s'était placé sous la protection d'Éluard et d'Aragon : ils lui avaient évité les

---

1. Cocteau écrit dans son *Journal* le 3 septembre : « Comme je le prévoyais, le film d'Alain (Resnais) remporte un triomphe de presse. C'est, entre nous, comme un vieux film italien monté en désordre. »

ennuis qu'aurait pu lui valoir sa conduite *imprudente* sous l'Occupation[1]. Le poète caméléon est devenu un inattendu compagnon de route du communiste Aragon, pour ne pas dire un vassal. En 1962, lorsque paraît *Le Requiem*, long poème de quatre mille strophes, il est salué par un silence assourdissant et quelques huées (*Combat* notamment), mais sans broncher *Les Lettres françaises* prennent la défense de Cocteau.

Il y a aussi Picasso, qui depuis toujours joue avec lui comme un chat avec une souris. Sa personnalité solaire et destructrice hypnotise le poète. Nous voilà en 1960-61. Dans son journal, Cocteau ne peut s'empêcher de revenir sans cesse sur cet amour jamais payé de retour. Il tient les comptes : Picasso lui avait de longue date fixé rendez-vous pour le déjeuner à Vallauris et s'est décommandé la veille, il ne donne plus signe de vie pendant des semaines puis le siffle à nouveau. Cocteau se meurt d'entendre le grand homme lui déclarer enfin : nous sommes de la même espèce, des égaux, les deux génies de l'époque. Mais Picasso ne dit rien, lui distribue deux ou trois compliments ambigus en guise d'aumône et déclare dans son dos : « Jean ? Ce qu'il fait de mieux ce sont les préfaces. » La force vitale de Picasso, tout comme sa royale indifférence au jugement des humains, obsède Cocteau[2].

---

1. Il a beaucoup fréquenté le lieutenant Gerhard Heller, chargé par l'Occupant de la censure et des relations avec l'édition parisienne. Il a également publié le 23 mai 1942 dans le journal *Comœdia* un « Salut à Arno Breker », sculpteur officiel du régime nazi et intime d'Hitler.
2. À propos de Picasso, le 1ᵉʳ octobre 1961 : « … et toujours cette crainte que j'ai du coup de pistolet de l'œil noir d'un vieil homme qui m'intimide

Lui ne cesse de courir les vernissages et les dîners en ville, de se montrer dans tous les lieux à la mode. À trois reprises dans les années 1950 il préside le jury du festival de Cannes. Il saute dans des avions qui le mènent du Palais-Royal à Saint-Jean-Cap-Ferrat, à des rencontres d'écrivains à Varsovie, à des corridas en Espagne. Il accepte toutes les demandes d'interviews, tous les reportages, puis se plaint amèrement de ce que les journalistes ne s'intéressent qu'à ses exploits mondains. Début mai 1960, le voilà invité au mariage de la princesse Margaret à Londres, et il trouve que les journaux n'en parlent pas assez : « Je crois être le seul Français de France invité au mariage. C'est une chose que mes chers compatriotes n'avalent pas. Car la France est le seul pays ignorant de ce que j'y représente. » Il est incapable de refuser la moindre commande : le dessin d'un timbre pour le ministère des PTT, une affiche pour le Gala de l'Union des artistes d'octobre 1961, un article pour illustrer les photos de Lucien Clergue dans un magazine américain, une affiche pour un théâtre ouvert par Marie Bell à Londres. Bien qu'il prétende ne rêver que de solitude et de vie contemplative, il ne supporte pas qu'on cesse de parler de lui, note avec ravissement qu'un employé d'hôtel ou un serveur (jeune si possible) lui a demandé un autographe, que « des étudiants » ont applaudi à tout rompre une de ses prestations. Il prétend se moquer des honneurs officiels,

---

après quarante-cinq années d'une amitié solide. » Le 12 septembre : « Le difficile pour moi consiste à rompre avec l'actualité (genre *Match*) et cependant conserver une manière de contact. Prendre exemple sur Picasso. »

mais son *Journal* contient des notations innombrables concernant sa *cravate* de commandeur de la Légion d'honneur pour laquelle il relance de Gaulle et harcèle André Malraux. À l'issue d'une consultation hâtive, à l'automne de 1960, il a été élu Prince des Poètes en remplacement de Jules Supervielle, mais ce modeste couronnement provoque une levée de boucliers orchestrée par le clan André Breton et encouragée par Jean Paulhan. Cocteau n'en finit pas de se torturer à ce sujet.

Il a besoin de compagnie. Faute d'en trouver auprès de ses pairs, il se rabat sur des seconds couteaux, trop heureux de se rehausser à son contact, et toujours disponibles : Annabel et Bernard Buffet, le peintre Georges Mathieu, artistes mondains s'il en fut, et même Dominique Ponchardier, l'auteur de la série d'espionnage des Gorilles ! Cocteau ne se fait pas trop d'illusions sur le génie de ses amis et note, en décembre 1960, à propos de l'épouse de Bernard Buffet, en faisant mine de la plaindre : « On vient de décerner le Prix du livre le plus nul à Annabel. Férocité de Paris. »

Le drame de Cocteau c'est qu'il est le Parisien absolu et rien d'autre. Ses contemporains lui reconnaissent tous les talents, mais l'ont finalement jugé sans profondeur. Comme s'il n'avait pas de mystère, pas de pays intérieur. Son jardin secret, c'est une enfance dorée au sein d'une famille privilégiée, oisive et cultivée. Il est arrivé à la gloire avant même d'avoir connu la vie, encore moins le malheur. Cocteau est transparent, vide, sans substance : « Il finit par intérioriser ces attaques et s'instaurer son propre juge, écrit son biographe Claude Arnaud. S'il ne douta jamais de son originalité littéraire, il put s'accuser de manquer d'existence et de racines[1]. »

Cocteau a commencé sa vie publique en « prince frivole », il a vécu puis vieilli de même, jeune homme juste de plus en plus flétri. Il a séduit, mais on ne l'a jamais vraiment pris au sérieux. Il aurait pu arriver la même mésaventure à Marcel Proust, mais celui-ci a été sauvé par sa maladie et son obsession de l'œuvre à finir. Le mondain sans substance s'est métamorphosé en créateur frénétique, presque mystique, un anachorète en chambre. Cocteau a eu le tort de ne pas avoir de vraie obsession. Il n'avait aucune chance de faire le poids face à des forces de la nature comme Picasso, André Breton ou Claudel, à des chefs de clan comme Louis Aragon, Jean-Paul Sartre ou Alain Robbe-Grillet, qui régnaient sur l'intelligentsia parisienne sans jamais se laisser engluer dans le parisianisme. Jean Genet, qu'il avait accueilli sous l'Occupation puis aidé dans la carrière, avait pour lui un passé tumultueux et un présent parfois scandaleux. Rapidement on écrivit que « si l'on trouvait des perles chez Cocteau on trouvait des lingots chez Genet[2] ».

Chez l'hyper-Parisien la futilité et la vacuité menacent. Patrick Modiano — dont on a déjà parlé — pourrait être considéré de cette espèce, mais il a transformé cette faiblesse originelle en une sorte de fascinant trou noir littéraire, un

1. Claude Arnaud, *op. cit.*
2. *Op. cit.*

Paris de l'Occupation fictif, peuplé de fantômes, de personnages incertains, d'apatrides et de faussaires. Modiano est depuis quelques décennies et sans dévier de sa route le romancier inspiré du vide parisien. Françoise Sagan — sur laquelle en 1961 Cocteau a comme par hasard quelques mots dédaigneux — est l'une de ses héritières : une romancière de la frivolité et de la superficialité, mais assumées. Sagan n'avait d'autre prétention que d'être une styliste classique éminemment douée, qui trouvait un véritable plaisir à l'écriture.

Cocteau a continué après sa mort de faire des petits. On reviendra — au hasard — sur un personnage amusant, sympathique et insupportable comme Frédéric Beigbeder, rejeton de famille bourgeoise, auteur talentueux capable de saisir les modes et de séduire les foules (de jeunes), capable de réaliser un film, d'animer des émissions de télévision provocatrices juste ce qu'il faut. On se souvient de son émission littéraire sur Paris Première où lui-même, tous les chroniqueurs et tous les invités mâles avaient élégamment conversé pendant une heure entièrement nus. Fêtard et travailleur, collectionneur de beaux succès féminins, Beigbeder fait partie de ces jeunes gens de la capitale qui ont tous les talents ou presque mais dont on ne sait pas s'ils donnent des fruits. Il a cependant le bon goût de faire semblant de ne pas se prendre au sérieux, ce qui change tout. Serge Gainsbourg, autre enfant de Paname, fut toute sa vie un grand pianiste, un provocateur de génie, un surdoué de la musique et de la poésie, mais sut se cantonner dans — osons le terme — l'art mineur de la chanson sans prétendre laisser son nom dans les livres d'histoire. Y eut-il personnalité plus hyper-parisienne que Sacha Guitry ? Certes non. Sacha était le fils de Lucien, acteur déjà célèbre, il ne connaissait que le pavé (chic) de Paris, était le causeur le plus drôle de son temps, un auteur prolifique, bref un chef, l'un des monarques de la scène parisienne. Mais, sauf erreur, il ne se prit jamais ni pour Shakespeare ni pour Molière — en tout cas il s'abstint de le claironner, et s'il le pensa, le garda pour lui. L'hyper-Parisien peut mener une vie de rêve en faisant fructifier son habileté et ses talents : il aura à tout le moins de l'argent, de belles femmes et du plaisir. Le drame surviendra s'il cherche de surcroît à se faire reconnaître comme le grand écrivain de son temps : c'est le syndrome Cocteau qui se profile. Deux ans avant sa mort, le touche-à-tout publie un énorme recueil de poésie dont on a déjà parlé et qui sera reçu dans une indifférence générale par la critique et le public : « J'estime, dans le *Requiem*, avoir écrit les plus beaux poèmes de la langue française », écrit-il le 17 août 1961 en toute simplicité. Le moins qu'on puisse exiger du pur Parisien c'est qu'il pratique l'autodérision, qu'il assume sa superficialité, qu'il admette sa connivence avec « l'effroyable frivolité du parisianisme », comme l'écrivait avec une mauvaise foi désolante le même Jean Cocteau à la fin de sa vie. Son erreur consista à se croire profond. C'est le danger mortel qui menace l'hyper-Parisien.

8

La revanche du provincial

Voici la bonne nouvelle : on peut rester un vrai provincial et être en même temps le Parisien le plus authentique qui soit, plein d'assurance tranquille et de malice, à l'occasion désagréable et intolérant. Le vrai Parisien, on l'a dit, se reconnaît au fait qu'il est parfaitement à l'aise dans son environnement, reconnu et respecté par ses pairs dans son milieu et sa corporation. Certains provinciaux arrivés dans la capitale dans la vingtaine en sont les parfaites illustrations : ils sont devenus des seigneurs, des puissances locales redoutées, même si leur nom n'apparaît jamais dans les pages *people* des magazines, car ils cultivent la discrétion.

Il est courant, on l'a vu, de se moquer des provinciaux qui se perdent dans les rues de la capitale et croient qu'Éric-Emmanuel Schmitt est un grand auteur de théâtre. Dans *Les Parisiens*, il y a près d'un quart de siècle, Alain Schifres brossait d'eux un portrait à peine acidulé :

> Le provincial, c'est un monsieur ou une dame qui ne fréquente pas les salons, mais revient du Salon. On l'observe

tout au long de l'année sur la ligne nᵒ 12 : celle qui mène
à la porte de Versailles. Son attitude est bizarre. Il s'assoit
sans vérifier si la banquette est propre. Il regarde le billet
manuscrit que lui tend la Yougoslave au bébé endormi
dans les bras. Il ouvre son *Parisien* à la page «Cabarets».
Surtout il échange des plaisanteries bon enfant avec ses
compagnons[1].

Mais on trouve également des provinciaux qui ne se
perdent jamais dans Paris et savent toujours où ils vont
car pour l'essentiel ils ne se déplacent qu'à l'intérieur d'un
circuit sécurisé où à chaque étape ils trouvent un visage
familier, un allié sûr.

Il existe à proximité du métro Odéon un hôtel discret
jouissant depuis sa reprise en main et sa rénovation il y
a quelques années d'une belle réputation et de notations
flatteuses dans les guides au rayon des établissements *de
charme*. L'hôtel est d'autant plus prisé qu'il possède également un restaurant-bistrot de haut niveau et un bar à
tapas qui fait salle comble à l'heure de l'apéritif. Ce mini-
complexe touristique a une clientèle parisienne triée sur le
volet, et il est impératif de réserver pour avoir une table au
restaurant.

Le propriétaire des lieux, que nous appellerons M***,
est natif d'une ville moyenne située en bord de Méditerranée. Son établissement a beau faire partie des lieux estampillés parisiens, il est également le point de chute d'une
multitude de personnalités originaires de sa région natale.

---

1. *Les Parisiens*, Éd. Jean-Claude Lattès, 1990.

Comme par hasard, vous retrouvez pour l'apéro les chefs de cabinet de deux villes voisines de cette même région méditerranéenne, un homme d'affaires qui a réussi dans l'immobilier, un négociant en vins qui étale sa fortune et ses exploits amoureux. Si vous grattez un peu, vous constatez que tout ce que cette mini-région compte de notables, de maires, de présidents de chambre de commerce et d'industrie se donne rendez-vous chez l'ami M***, qui aura toujours une chambre disponible pour ses *pays*. Il se fait un point d'honneur de leur réserver un traitement préférentiel, de négliger au besoin de riches clients américains ou de petites célébrités parisiennes pour faire la conversation avec ses compatriotes du Sud. Ceux-ci, loin de se trouver perdus dans la capitale, ont ainsi un premier repère solide, qui s'ajoute à d'autres relais : un sénateur élu de leur département, un président de région qui a des bureaux à Paris, un ancien journaliste de la PQR — la presse quotidienne régionale — qui fait maintenant carrière dans la grande ville, un promoteur immobilier qui a bien réussi. Un exemple parmi tant d'autres. La capitale est jalonnée de discrets réseaux finistériens, languedociens ou bordelais, de points de chute discrets, familiers et rassurants où les «compatriotes» de la même région se retrouvent quand ils sont de passage.

Ces visiteurs venus de leur province profonde séjournent donc dans la capitale sans vraiment quitter leur terre natale, en prenant appui sur des enfants du pays qui ont brillamment réussi sur les rives de la Seine. Inversement, tous ces *grands hommes de province à Paris* à qui ils rendent visite ont le réflexe pour ainsi dire vital d'entretenir leurs réseaux d'origine, en se disant que ceux-ci leur resteront fidèles le jour où les affaires iront moins bien. Cela leur permet également de se poser vis-à-vis de leur clientèle parisienne, d'affirmer leur identité. Le Rastignac aux dents longues n'a rien de plus pressé que de faire oublier ou même de renier ses origines semi-campagnardes pour se fondre dans l'une des strates du Tout-Paris (édition, télévision, publicité, etc.). Le grand homme de province affiche au contraire avec fierté ses racines et ses antécédents familiaux, dont il a compris qu'ils sont la source et la preuve manifeste de son pouvoir. Le clan d'origine, c'est ce qui restera au provincial exilé lorsque ses «amis» de la capitale lui auront tourné le dos. Ce faisant, il montre à ceux-ci que lui-même existe en dehors d'eux, que sa vraie vie est ailleurs, qu'il ne se fait aucune illusion sur la sincérité de leurs sentiments. Et c'est avec le plus grand plaisir qu'il les néglige publiquement au profit de l'entraîneur d'un club local de rugby ou d'un grossiste en volailles, tous deux originaires de sa sous-préfecture de naissance. La fidélité à sa province est une autre forme supérieure de parisianisme : elle est la preuve qu'on est suffisamment à son aise pour envoyer promener ces snobinards venus de nulle part et qui se croient sur le Toit de l'univers.

Chez René, au bout du boulevard Saint-Germain, fut pendant quelques décennies l'un des bistrots les plus discrètement réputés de la capitale. La carte n'était pas variée, celle des vins se limitait aux crus du Beaujolais — du brouilly au saint-amour —, et la cuisine se signalait essentiellement par sa simplicité et sa robustesse. Mais il y avait toujours des radis au beurre, du céleri rémoulade, de l'andouillette. Les rideaux n'avaient pas été changés depuis longtemps, et les banquettes de moleskine avaient définitivement viré au vieux gris-rose. Presque jusqu'à la fin — c'est-à-dire la revente du fonds, au tournant du millénaire —, la maison n'accepta aucune carte de crédit, ce qui n'était sans doute pas une preuve d'arriération mais de bonne gestion, car un sou est un sou...

Sans être vraiment huppée, la clientèle comptait un solide fonds d'habitués, dont certains avaient pignon sur rue. Un soir, on l'a déjà évoqué, François Mitterrand, qui habitait à trois ou quatre rues de là et qui adorait la cuisine bistrot, y avait invité à dîner son vieux copain Helmut Kohl. La chose avait été mentionnée le lendemain dans *Le Monde* : c'était «la» consécration. Mais l'endroit n'avait même pas besoin de ce genre de gloire. Il faisait salle comble midi et soir et attirait ces gens bien informés qui adorent les adresses confidentielles.

Derrière le bar, une vieille photo d'origine rappelait que le père de l'actuel propriétaire avait ouvert Chez René en 1954 dans les murs d'un dépôt de bois et charbon. La famille venait de la région d'Auxerre. Le fils avait pris la relève vingt ans plus tard.

Son bistrot était en soi une *success story*, comme on dit en français actuel. Sans faire la plus petite concession à la modernité et aux modes passagères, il avait une partie du Tout-Paris à sa porte.

Il avait en outre pour singularité de se montrer le plus souvent désagréable : selon Alain Schifres, qui a écrit quelques belles pages sur le sujet dans *Les Parisiens*, c'est une vieille coutume des bistrots à la mode que de rudoyer les clients.

Un soir, deux jeunes gens new-yorkais dans le vent qui voulaient épater leurs petites amies les avaient emmenées dans ce bistrot pour habitués, l'un des derniers véritables à Paris. Le patron leur dit : il y a de l'attente. Le quatuor commande un apéritif au comptoir. Puis un second. Après trente minutes, aucun progrès. Une demi-heure de plus, et les quatre Américains élégants sont toujours au comptoir et ont perdu de leur superbe. Entre-temps, ils ont vu deux tables leur passer sous le nez, attribuées à des clients arrivés après eux. Oui, mais ils ont réservé, indique la caissière, qui essaie d'arrondir les angles. Comment ça réservé, on nous a dit que c'était impossible de réserver après le premier service ? Ils ont réservé, ce sont des habitués, précise la caissière. Encore quinze minutes de plus, et une troisième table leur passe sous le nez. Le plus francophone des deux jeunes gens, excédé, s'adresse directement au patron et lui fait savoir qu'ils attendent depuis une heure et quinze minutes, que trois tablées sont passées devant eux, et que finalement ils se demandent s'ils ne feraient pas mieux d'aller dîner ailleurs.

«Mais, cher Monsieur, répond le patron à voix haute pour que tout le monde entende, cela ne tient qu'à vous, il y a des restaurants à toutes les portes dans le quartier, et moi j'ai déjà trop de monde...»

Là-dessus il avait regardé en ricanant les Américains déconfits partir en claquant la porte.

Un autre soir, un trio se pointe, un soir de semaine vers vingt-deux heures, alors que les tables commencent à se libérer. Le redoutable Bourguignon arrive, calepin à la main, l'air vaguement menaçant. Les deux messieurs optent pour le plat direct, mais commandent tout de même une bouteille de mercurey. La dame explique qu'elle a été malade la nuit précédente et qu'elle ne prendra qu'un potage. Et en entrée? demande le maître des lieux. Pas d'entrées? L'affreux les dévisage un long moment en silence et laisse tomber avec un air dégoûté : «Eh ben dis donc!» Ils n'avaient pas suffisamment commandé à son gré.

On suppose que ce patron était aimable avec Mitterrand lorsque celui-ci lui amenait le chancelier d'Allemagne. Peut-être faisait-il de même avec des visiteurs un peu connus. Mais en règle générale il prenait un plaisir manifeste à traiter cavalièrement tous ces clients *qui croient que tout leur est dû*, ou des Américains qui se la jouent branché, *ça leur fera les pieds!* Il mettait en pratique ce vieux raisonnement appliqué par moult établissements parisiens : *Je reçois qui je veux, et ceux qui ne sont pas contents, ils peuvent aller voir ailleurs.*

En revanche, il y avait une catégorie de clients qu'il recevait avec toutes les manières et la bonne humeur qu'on réserve à la famille et aux amis d'enfance. C'étaient des habitués de longue date, de petits entrepreneurs bourguignons qui n'avaient pas grand-chose de citadin mais qu'il faisait passer devant tout le monde, des fournisseurs en vins de beaujolais avec qui il poursuivait d'interminables conversations à voix tonitruante, de manière que la moitié de la salle puisse profiter de leurs blagues façon Grosses Têtes car *ici c'est chez moi*! Certains soirs, on constatait — trop tard — que plusieurs tables disséminées dans la salle étaient occupées par des habitués qui se connaissaient tous entre eux et, non contents de parler trop fort, s'interpellaient d'une table à l'autre.

C'est souvent comme ça? avais-je demandé à la conciliatrice en chef, c'est-à-dire la caissière. «Ah! évidemment, ce soir il y a les joueurs de bridge, dit-elle sur un ton mystérieux, et quand ils sont là…» S'agissait-il d'une amicale de bridge de la ville d'Auxerre, de Dijon ou d'ailleurs sur les anciennes terres de Charles le Téméraire? En tout cas ces gens étaient d'évidence des habitués réguliers et se fréquentaient de longue date. Chez René était l'un de leurs repaires familiers, un de ces endroits où ils se retrouvaient comme au pays et pouvaient en toute tranquillité envoyer promener ces insupportables Parisiens, à commencer par ceux qui avaient choisi de venir dîner dans ce restaurant ce soir-là et avaient l'outrecuidance de se croire partout chez eux. De narguer les Parisiens — ou ceux que l'on considère comme tels — et si possible de leur empoisonner la vie est une attitude éminemment parisienne, un signe irréfutable d'adaptation aux mœurs locales.

Un journaliste en vogue — pourtant né à Lyon — m'expliquait un jour au détour d'une phrase que, bien entendu, il existe dans la capitale des réseaux lyonnais discrets et plus ou moins souterrains, au sein du commerce, de la banque, de l'industrie, de la haute fonction publique ou des médias. Ces «expatriés» se sont connus au lycée ou à l'université et se sont retrouvés à Paris en début de carrière. Ils ne se fréquentent pas nécessairement avec assiduité, mais ils ne se perdent pas de vue. Ils entretiennent des relations à géométrie variable : parfois strictement professionnelles, parfois plus intimes, et on voit de beaux mariages d'amour (et d'intérêt) se conclure parfois au sein de la communauté en exil. En cas de problème ou de vrai coup dur, il arrive que le réseau d'entraide se mette en marche : on trouvera un premier boulot au neveu machin qui vient de débarquer à Paris, on se filera des tuyaux pour les contrats, les appartements, les combines les plus diverses. Cela vaut pour les Lyonnais, les Bordelais, les Toulousains, les Alsaciens, les Bretons, les Marseillais et les Corses. Certains réseaux se voient à l'œil nu, d'autres sont plus discrets, voilà tout. Mais tous imprègnent les profondeurs de la vie parisienne.

Il y a une vingtaine d'années, peut-être un quart de siècle, j'étais attablé à une terrasse à l'angle du boulevard Beaumarchais et de la place de la Bastille lorsque je vis le début d'une manifestation d'un style inusité. Ce boulevard, à longueur de semaine, voit défiler les trois quarts des manifestations de la capitale : République-Bastille, c'était le parcours attitré du Parti communiste (avec une variante pour les grandes occasions : République-Nation), cela reste celui de la CGT et des défilés syndicaux unitaires, des nationalistes kurdes ou des défenseurs des sans-papiers. On y voit aussi parader les différentes oppositions africaines après un coup d'État militaire, et on y a souvent vu la Gay Pride. En saison, il est rare qu'une semaine s'écoule sans qu'on voie un défilé, petit, moyen ou grand, sous les regards blasés des commerçants, qui ont depuis longtemps cessé de baisser leur rideau de fer car les manifs entre République et Bastille sont toujours ordonnées et bien tenues en main. Quand elles sont de dimension modeste, on voit depuis la tête du défilé la petite armada verte des engins de nettoyage de la Ville de Paris qui ferme la marche, ramasse les papiers gras et autres tracts abandonnés. Vingt minutes plus tard, il ne reste plus aucune trace de l'événement.

«Alors c'est qui aujourd'hui? ai-je demandé au serveur d'une brasserie de la place de la Bastille.

— Ah! Ce sont les Aveyronnais de Paris qui défilent. Ils fêtent un anniversaire, un centenaire, je crois.»

Le cortège ressemblait à une cérémonie religieuse, un enterrement ou un Te Deum. Tous les participants avaient revêtu des habits traditionnels, lourds, noirs et ornementés. Ils marchaient derrière de grandes bannières, de grandes images, des oriflammes portées à bout de bras. Tout le monde se déplaçait avec une lenteur cérémonieuse au rythme d'une fanfare qui reprenait inlassablement le même thème.

Où allait le défilé? Dans mon souvenir il tournait autour de la place et n'allait nulle part. Il ne revendiquait rien, n'avait pas d'objectif stratégique. Il donnait plutôt l'impression de constituer une démonstration de force et de prestige, de vouloir marquer son territoire, comme le font les lions mâles dans la savane. C'était peut-être un défilé de la victoire pour les Aveyronnais de Paris, peut-être célébraient-ils l'anniversaire d'un événement ancien, l'ouverture de la première grande brasserie aveyronnaise, la création d'une première corporation, d'une association de défense et d'entraide. Ils tournaient avec lenteur autour de la place avec l'air de dire : cent ans, deux cents ans plus tard, nous sommes toujours là, nous faisons étalage au grand jour de notre puissance qui, le reste du temps, reste invisible aux yeux du commun.

Est-il vrai, comme me l'avait dit un soir de novembre, sans penser le moins du monde qu'il exagérait, le patron d'un café à la mode de la rue du Pas-de-la-Mule, que «ce sont les Aveyronnais qui tiennent Paris»? Il m'avait même précisé : «Ce n'est pas l'Aveyron qui tient Paris, c'est l'Aveyron nord.» Autrement dit Rodez et sa région, d'où viennent beaucoup de ces marchands de bois et charbon montés dans la capitale au début du XXe siècle et qui ont produit un impressionnant réseau de brasseries et bistrots célèbres, Lipp, La Coupole, le Balzar, les grands cafés de la place des Vosges, puis le café et l'hôtel Costes, entre autres.

Pourquoi avaient-ils choisi la Bastille pour célébrer cet anniversaire? Je ne le sais pas exactement. Il est vrai qu'à une époque le quartier, du côté de la rue de Lappe et de la Roquette, comptait beaucoup de bois et charbon. Peut-être cette célébration avait-elle un rapport avec la fondation, le 14 juillet 1882, de l'un des plus importants journaux de la capitale : *L'Auvergnat de Paris*[1]. Pendant plus d'un siècle ses petites annonces détinrent un quasi-monopole sur les transactions d'importance dans le secteur des bistrots. Dans sa version papier l'hebdomadaire cessa de paraître en 2009, car les petites annonces avaient définitivement émigré sur Internet, mais il reparut en 2010 dans un format magazine. Le titre avait été tellement illustre et puissant pendant plus d'un siècle qu'il en était devenu un objet culte.

À Paris l'Aveyronnais ne claironne pas son identité, il se contente de l'afficher tranquillement. La formidable réputation du département le précède. Cette notoriété, entretenue dans un certain flou en y ajoutant les «exploits» des ressortissants des départements voisins, a pris dans la capitale les dimensions d'une véritable légende urbaine. Il y a une vingtaine d'années[2], *Le Monde*, journal sérieux entre tous, affirmait qu'à Paris les Rouergats tenaient cinquante pour cent des bistrots et quatre-vingts pour cent des bars-tabacs — un chiffre invérifiable et sans doute un peu

---

1. On dira à juste titre que l'Aveyron ne fait pas partie de la région Auvergne. Mais sa partie nord, autour de Rodez, se rattache indéniablement au Massif central. L'immigration aveyronnaise ou auvergnate à Paris avait souvent les mêmes secteurs d'activité et le même profil sociologique. Boulevard Henri-IV, Le Réveil, qui resta jusqu'à la fin du XXᵉ siècle l'un des derniers vrais bistrots parisiens, était tenu par un couple, lui du Cantal, elle de l'Aveyron, preuve que l'amour peut transgresser les frontières et les interdits ancestraux.
2. «La bistrocratie aveyronnaise de Paris», *Le Monde*, 1ᵉʳ février 1994. Ces chiffres, qui fournissaient un ordre de grandeur, doivent être aujourd'hui sérieusement revus à la baisse en raison de l'arrivée massive des Chinois dans ce secteur d'activité, notamment des immigrés originaires de Wenzhou, une ville au sud de Shanghai. Selon *Le Point* du 23 août 2012, ils seraient aujourd'hui propriétaires de… 60 % des bars-tabacs franciliens! («L'intrigante réussite des Chinois en France.»)

exagéré, mais qui donne une idée de leur place prépondé-
rante dans la limonade parisienne. Selon Philippe Meyer,
il se dit autour de Rodez et de Villefranche-de-Rouergue
que « Paris est la plus noble conquête de l'Aveyron[1] ». Plus
souvent qu'on ne le croit, il arrive que le provincial prenne
sa revanche sur Paris.

1. *Paris la Grande*, Flammarion, 1997.

III

FIGURES

9

Les petites brahmanes

Qui donne le ton sur les rives de la Seine ? Qui dit le bon goût ? La petite brahmane — c'est ainsi que nous la baptiserons —, bien entendu. Elle est omniprésente, elle est la référence, la Parisienne absolue. Sur ce territoire où, on le sait, il est mal vu de parler d'argent, elle occupe le haut de l'affiche depuis toujours, ou disons depuis l'invention des salons et de la conversation spirituelle.

La petite brahmane est une personne de la bonne société qui s'intéresse aux arts, à la littérature, aux choses de l'esprit — éventuellement à la politique — et manifeste un dédain discret et définitif pour le salaire de ses interlocuteurs, le prix d'achat de la villa de bord de mer où elle s'est retrouvée pour le week-end. Elle ne s'étonnera jamais d'avoir été invitée au Grand Véfour et ignorera superbement le montant de l'addition en fin de repas. Si elle monte dans un avion en première classe ou si elle est logée à Cannes au Carlton dans une chambre avec vue sur mer, elle n'aura pas le mauvais goût de demander qui a payé. Pour elle, l'argent n'existe pas, n'a aucune importance : on n'a pas besoin d'argent pour aller déjeuner dans un grand restaurant, se désaltérer au Dom Pérignon et mener la vie de château. Si l'on appartient au monde qu'il faut, on ne passe jamais à la caisse et on n'a pas à calculer sa part au restaurant. C'est pourquoi la petite brahmane, à partir du moment où elle a réglé la question de son logement, et dans un quartier adéquat, n'est même pas tenue d'avoir une fortune personnelle ou de disposer d'un salaire considérable pour frayer dans les hautes sphères.

À l'époque de Proust, la brahmane était obligatoirement de la haute société. Les femmes de la bourgeoisie ordinaire restaient dans l'ombre, confinées dans leurs beaux appartements, elles supervisaient l'éducation des enfants, surveillaient la domesticité, s'occupaient des œuvres et organisaient la vie professionnelle de leur mari. Elles n'avaient aucune existence publique. La brahmane visible, celle qui alimentait les gazettes mondaines et les ragots, était donc par définition une grande brahmane.

L'abbé Mugnier, arrivé à Paris de sa Corrèze natale avec sa vieille soutane et ses grosses godasses, connut la célébrité à trente ans pour avoir réussi l'exploit de ramener le romancier Huysmans dans le droit chemin de la religion catholique. Il devint le «confesseur des duchesses» ou «l'apôtre du faubourg Saint-Germain», et le resta de la fin du XIXe jusqu'à sa mort en 1944. Son *Journal*, qui court de 1879 à 1939, nous amène — à diverses époques — dans les salons de la comtesse de Talleyrand, de la princesse Wittgenstein, dans les jardins du Ritz où il déjeune avec la princesse Hélène Soutzo, son mari Paul Morand et la comtesse

Adhéaume de Chevigné, née Laure de Sade. À table on parle d'«un Juif, docteur à Vienne, Freud, qui a une théorie particulière : rêve, libération des conflits, etc.». Quelques jours plus tôt, il était reçu chez le comte Aimery de La Rochefoucauld, qui «gémissait sur le socialisme qui gagne les domestiques eux-mêmes : ils étaient venus, très respectueusement d'ailleurs, dire à leur maître que le sucre auquel le carnet leur donne droit est bien pour eux[1]...». (C'était la guerre et il y avait des carnets de rationnement.) À un autre moment, on le retrouvait, un soir de décembre 1919, «après dîner vers 10 heures» chez la princesse de Polignac, en compagnie de la vicomtesse de Noailles et de son mari, du général Mangin et de la duchesse de Guiche : «Mme de Noailles, écrivait-il, avait été éblouissante au dîner où elle avait défendu les bolchevistes, Lénine, etc.[2]» Chez les grandes brahmanes de ce début de XXᵉ siècle, on avait de l'esprit, de la curiosité, on affichait un certain non-conformisme. Un signe irréfutable : «Les femmes, les jeunes filles de la haute société fument maintenant devant leurs mères. Les d'Hinnisdal, mère et fille, fumaient l'autre soir», nota l'abbé Mugnier en juin 1907.

Le monde des grandes brahmanes était un univers où l'on n'entrait que par cooptation. Un patronyme illustre, des services éminents rendus par le mari à la Nation (Collège de France, diplomatie, politique, administration, banque) permettaient d'y accéder. Des exploits dans le

---

1. *Journal de l'abbé Mugnier*, Mercure de France, 1985.
2. *Id. ibid.*

champ littéraire pouvaient être une carte de visite acceptable, à la condition d'avoir de bonnes manières à table. Même avec des origines modestement bourgeoises, les grands écrivains étaient les bienvenus chez les duchesses et les princesses. Paul Valéry, Marcel Proust ou Jean Cocteau avaient ainsi leurs habitudes au Ritz et dans les salons. Certaines grandes mondaines — Anna de Noailles ou la princesse Bibesco — faisaient elles-mêmes partie du monde littéraire, ce qui conférait une forme d'anoblissement définitif à cette activité. Colette, Sarah Bernhardt ou Marie Laurencin, qui auraient été à une autre époque des parias, se retrouvèrent de ce fait invitées dans les salons et intronisées grandes brahmanes. Parmi les stars féminines il y avait donc également des artistes et des poétesses, dont la gloire finissait par se confondre avec celle des grandes mondaines à voilettes et particules qui se pavanaient au Crillon ou à l'hippodrome de Longchamp.

Mais nous voilà désormais en démocratie. Mieux : en république. Les noms à particules n'impressionnent plus que des midinettes attardées et les lectrices de *Point de vue Images du monde*. Stéphane Bern, qui a sincèrement la marotte des têtes couronnées, a certes un public non négligeable, mais pas nécessairement le plus dynamique, jeune et influent. Quand on évoque des grands prix à Auteuil ou Chantilly, on ne peut s'empêcher de revoir en songe Éric Woerth en queue-de-pie, un Aga Khan ou un baron de Rothschild, des membres éminents du Jockey Club, bref un univers décati qui n'intéresse plus grand monde. Les rallyes dans le 16ᵉ et les bals de débutantes suscitent davantage de sarcasmes que de fantasmes.

J'avais eu moi-même l'occasion dans les années 1980, en tant que journaliste étranger en quête de sujets exotiques, de croiser le regretté comte de Paris. Il s'agissait là, en l'occurrence, d'une imitation de tournoi à cheval entre figurants professionnels équipés de lances en plastique, et cela se déroulait sur le parking d'un centre commercial de la porte des Lilas. Abordant le noble prétendant au trône, je lui avais demandé s'il ne trouvait pas désolant qu'on en soit arrivé à organiser des joutes de chevalerie sponsorisées par les centres Leclerc. « Que voudriez-vous, *mon ami* ? Qu'ils financent des courses de Formule 1 ? Mais elles existent déjà », avait-il répondu sur le ton las de celui qui a renoncé à faire concurrence aux chanteurs de variétés dans le cœur des jeunes filles, ou même à intéresser *Paris Match*.

Ni les grandes fortunes ni les patronymes illustres ne garantissent plus le ticket d'entrée dans les milieux les plus en vogue. Évidemment, il paraît plus décoratif et gratifiant de s'appeler Adélaïde de Clermont-Tonnerre — ou Alix Girod de l'Ain — plutôt que Martine Durand, surtout quand on est de surcroît bien de sa personne et qu'on nourrit quelques ambitions de carrière. Mais cela ne serait pas d'un grand secours si les deux nobles damoiselles n'étaient pas en même temps des journalistes talentueuses, toniques et pleines d'aplomb, qui par ailleurs tâtent de la littérature légère avec esprit. Si on leur accorde volontiers le titre de brahmane, ce n'est pas en raison de la particule et du physique flatteur — qui certes ne nuisent pas — mais parce qu'elles font une jolie carrière dans les médias, le journalisme culturel et la conversation spirituelle, trois disciplines reines dans la bonne ville de Paris.

Aujourd'hui, Paris est peuplé d'une multitude étonnante de petites brahmanes qui peuvent prétendre au titre de grandes brahmanes, lequel se mérite par des succès obtenus dans des domaines touchant de près ou de loin à la culture et aux médias. La plus haute marche du podium est envisageable pour la plupart de celles qui à vingt ans se jettent dans la mêlée : elles ont *bac plus quatre*, sont attachées de presse, assistantes de production à la télévision, assistantes tout court dans le cinéma, salariées dans la pub et la com, journalistes locales, journalistes nationales, dans la presse, à la radio ou sur une chaîne de télévision. D'autres sont salariées dans une galerie de peinture, dans un musée, dans un théâtre privé, un théâtre public, un opéra, un festival. Elles travaillent dans la mode, le design, la photo ou le show-business. Et bien sûr elles sont intermittentes du spectacle. L'essentiel, c'est de se trouver au plus près du pôle magnétique, là où l'on peut nouer des relations agréables et utiles, puis rêver de grimper vers les sommets.

Comme partout dans le monde, beaucoup de petites brahmanes rêvent du coup de baguette magique qui les transformera à vingt ans en rock star ou en vedette de cinéma. Certaines parfois continuent comme de simples midinettes d'espérer un beau mariage avec un prince ou, à défaut, un monsieur très riche : mais ce n'est pas un rêve de vraie brahmane, car on sait le peu de respect qu'on a à Paris pour les hommes du commerce et de la finance.

Passe encore s'il s'agit, on l'a vu, de François Pinault ou de Bernard Arnault, qui se sont fait pardonner leurs prosaïques activités commerciales en pratiquant le mécénat de haut niveau. Mais un promoteur immobilier qui aurait fait fortune en vendant des lotissements à Bergerac! Les petites brahmanes ont d'autres modèles de réussite en tête.

Le parcours de Françoise Giroud fut pendant quelques décennies la référence absolue. À juste titre. Une famille bourgeoise aux origines cosmopolites et compliquées. Une enfance pauvre. Un physique agréable et charmeur sans plus. Une entrée à seize ans sur le marché du travail avec un diplôme de dactylo. Par son énergie et son ambition, Françoise s'était retrouvée à vingt ans script de Jean Renoir. Début de la trentaine, elle était l'une des journalistes les plus célèbres de la capitale. Quelques années de plus, à la tête de *L'Express*, elle faisait partie des personnalités d'influence dans la capitale. C'est autour de sa table, à son domicile parisien, qu'en 1971 s'opéra le rapprochement entre les mitterrandistes et le Parti communiste qui allait mener au Programme commun de gouvernement. Partie de rien ou presque, Françoise Giroud avait atteint les plus hauts sommets.

Elle n'est pas la seule dans ce cas. Anne Sinclair était entrée comme simple journaliste à Europe 1 en 1973 à l'âge de vingt-cinq ans. Sans que cela ait quoi que ce soit à voir avec la fortune de sa famille, elle était également devenue en une dizaine d'années la journaliste la plus importante de la télévision avant de faire dix ans plus tard un remariage d'amour avec Dominique Strauss-Kahn, qui devint numéro deux du gouvernement Jospin, puis patron du FMI et faillit sans doute devenir président de la République en 2012. Christine Ockrent a eu également dans un premier temps un brillant parcours avant de connaître différents déboires ; elle était devenue elle aussi l'une des grandes journalistes du pays. Michèle Cotta, née en 1937, n'était pas sortie de rien puisque son père avait été maire SFIO de Nice à la Libération. Mais elle avait commencé sa carrière à la fin des années 1950 comme simple pigiste à *Combat* avant d'être recrutée à *L'Express* par Françoise Giroud, qui misait ouvertement sur de jeunes femmes séduisantes pour aller soutirer des confidences aux puissants de la politique (Catherine Nay, qui devait aller loin elle aussi dans la carrière, fut également, si j'ose dire, un « bébé Giroud »).

L'univers médiatique est une voie royale, mais il n'y a pas que lui. Des femmes ont fait ou font de belles carrières dans l'édition, telles Teresa Cremisi, Françoise Verny en son temps, Odile Jacob. Très polyvalente, Régine Deforges, arrivée dans les années 1950 de Montmorillon à l'âge de vingt ans, a été d'abord une éditrice célèbre et sulfureuse à la tête de L'Or du temps puis une romancière comblée par le succès phénoménal de la saga *La Bicyclette bleue*. Combien de jeunes femmes cultivées ne rêvent-elles pas, avec une certaine vraisemblance, de faire une carrière à la Régine Deforges ? Dans l'édition, toute attachée de presse un peu ambitieuse peut concevoir le projet de devenir directrice de collection, voire directrice littéraire, ou à tout le moins chef du service de presse d'une grande maison. Elle peut également ambitionner de fonder un bureau de presse indépendant et de gérer de gros budgets dans le domaine du cinéma ou des variétés, ou de diriger la communication d'une *major* du disque, voire d'être nommée à la tête du bureau de presse d'un festival de premier plan (au hasard : le festival de Cannes). Une attachée de presse confirmée, qui coiffe la communication d'Universal ou de Gallimard, de Christian Dior ou même seulement de Johnny Hallyday, est à tout le moins une moyenne brahmane, on s'incline devant elle. Une diplômée en histoire de l'art ou en muséologie peut fort bien s'imaginer accéder aux plus hauts échelons du musée d'Orsay ou du Louvre, telles Françoise Cachin ou Anne Pingeot en leur temps. La petite brahmane peut à juste titre rêver de gloire, de prestige — l'argent n'est pas prioritaire —, car il arrive que le rêve se réalise, ou en tout cas qu'on grimpe dans la hiérarchie jusqu'à une situation qui inspire le respect : administratrice d'un théâtre privé, assistante d'un propriétaire de galerie, productrice à la télévision, directrice de collection au sein d'une grande maison d'édition, c'est-à-dire moyenne brahmane certifiée, ce qui est déjà bien.

La petite brahmane est une espèce répandue à Paris, car elle vibrionne toute la journée d'un coin à l'autre de la ville, et le soir semble jouir du don d'ubiquité. Car bien sûr elle habite Paris, contrairement aux employées des banques, des commerces et des grands magasins, et même des membres de l'Éducation nationale qui ne sont pas héritières. Celles-là repartent le soir dans leur banlieue, où elles ont émigré faute d'avoir les moyens d'élever leurs enfants intra-muros.

La petite brahmane reste dans les murs après le couvre-feu. Elle est ici chez elle.

Le midi, elle déjeune sur le pouce près du travail en avalant un quart d'eau minérale, à moins qu'elle ne soit réquisitionnée pour un déjeuner professionnel, ou encore qu'elle invite sur ses notes de frais. On la retrouve dans de petits bistrots de Saint-Germain ou au Récamier si elle est dans l'édition, dans des brasseries de Montparnasse ou de la place de l'Alma s'il s'agit de show-business ou de télévision. À l'heure de l'apéro on la verra au bar du Lutétia (hémisphère gauche), au Plaza Athénée ou à L'Avenue, point de ralliement très mondain ces jours-ci dans l'avenue Montaigne (hémisphère droit). Entre deux rendez-vous elle aura eu le temps de courir faire en vingt minutes les soldes au Bon Marché ou boulevard Saint-Germain. Le soir, elle repartira impérativement du boulot à 18 h 30 pétantes pour aller récupérer son gamin, qu'elle élève seule, car bien souvent elle est séparée ou divorcée. Le seul endroit où on ne la voit à peu près jamais, c'est dans le métro, qu'elle ne fréquenterait sans doute qu'en cas de guerre mondiale. En revanche elle se déplace volontiers en bus et s'en vante : c'est un mode de transport à la fois de bon goût et sans prétention. Elle possède, à un degré variable, une science approfondie des quartiers où il fait bon se montrer, des bistrots et restaurants où l'on croisera d'autres gens de son milieu, des destinations de vacances à fréquenter, des arrondissements où il convient d'habiter. Elle a mené il y a très longtemps la reconquête du 5e arrondissement à partir du quartier Mouffetard. Plus récemment elle était impliquée dans le processus de gentrification du 3ᵉ. Aujourd'hui, après avoir présidé à la boboïsation du faubourg Saint-Antoine, elle a jeté son dévolu sur le 20ᵉ, ses anciens ateliers, les abords du Père-Lachaise, et elle s'intéresse désormais à Belleville. Elle allait manger un couscous le soir chez Omar, rue de Bretagne, à l'époque où l'endroit n'était *pas encore envahi par les touristes*, mais elle fréquente encore le marché d'Aligre *malgré tout.*

Fatalement vous la croisez à tout bout de champ, à des terrasses de café, dans des restaurants bien notés, dans des files d'attente au cinéma et bien sûr dans l'un des innombrables cocktails qui se donnent chaque soir dans des galeries, des librairies, des ministères, des musées, au théâtre du Rond-Point, à Chaillot, à Beaubourg et au « 104 », immense et magnifique lieu culturel implanté sur le site des anciennes pompes funèbres de Paris, au cœur du 19ᵉ arrondissement, en terre de mission.

On la reconnaît de loin. Dès qu'elle sort de chez elle, elle est habillée avec un goût parfait, à la mode mais pas trop, bien que d'une manière qui paraîtrait outrageusement — ou insidieusement ? — sexy ou provocante aux yeux d'observateurs vaguement puritains ou de féministes anglo-saxonnes ou d'Europe du Nord[1]. Mère célibataire

---

1. Correspondant à Paris du très chic *New Yorker* de 1995 à 2000, Adam Gopnik ne peut s'empêcher de revenir à plusieurs reprises sur le « sexisme » de la publicité murale. S'agissant de la célèbre campagne Aubade, il écrit : « Les femmes y sont réduites à leurs composantes corporelles : les pubs Aubade isolent les seins, les cuisses ou les jambes aussi scrupuleusement qu'un préparateur de Kentucky Fried Chicken » (*op. cit.*). Ces pubs, ajoute-t-il, « sont pour le passant hétéro d'une sensualité agressive, déstabilisante : elles diffèrent

ou pas, elle consacre beaucoup de temps et d'énergie à son apparence, à sa forme et à sa ligne. Lorsque vous la croisez ou qu'on vous la présente, vous vous interrogez : attachée de presse ? assistante dans une *boîte de prod* ? journaliste débutante pigiste ? salariée à *Libé* ? À la fin vous vous demandez si le secteur culture-communication n'est pas la seule entreprise survivante à Paris en dehors de la police et des ministères, des boulangeries et commerces de proximité, de Darty et des grands magasins. Et vous n'êtes pas si loin de la réalité.

Les statistiques du ministère de la Culture citées par les sociologues de « la haute », Michel Pinçon et Monique Pinçon-Charlot[1] datent principalement de 1999 et confondent souvent les données concernant Paris et celles concernant la région parisienne, mais elles fournissent un ordre de grandeur irréfutable.

En 1999, donc, plus de quarante-cinq pour cent des actifs recensés en France dans le secteur culturel se trouvaient en région parisienne et pour l'essentiel à Paris. Pour la production de films ou de programmes de télévision : 87 % des emplois. Pour les éditions de livres : 70 % ; de revues et magazines : 74 %. La presse quotidienne a forcément une composante régionale forte et seulement 25 % de ses emplois se trouvent en Île-de-France. Mais pour les agences de presse et les journalistes indépendants, 71 % des

de leurs homologues américaines par leur *absence de modernité.* » C'est moi qui souligne.
  1. *Sociologie de Paris*, La Découverte, 2008.

actifs sont en région parisienne. Selon une autre étude, menée en 1993, sur 6 000 créateurs répertoriés (écrivains, réalisateurs, artistes, compositeurs), 75 % étaient en Île-de-France et 51 % dans Paris même. Une tendance à la concentration qui ne donne pas de signe de fléchissement. Concernant le multimédia, apparu au cours des années 1990, des chiffres de 2002 localisaient 74 % des entreprises en région parisienne et 49 % intra-muros. Gageons que la prolifération n'a fait que s'aggraver au cours des dix ou quinze dernières années sous la poussée d'Internet et des innombrables nouvelles chaînes de télévision.

Il y a vingt ans, une interview à la télévision voulait dire, sauf cas d'espèce, qu'une équipe de deux ou trois personnes se déplaçait chez vous ou qu'on vous convoquait dans un impressionnant studio de télévision qui appartenait à TF1 ou à France Télévision, à M6 dans le pire des cas. Aujourd'hui, les chaînes de télévision se sont multipliées à l'infini. Il y a six nouvelles chaînes hertziennes et on renonce à dénombrer les chaînes thématiques sur le câble. Des sites Internet sont créés à seule fin de diffuser des émissions «de télévision» telles qu'Arrêt sur images, de Daniel Schneiderman, et annonce-t-on au moment où nous écrivons ces lignes, Taratata, la grande émission de variétés de Nagui récemment supprimée par France 2. Les sites Internet des grands magazines vous dépêchent des journalistes munies de leur caméra miniature, qui font les images, le son, vous interviewent, reviennent au bureau faire le montage et balancent tout ça sur le Web. Des nouveaux métiers hautement féminisés. Combien d'emplois de ce genre, précaires ou régis par le système des intermittents, a-t-on créés à Paris dans les dernières années ? Sans parler des innombrables *desperadas* qui se jettent dans la mêlée en espérant placer une pige, une interview, faire un remplacement, mettre le doigt dans l'engrenage, tout cela pour un cachet de misère, en caressant l'espoir de se faire un jour titulariser.

L'un des mystères de Paris est la survie des petites brahmanes. Une partie d'entre elles n'ont même pas de vrai salaire. Elles sautent d'un contrat provisoire à un remplacement temporaire. Elles ont ouvert avec trois copains un petit bureau de presse, partagent les frais mais ne se paient que lorsqu'elles décrochent elles-mêmes un contrat. Elles travaillent à mi-temps pour une revue de design qui les paie une moitié de smic avec deux mois de retard. Elles bouchent les trous avec un contrat de traduction, un peu de rédaction professionnelle. Même lorsqu'elles atteignent les premiers hauts plateaux — un CDD chez Gallimard ou dans une vraie boîte de production pour la télévision, un emploi chez Publicis ou à Beaubourg —, leur survie à Paris reste énigmatique. Une journaliste avec dix ans d'expérience à Radio France gagnera à peine plus de deux mille euros mensuels, au même niveau qu'une attachée de presse à la télévision ou dans l'édition. L'immense majorité des jeunes femmes si élégantes que vous croisez à La Closerie des Lilas ou au vernissage d'une grande exposition, qui paraissent avoir leurs entrées dans les meilleurs salons et qui se font inviter dans des dîners haut de gamme, gagnent généralement moins et rarement plus de trois mille euros. Beaucoup d'entre elles, on l'a dit, ont un enfant à charge. Comment survivre à Paris dans des conditions pareilles ? Réponse : fort souvent, on constate que la petite brahmane, qui affiche un « salaire de misère » selon ses dires, ne paie pas de loyer. Par un tour de magie — inconnu ou presque en Amérique du Nord —, la famille lui a un jour « mis le pied à l'étrier », quand elle a eu vingt ans ou quand elle est entrée à l'université. Entendez par là que ses parents (ou grands-parents) ont alors sorti une très grosse somme pour fournir l'apport nécessaire à l'achat d'un premier appartement. Parfois ils ont payé 30 %, parfois 50 %, parfois la totalité du montant. Vous avez donc devant vous une modeste attachée de presse dans l'édition, une jeune flibustière qui entend faire son chemin dans la télévision, et qui rentre tous les soirs dans un appartement de soixante-dix mètres carrés, bien situé, qui vaut parfois un million d'euros. Mais d'argent, jamais il n'est question. La petite brahmane affiche sa pauvreté et ses mauvaises fiches de paye. Elle attend les soldes, on l'a vu, pour faire des razzias dans les boutiques et ne crache pas sur les réductions SNCF pour les vacances scolaires. Quand arrivent les grandes vacances, qu'elle est vraiment fauchée et que personne ne l'a invitée en des contrées exotiques, elle se rabat en désespoir de cause sur la maison familiale du Morbihan ou du Lot.

Elle vit modestement et gère avec discrétion son budget mensuel. Cela lui permet de vitupérer les inégalités salariales dans le pays, de clamer son dégoût pour les parvenus et les commerçants enrichis sur le dos des pauvres gens, dont elle finit par croire qu'elle fait partie. Elle ignore les questions bassement matérielles et ne s'intéresse qu'aux choses de l'art, de la littérature, de la culture ou de la psychanalyse. Quant à savoir par quel miracle elle s'est retrouvée dans ce soixante-dix mètres carrés voisin du Panthéon avec une telle absence de salaire, c'est une affaire qui relève de la vie privée, un secret de famille, et on ne discute pas d'immobilier dans les bonnes familles. Cela permet de garder du temps pour parler de la dernière mise en scène de Haneke au Palais-Garnier, de la polémique de l'heure et des plus récents secrets d'alcôve. La petite brahmane parisienne, telle une vestale des temps modernes, monte la garde devant le temple de la culture, veille à prohiber les fautes de goût et les discussions d'argent. Elle assure la pérennité d'un monde presque parfait qui reste à l'abri des vilaines préoccupations matérielles.

10

La dernière concierge

C'était au temps où la concierge vivait ses derniers jours. Je parle ici de la vraie concierge parisienne, celle qui faisait régner l'ordre dans les immeubles et inspirait la terreur dans son quartier. Une célèbre photo de Cartier-Bresson dans les années 1950 en porte témoignage : on y voit une bande de gamins en culottes courtes qui s'apprête à prendre la fuite après avoir sonné à la porte d'un immeuble, une sonnerie qui immanquablement résonnera dans la loge de la concierge.

En octobre 1950, dans une chronique pour le *Sunday Times*, Nancy Mitford, l'une des quatre sœurs de la célèbre fratrie britannique, installée à demeure à Paris après la guerre, brossait ce tableau effrayant : « La pauvre concierge (…) peut à peine remonter la rue jusqu'à la boulangerie car elle doit veiller jour et nuit sur la Porte (…). Dans un immeuble, personne ne doit entrer ou sortir sans avoir reçu l'approbation de ces concierges. Il n'est donc guère surprenant qu'elles forment une espèce à part. Elles sont désagréables et souvent à la limite de la folie. Mais ces femmes se vengent de leur esclavage en exerçant un pouvoir immense sur les locataires. Les dossiers de police sont pour l'essentiel nourris de leurs rapports[1]...»

La concierge était obligatoirement française, généralement veuve, peut-être même n'avait-elle jamais été mariée. Elle vivait seule. Mystérieusement, on ne voyait jamais ses enfants et on n'entendait pas parler d'eux. Elle donnait l'impression de s'être installée dans sa loge juste après les grands travaux haussmanniens, dans les débuts de la IIIe République. En tout cas, elle faisait partie des occupants les plus anciens de l'immeuble et entretenait avec les autres vieux encore en vie de subtils rapports de connivence. Peut-être ces derniers connaissaient-ils son histoire, qui devait être malheureuse.

Nous étions au début des années 1970. C'était mon second appartement à Paris. J'étais resté six mois dans le premier, situé rue de la Tombe-Issoire, près de la rue d'Alésia. Pour les trois bâtiments qui devaient abriter une cinquantaine d'appartements, il y avait là dans la loge une concierge et son mari. Mais, je l'appris par la suite, ce n'était pas une vraie concierge : elle était espagnole, une nationalité pas si fréquente dans la profession et qui resta une exception avant de disparaître au profit des Portugais; elle était jeune, dans la trentaine sans doute, et n'avait rien de revêche; elle n'aimait pas se faire marcher sur les pieds et avait son franc-parler, mais elle était plutôt rigolote et se désintéressait de la vie privée des habitants de l'immeuble.

---

1. *Une Anglaise à Paris*, Nancy Milford, Petite Bibliothèque Payot, 2010.

Elle n'était là que de passage et, avec son mari, allait un jour ou l'autre rentrer en Espagne. Bref, c'était une concierge atypique, une non-concierge, et je n'avais encore rien vu. L'heure de vérité n'allait pas tarder.

Ce second appartement, par le plus grand des hasards, se situait à cinq cents mètres du premier, dans la petite rue du Loing qui donnait dans la rue d'Alésia. C'était, au troisième étage, un deux-pièces meublé un peu moche, avec à un bout une chambre donnant sur une cour intérieure sombre, une douche bricolée dans un ancien placard où il fallait grimper dans la cuvette pour l'utiliser et, à l'autre bout d'un long couloir, un séjour assez clair donnant sur la rue.

J'avais trouvé cette affaire à prix imbattable grâce à je ne sais quelle filière, des amis d'amis. Une libraire, que je connaissais de loin, avait occupé l'un des appartements dans le même immeuble. Elle me dit alors : « C'est vrai que ce n'est pas cher. Mais il y a là une concierge absolument é-pou-van-ta-ble, une harpie, je n'en ai jamais vu comme ça. Tu ne pourras pas tenir. »

En guise de déménagement, il me fallait transporter mes effets personnels, deux lampes et quelques cartons de livres. En début d'après-midi, après avoir franchi le seuil de l'immeuble, je me trouve au pied de l'escalier, un carton de livres dans les bras, lorsque j'entends une voix éraillée qui aboie :

« On s'essuie les pieds avant de monter l'escalier !

« On n'allume pas la minuterie pendant la journée ! »

Je me retourne. La porte de la loge s'est ouverte et une vieille dame, minuscule et maigre, les cheveux gris plaqués sur le crâne, a fait son apparition, la mine lugubre et l'œil mauvais. Pendant une ou deux secondes, je la scrute en cherchant à tout hasard une trace d'humour sur son visage. Rien : ma nouvelle concierge a le regard fixe, le visage fripé et effrayant d'une momie inca. Elle se tient immobile sur le pas de sa porte, l'air d'attendre de ma part un geste de soumission.

La copine libraire n'avait pas tort : Mme Baron, qui vient de faire son apparition dans mon existence, est une apothéose vivante de la concierge infernale. Elle n'a pas d'âge, ne va pas chez le coiffeur, se vêt de noir et se déplace en charentaises. Elle astique les marches de l'escalier avec tant de frénésie qu'on risque la glissade et la chute, surtout dans les descentes.

Quelques jours après mon installation, je reçois sa visite. Quand j'ouvre, elle franchit le seuil avant d'y être vraiment invitée, jette un coup d'œil circulaire pour constater l'état des lieux, et paraît ne rien trouver à redire de grave. Ce qui ne l'empêche pas de faire cette mise au point proférée sans le moindre mouvement du masque inca : «Je n'aime pas les jeunes. Ils font du bruit. Ils nous dérangent. Ici c'est une maison tranquille. Vous mettez des charentaises lorsque vous entrez dans l'appartement.» Elle poursuit son inspection officieuse dans le couloir et jusqu'à l'entrée de la chambre puis laisse tomber d'un air bizarre, un peu moins revêche et presque polisson : «Et votre copine, c'est la petite qui est venue l'autre jour avec des bottes rouges ?»

Peut-être a-t-elle eu jadis, telle la Miss Marple d'Agatha Christie, un fiancé ou un amant mort à la guerre, après quoi elle est redevenue célibataire et concierge à perpétuité, nourrissant une certaine détestation de l'humanité pour le bonheur qu'elle n'a jamais eu. Ce qui n'interdit pas, par intermittence, une petite bouffée de nostalgie ou de grivoiserie.

Mme Baron régnait sur l'immeuble. Elle ne perdait rien des allées et venues de ses habitants, surtout aux heures inhabituelles. Pas grand-chose ne lui échappait. Le courrier arrivait dans sa loge et elle le remettait en main propre à ses destinataires, ce qui lui permettait de se tenir au courant de leurs affaires. Elle devait regretter le fameux cordon de sonnette qui — jusqu'à son abolition le 19 février 1957 à Paris — résonnait dans sa loge, y compris en pleine nuit, chaque fois que quelqu'un entrait ou sortait.

Au bout de deux mois, je n'avais plus qu'une idée : trouver un autre appartement et quitter cette maison. Ce qui fut fait encore trois mois plus tard. On était au printemps. Nouveau déménagement sommaire à bord d'une deux-chevaux Citroën, avec quelques cartons en plus, trois lampes, une table à tréteaux.

J'avais presque terminé, avec un dernier carton pas trop lourd dans les bras. Accoudée à sa fenêtre du rez-de-chaussée, Mme Baron a l'air de savourer l'air printanier. Ou de surveiller les opérations. Presque joyeusement elle m'appelle : «Il y a du courrier pour vous!» Je m'approche, le carton dans les bras, la chemise entrouverte. «Je me demande bien où je vais vous mettre les lettres », dit-elle avec cet air presque coquin que je lui ai déjà vu. Et là-dessus elle me glisse les papiers sur le poitrail, sous la chemise.

Comme de toute façon la guerre est terminée, que j'abandonne le champ de bataille et qu'elle paraît de bonne composition, je lui demande, avec une pointe de mauvaise foi : « C'est curieux que ça se soit passé si mal dans cet appartement. Là où j'étais avant je n'ai jamais eu de problème.

— Détrompez-vous, me dit-elle sur un ton plus ironique qu'agressif, tout le monde se plaignait de vous là-bas. »

Je suis interloqué. J'ai quitté la rue de la Tombe-Issoire sans laisser d'adresse, je n'ai jamais fait suivre mon courrier, personne dans l'immeuble ne connaît mes anciennes coordonnées. Certes, c'est dans le même quartier. Mais à moins de faire une véritable enquête de fourmi, comment a-t-elle pu savoir ?

Sans trop solliciter mon imagination je me suis dit qu'elle avait ses habitudes au commissariat du coin, qu'elle y donnait et recevait des informations, banales ou plus croustillantes, sur ses ouailles. Comme dans les romans de Simenon, les concierges, les patrons de bistrot et les gardiens de nuit des hôtels de quartier étaient les premiers informateurs de la police de terrain. La routine.

Mme Baron était l'une des dernières représentantes de cette espèce en voie de disparition. À la même époque, j'ai entendu parler de deux autres spécimens qui valaient le détour. Des amis avaient réussi, en exhibant les traditionnelles fausses fiches de paye (d'un bureau d'architectes) exigées par le propriétaire, à mettre la main sur un magnifique appartement de la rue Gay-Lussac en location. Au rez-de-chaussée, il y avait encore une loge de concierge avec son occupante, sans âge et acariâtre. Parfois il fallait utiliser des ruses de Sioux pour passer devant sa loge sans se faire remarquer. La porte de la loge qui s'ouvrait, et c'était la scène d'horreur. Le soir, la vieille dame s'alcoolisait au dernier degré. Un jour ils l'avaient trouvée affalée au milieu de sa loge, dans une sorte de coma éthylique, le dentier sorti de la bouche. Une autre amie avait partagé avec une copine un appartement dans la rue Blomet, au cœur du 15ᵉ arrondissement. La concierge de l'immeuble était une harpie à qui on aurait donné soixante-dix ans, mais sans certitude. Quand elle les croisait, elle leur balançait quelques amabilités du genre : «Il y a combien d'hommes qui défilent dans votre appartement?» Ou alors : «Pourquoi vous ne mettez pas une lanterne rouge devant votre porte? Au moins ce serait clair.» Et quand finalement elles ont quitté l'appartement et procédé au déménagement : «Eh ben dites donc, y a des hommes ici à longueur de semaine, mais le jour où il faudrait aider, y a plus personne, hein!»

À l'orée des années 1980, près de deux siècles après avoir été «inventées» par Joseph Fouché, les dernières concierges parisiennes avaient disparu. Il y eut encore un interrègne de quelque vingt ans assuré pour l'essentiel par des ressortissantes portugaises qui s'étaient installées dans la loge avec leur mari. Mais ce n'était qu'un sursis. Pour les couples en question, il ne s'agissait bien souvent que d'une solution provisoire, en attendant de trouver un appartement en banlieue ou un improbable HLM dans Paris. Les nouvelles concierges n'avaient généralement pas le même attachement quasi charnel à leur domaine, elles étaient là pour le logement gratuit et pour le petit revenu assuré par la copropriété. On peut supposer qu'elles n'avaient pas non plus la même motivation que les anciennes pour espionner et informer. On changeait d'époque. Peu à peu, les copropriétés s'avisèrent qu'au prix du mètre carré il valait mieux revendre la loge, faire installer des boîtes aux lettres et un code d'accès, confier le nettoyage et l'entretien des parties communes à une personne extérieure à la maison ou à une société spécialisée.

La concierge traditionnelle était logée gratuitement dans son réduit, recevait chaque mois ce qui ressemblait davantage à des gages de domestique qu'à un salaire. Elle ne ménageait pas sa peine et ne comptait pas ses heures. Elle était disponible à toute heure du jour et de la nuit. En échange de quoi elle avait le droit d'imposer sa mauvaise humeur aux occupants de la maison. Elle était à mi-chemin entre le tyran et l'esclave. C'était une créature précapitalistique.

On en est aujourd'hui à la logique du marché. Dans les immeubles de dimension moyenne, la loge est devenue un studio, ou un petit commerce, ou un local collectif. L'entretien est assuré dans certains cas par l'ancienne concierge qui s'est relogée ailleurs dans le quartier, ou une femme de ménage venue de banlieue, ou une entreprise de nettoyage anonyme. Il arrive que dans des immeubles bourgeois

— comme dans les grands ensembles modernes —, on trouve encore sur place ce qui paraît être une concierge. Erreur : il s'agit d'une gardienne d'immeuble ou d'un couple de gardiens. Ils ne sont pas nés dans les murs, ne vont pas nécessairement y mourir. Ils ont des horaires fixes, ferment à l'heure du déjeuner, le soir et le week-end. Ils ont des conditions de travail et un vrai salaire négociés avec le conseil syndical. Si la place est bonne et qu'ils s'incrustent dans les lieux, ils finissent par apprendre pas mal de petits secrets des uns et des autres, mais par inadvertance, sans s'y intéresser. La surveillance et le contrôle social ne font plus partie de leur cahier des charges.

Depuis l'Empire napoléonien, la concierge exerçait son autorité sur le voisinage, mais elle était aussi une incarnation du Paris populaire. On lui supposait une grande influence. Dans le 5ᵉ arrondissement, on attribuait la longévité politique de Jean Tiberi au fait que sa femme Xavière connaissait toutes les concierges du quartier. Dans le 7ᵉ, l'inamovible Édouard Frédéric-Dupont, qui s'était payé le luxe en 1969 de battre le Premier ministre Couve de Murville dans une élection législative partielle, était surnommé Dupont des Loges. La concierge est désormais morte et enterrée. C'était la dernière bonapartiste, en quelque sorte. Son cadavre a laissé dans l'imaginaire parisien une telle empreinte qu'on la croit encore vivante.

11

Au-delà du périphérique

Demandez à un touriste américain habitué à arpenter la France quel personnage incarne le mieux à ses yeux l'idée qu'il se fait du Parisien, et il vous répondra probablement que c'est le chauffeur de taxi (hargneux), le garçon de café (arrogant), ou encore le vendeur de journaux (persifleur), plus rarement la marchande de fleurs (pittoresque).

Comme souvent, ce touriste américain — à moins qu'il ne soit allemand ou britannique — manifeste par là son bon sens et sa perspicacité. Les quatre corporations que je viens de citer comptent indéniablement parmi les dépositaires les plus légitimes de l'esprit populaire tel qu'il se manifeste à Paris depuis deux ou trois siècles. Il y en a d'autres évidemment : le boucher du coin de la rue («Alors qu'est-ce que ce sera pour vous ma p'tit'dam'?»), le plombier («Ah la la, mais qui est-ce qui vous a salopé ce travail?»), la vendeuse de produits ménagers («C'est sûr que chinois c'est moins cher, mais la qualité ça se paye!»), quelques rares survivants dans l'artisanat. Mais tous ces métiers sont moins visibles, moins omniprésents que les premiers, qui s'exercent pour ainsi dire sur la voie publique.

Le visiteur anglo-saxon avisé est convaincu d'avoir affaire à d'authentiques survivants du prolétariat parisien, tel qu'il se manifesta sous la Révolution, puis en 1830, puis en 1848 et enfin pendant la Commune. D'ailleurs leurs revenus, s'ils sont souvent opaques, sont aussi et surtout très modestes : on n'est pas dans la pauvreté, mais à la fin du mois ils doivent être voisins du smic. La gérance d'un kiosque à journaux ou d'un magasin de fleurs a cessé depuis longtemps de constituer une rente confortable. *On travaille comme des chiens, on gagne de moins en moins, on n'est même plus sûr de boucler ses fins de mois.*

Kiosquiers, bistrotiers — ou buralistes qu'on ajoutera à la liste — sont donc des Parisiens plus vrais que nature, leur mauvais esprit en fait foi, de même que la crudité de leur langage et leur pessimisme universel. Si la machine à remonter le temps revenait se fixer au mois de mars 1789, ceux-là seraient les premiers à mettre le feu et à saccager la fabrique de papier Réveillon dans le faubourg Saint-Antoine, comme cela fut le cas à l'époque pour obtenir des augmentations de salaire. Et quelques têtes fraîchement coupées plantées sur des piques ne seraient pas pour leur déplaire.

En fait, s'ils sont anarchistes, c'est généralement sur le versant de droite, pour ne pas dire plus. Ils n'aiment pas le gouvernement, quel qu'il soit, mais ils détestent par-dessus tout la gauche, les socialistes, dont le seul but dans la vie consiste à augmenter les impôts, à leur envoyer le contrôleur fiscal, à leur imposer de nouvelles réglementations, bref à leur pourrir la vie, alors qu'ils travaillent déjà cinquante heures par semaine («Les trente-cinq heures, nous, on n'en a jamais entendu parler!») pour un salaire de misère. Suit un éventuel couplet sur les fonctionnaires, leurs mois de vacances, leurs arrêts de maladie à volonté, leur sécurité d'emploi et leur supposée retraite à cinquante-cinq ans.

Le kiosquier, encore plus que la majorité des commerçants, évite certes d'afficher ses opinions politiques avec trop de précision pour ne pas choquer les clients qui seraient d'un autre bord, mais son allégeance finit toujours par transparaître. Peu importe : ce que le voyageur provincial ou étranger remarque pour l'essentiel, c'est que notre homme paraît toujours enragé : contre les touristes qui lui demandent à longueur de journée où se trouve la prison de la Bastille («Je ne suis pas un office de tourisme!»), contre Presstalis — ex-NMPP, les redoutables Nouvelles messageries de la presse parisienne — qui profite de son monopole pour l'étrangler, contre la mairie de Paris qui invente chaque mois de nouvelles réglementations nuisibles au commerce, contre les gens qui achètent de moins en moins de journaux. Bref il consacre une grande partie de sa vie à rouspéter — pour ne pas dire davantage — et il passe donc aux yeux de l'observateur comme une parfaite incarnation de l'insupportable Parisien.

Il arrive exceptionnellement que le kiosquier ne soit pas totalement coulé dans le moule. Les tenanciers des cinq points de vente de la Bastille ont toujours formé un échantillonnage intéressant, même s'il n'est pas forcément représentatif de l'ensemble de la profession. Celui qui, il y a quelques années encore, quand nous fréquentions les lieux, campait côté rue Saint-Antoine, face au café (philosophique !) des Phares, avait cette particularité sinon d'afficher, du moins de ne pas dissimuler son homosexualité et de se classer à gauche. Un cas d'espèce[1]. Un autre de ses confrères, installé plus récemment du côté de la rue de la Roquette, constituait lui aussi un cas à part : d'origine maghrébine, il se dispensait d'être perpétuellement de mauvaise humeur, et on était assuré qu'il ne soutenait en aucune manière la famille Le Pen. Signe des temps ou symptôme de la crise de la presse, on voit depuis quelques années apparaître au compte-gouttes des gérants maghrébins, voire chinois dans un petit monde où il n'y avait jamais que des « Français de souche » aux traits fortement franciliens. On voit aussi, dès que l'on quitte l'extrême centre de Paris, des kiosques abandonnés qui attendent en vain un repreneur.

Cependant, sur cette place de la Bastille qui reste, à cause du tourisme, des bars de la rue de Lappe et des nombreuses salles de cinéma, l'un des secteurs les plus rentables pour les vendeurs de journaux, on retrouvait également des représentants traditionnels de la profession. Côté Beaumarchais, il s'agissait d'un point de vente majeur, ouvert tous les jours jusque vers minuit. Il semblait faire vivre deux permanents

1. La profession compte parfois parmi ses membres des cas originaux : par exemple Jean Rouaud, prix Goncourt 1990 pour son premier roman, *Les Champs d'honneur* (Minuit), tenait un kiosque à journaux « avec des copains » dans l'est de Paris.

— un gros et un petit maigre — et quelques assistants temporaires qui n'étaient pas toujours les mêmes. Ils étaient unis pas la même mentalité, vitupéraient les politiciens qui «s'en mettent plein les poches», vénéraient Jean Dutourd et Charles Pasqua et passaient leurs journées à écouter Radio Notre-Dame, davantage pour ses éditoriaux que pour sa programmation de musique classique.

Eux-mêmes avaient succédé à la faveur d'un jeu de chaises musicales à un couple qui, mystérieusement, avait occupé successivement deux kiosques différents avant de disparaître. J'avais deux ans plus tard retrouvé l'épouse avenue Victor-Hugo, à mi-chemin entre l'Étoile et le Trocadéro. «Ah, m'en parlez pas, gémit-elle, si vous saviez comme je regrette le bon vieux temps de la Bastille! J'en peux plus de tous ces *bourges* que je vois à longueur de journée!» Deux ans de plus et je butai sur elle à l'ombre du siège du Parti communiste, place du Colonel-Fabien, où elle semblait avoir retrouvé une partie de sa bonne humeur : «Au moins j'ai lâché Victor-Hugo! Mais je regrette toujours la Bastille, vous savez! J'aimerais bien y retourner mais cela dépend du comité paritaire et je ne sais pas si mon dossier est assez solide...» Un comité paritaire, avait-elle dit? Je supposai qu'on devait y retrouver des représentants du syndicat du Livre, des toutes-puissantes NMPP, et enfin de la mairie de Paris. Je supposai également que l'attribution des kiosques — et d'abord des *bons* kiosques — obéissait à des lois complexes et subtiles où des représentants du service public devaient avoir leur mot à dire : de même que les buralistes, qui achètent comme ils l'entendent le fonds de commerce de leur choix, mais héritent, en même temps que du droit de vente du tabac, d'un petit bout de monopole public — timbres-poste et surtout timbres-amendes ! —, les kiosquiers ont pour interlocuteurs de très anciennes corporations et des représentants de l'État, et l'attribution qui leur est faite est une simple concession éventuellement révocable. Ce sont des commerçants condamnés à la douloureuse incertitude du chiffre d'affaires mensuel, et qui plaident pour la liberté totale du commerce. Mais en même temps ils ont quelque chose du fonctionnaire, du titulaire d'une charge d'Ancien Régime, qui manifeste son respect pour le pouvoir en public et le dénigre en privé pour son avarice. Magouilleur, courtisan et rouspéteur, notre homme peut donc être classé parmi les Parisiens emblématiques.

Le Britannique ou le New-Yorkais rentrant de Paris gardera peut-être le souvenir de petites brahmanes — déjà mentionnées — qu'il a croisées à une terrasse de café ou à la faveur d'un événement semi-public (vernissage, cocktail, réception d'entreprise ou de ministère), et qu'il a trouvées généralement snobs. Les petites brahmanes sont perpétuellement pressées dans la vie de tous les jours, et n'ont certainement pas de temps à perdre avec des gens qui ne les captivent pas et ne leur servent à rien — alors que soudain, comme par enchantement, elles auront tout leur temps, leurs soirées et leurs week-ends, si l'interlocuteur présente un intérêt identifiable. Dans les mêmes circonstances — où tous les gens rassemblés à cette terrasse ou dans cette salle de réception appartiennent au même monde —, la Londonienne ou la New-Yorkaise manifestera à tout interlocuteur une amabilité au moins de façade. Le visiteur anglo-saxon reviendra donc de Paris avec ce sentiment que les femmes y sont *franchement désagréables.*

Mais si vous entendez déblatérer contre Paris dans des milieux chics et bourgeois de Londres, de New York ou de Berlin — *ah! s'il n'y avait pas les Parisiens!* —, vous constatez alors, comme on l'a dit plus haut, que les affreux citadins dont ils parlent sont forcément le chauffeur de taxi qui leur a fait faire le tour de la ville pour gagner six euros de plus, le garçon de café qui leur a rapporté un bourbon au lieu d'un whisky et les a de surcroît insultés pour leur apprendre les bonnes manières («Tu crois que c'est un tournedos, connard[1]?»). Ou le buraliste, en rupture de stock de Winston, qui leur a répliqué péremptoirement : «Des Winston? Ça ne se fait plus!»

Il n'y a pas que les visiteurs étrangers à constater cette mauvaise humeur proverbiale dans les lieux publics de la capitale. J'ai constaté que bien souvent les plus remontés étaient les Parisiens eux-mêmes. Un vieil ami sculpteur, natif de Créteil, et qui partage aujourd'hui son temps entre la Toscane et son atelier proche du métro Bac, entretient depuis toujours une sorte de paix armée avec les limonadiers de la capitale. Il ne pénètre dans un bistrot que revêtu de son armure, en prévision des remarques désagréables ou des tentatives d'arnaque, et ne s'adresse au personnel qu'avec la plus grande froideur : «Les restaurants ça va

---

1. La réplique avait été citée un jour dans *Le Monde* pour illustrer l'amabilité proverbiale qui règne dans les cafés parisiens.

à peu près, mais les cafés c'est l'horreur», soutient-il. La dernière fois que je l'ai croisé, nous sommes allés prendre un verre de rouge au comptoir d'un banal établissement du faubourg Saint-Antoine. Le patron paraissait aimable. Quand il fut question d'aller aux toilettes, on constata qu'il fallait demander la clé à la caisse. À l'intérieur des WC on trouvait cette affichette au mur : POUR AVOIR UN BOUT DE PAPIER DE TOILETTE S'ADRESSER AU PATRON. «Tu vois?» m'a-t-il dit en savourant son triomphe. Le patron était certes de bonne composition, mais on pouvait imaginer que sur la question du papier hygiénique la discussion aurait pu facilement prendre un tour désagréable. Une autre amie, Parisienne de souche, est convaincue que le garçon fait exprès de regarder dans une autre direction quand on cherche à attirer son attention. Une autre, enfin, est travaillée par cette idée fixe : JAMAIS le garçon n'apportera la carafe d'eau gratuite qu'on lui a demandée, pour la bonne raison que bien entendu cette carafe ne lui rapportera rien du tout. Moi-même je n'ai jamais partagé cette obsession : il suffit généralement de demander la carafe d'eau sur un ton détendu, et non pas angoissé et déjà agressif, pour qu'elle arrive dans des délais raisonnables. Mes désagréments, à ce chapitre, ont été très rares en l'espace de quelques décennies. Je me souviens d'un jour lointain où, dans un bistrot anonyme proche de la Bourse, j'avais commandé un café serré. Et demandé en même temps un verre d'eau — sur un ton hélas un peu pressé. Le café était arrivé. «Et le verre d'eau?» avais-je demandé au jeune homme. «On ne fait pas les verres d'eau», m'avait-il simplement répondu.

J'avais eu le tort suprême de m'énerver : «Alors vous pouvez garder le café.» «Je m'en fous», avait répondu l'autre. Grand spécialiste depuis près d'un demi-siècle de toutes les guérillas connues et inconnues dans le tiers-monde, Gérard Chaliand m'avait expliqué il y a longtemps : «Si les garçons de café sont désagréables, c'est un héritage de la Révolution française : ils ne sont pas des larbins serviles et souriants comme aux États-Unis.» Il avait expérimenté bien pire dans les maquis du Nord-Vietnam ou dans les bidonvilles de Lagos, et il voyait volontiers le bon côté des choses. Il avait raison. Les cafés à Paris, c'est un peu comme les bergers allemands et les dobermans qui montent la garde : si vous vous comportez *naturellement*, si vous faites semblant de ne pas avoir peur et que vous restez détendu, ils ne vous mordront pas.

L'état de guerre larvée qui se perpétue autour de la limonade pourrait également s'expliquer par le fait que dans ce secteur patrons et employés sont convaincus, non sans raison, que la bonne société parisienne, portant aux nues les métiers de l'esprit et du service public, n'a que mépris pour les activités liées au commerce et à l'argent. Forts de cette conviction, ils voient dans tous les clients qui ne sont pas de vrais habitués ou des copains des bourgeois vaguement méprisants avec qui il convient d'être désagréable en guise d'entrée en matière, façon de leur rabattre préventivement le caquet : «Tu es peut-être un familier des salons huppés et des milieux littéraires, tu connais peut-être Bernard Pivot, mais je suis ici chez moi et je suis gentil si je veux!»

L'étranger aurait donc tort de penser que la mauvaise

humeur du chauffeur de taxi le vise personnellement : il vise tous les humains qui ont les moyens de prendre un taxi, à commencer par les habitants de « cette ville de riches ». Quant aux garçons de café, ils réservent leur amabilité à leurs clients fidèles et réguliers, qui leur ont prêté allégeance de longue date.

Pris individuellement, ces piliers de la vie parisienne ne sont pas aussi bien informés de tous les secrets de la capitale qu'ils veulent bien le dire, mais tout de même : si vous réussissiez à mettre en réseau les quelque dix-sept mille actuels chauffeurs de taxi, les milliers et milliers de serveurs, et les quelques centaines de kiosquiers, vous pourriez obtenir une agence de renseignement de première catégorie, à laquelle presque rien n'échappe. Celui qui régnerait sur ces corporations pourrait prétendre au quadrillage intégral de la ville. Cela n'est pas sans rappeler cet épisode de *Vingt ans après*, d'Alexandre Dumas, où l'on voit intervenir la troupe des mendiants de Saint-Eustache, menée comme par hasard par le comte de Rochefort, l'ancienne âme damnée de Richelieu dont on avait déjà pu apprécier les dons de conspirateur dans *Les Trois Mousquetaires*. Les mendiants de Saint-Eustache, non seulement savaient tout ce qui se passait en ville, mais étaient capables également de vous fomenter sur mesure une révolte ou une émeute si on les payait convenablement.

De la même manière, bistrotiers et taxis, pour ne parler que d'eux, ont le loisir de stocker une masse impressionnante d'informations pour peu qu'ils soient dans le métier depuis plus de dix ans. Tel chauffeur vous raconte comment à une époque il a eu régulièrement dans sa voiture M. Maurice Druon en personne. Tel patron de bistrot proche d'Europe 1 vous assure avoir parlé avec Michel Drucker chaque matin quand il venait prendre son petit noir au comptoir. Inévitablement, tous ces gens déclarent détenir des informations de premier ordre sur les puissants qui nous gouvernent et tous ceux qui se pavanent à la télévision. S'ils ne connaissent pas personnellement les habitudes et la vie quotidienne de Poivre d'Arvor, Bernard Pivot ou Manuel Valls, ils connaissent un collègue qui, lui, dispose de tous les détails. Qui habite les contre-allées de l'avenue Foch? Où descend Mick Jagger lorsqu'il vient à Paris? Nos hommes ont leur idée sur ces questions et sur bien d'autres, et à eux tous, de fait, ils en savent souvent plus sur Paris que bien des ministres de l'Intérieur ou des sociologues patentés du CNRS. Ce sont les meilleurs connaisseurs de la vie de Paname, de ses mœurs et de ses lois, ils ont en réserve un stock inépuisable d'anecdotes et de ragots sur les hauts lieux de la vie de nuit, sur les beaux quartiers où habitent les grands de ce monde. Et quand ils ne savent pas ils inventent avec un bel aplomb qui impressionne, et qui exaspérera à coup sûr leurs voisins de camping l'été à Palavas-les-Flots. Ils ne tolèrent pas de ne pas être au courant de tout, et en ce sens ils sont de vrais Parisiens, de ceux que les provinciaux jugent d'emblée prétentieux et insupportables.

De surcroît ils ont du pouvoir : indécelable au premier abord mais réel. Pour l'heure, on n'a jamais vu quelle force de frappe détiendraient les garçons de café s'ils passaient à l'action, car les limonadiers ne se mettent pas souvent en grève et le scénario paraît simplement inimaginable. Même pendant les fameuses grèves de décembre 1995, alors qu'il n'y avait plus un seul client à la ronde, les garçons stylés de Ma Bourgogne, place des Vosges, étaient là tous les jours au grand complet devant des tables désespérément vides. Quand les garçons de café battent le pavé, c'est uniquement pour la célèbre course annuelle, en tenue et plateau à la main, qui chaque année divertit touristes et badauds. Une grève des bistrots parisiens ? Si un tel séisme se produisait un jour, les témoins de l'événement y verraient à coup sûr un signe annonciateur de l'apocalypse.

En revanche, les taxis veillent au grain et à leurs intérêts. Fin janvier 2008, le vibrionnant Jacques Attali avait remis à Nicolas Sarkozy un volumineux rapport sur les blocages de l'économie de marché en France. Au milieu de quelque deux cents propositions de réforme, il y avait cette suggestion — souhaitée depuis des décennies par les usagers — qui consistait à doubler le nombre de taxis dans Paris. À peine cette proposition avait-elle été connue — et avant même que le gouvernement ait indiqué s'il allait y donner suite ou pas —, les taxis annonçaient pour les deux jours suivants un blocage partiel des rues de la capitale. La première « opération escargot », organisée un jeudi après-midi, suffit à faire reculer le gouvernement. Les taxis ont les moyens de paralyser entièrement la ville sur un claquement de doigts. Difficile dans ces conditions de ne pas les considérer comme de vrais Parisiens.

Et pourtant pratiquement aucun d'entre eux ne vit en

deçà du périphérique. Sur une période de trente ans, j'ai pris un nombre incalculable de taxis — une cinquantaine par mois à vue de nez quand j'étais en ville. Il m'est arrivé fréquemment, comme tout bon journaliste, de poursuivre une enquête de routine sur leur mode de vie. Pratiquement jamais l'un de ces chauffeurs ne m'a dit habiter Paris. Une exception récente : un vétéran tout juste sexagénaire m'avoua résider *depuis toujours* dans le 20ᵉ arrondissement, près du métro Pyrénées. Un HLM ? Pas du tout, me répond le chauffeur, qui finit par lâcher le morceau : son appartement est situé dans un immeuble de la mairie de Paris, destiné à l'origine à des fonctionnaires. D'où un loyer de moitié inférieur au cours actuel. Un arrangement qui permet aujourd'hui à un vieux taxi parisien d'occuper un appartement simple mais sympathique auquel il n'aurait plus jamais accès au prix du marché. Un petit privilège qui bien entendu n'a rien de scandaleux, mais qui reste une combine, une « affaire » devenue introuvable depuis une bonne vingtaine d'années.

L'immense majorité des chauffeurs de taxi habitent au-delà du périph', à Créteil, Livry-Gargan, dans le Val-de-Marne ou en Seine-Saint-Denis. On en retrouve parfois dans l'Essonne ou dans les Yvelines. Le Parigot emblématique par excellence campe obligatoirement au-delà des portes.

Le chauffeur de taxi n'est pas seul dans ce cas. Il y a également le garçon de café, le serveur de brasserie — qui se débrouillent comme ils peuvent pour rentrer aux confins du 9-3 à minuit —, le vendeur de chez Darty, de

Castorama, de Conforama, l'immense majorité des policiers et gendarmes. Et bien sûr le kiosquier. Quant aux marchands de journaux qui œuvrent dans une boutique fermée, ils avaient jadis un petit appartement à l'étage au-dessus et se retrouvaient ainsi à vivre dans des quartiers centraux. Ce privilège a pratiquement disparu. «Ah, c'est une époque bien révolue», me dit une vendeuse de journaux du boulevard Voltaire. Elle-même, avec son mari, vit place des Fêtes, et pour elle c'est déjà une chance extraordinaire que d'avoir réussi à se maintenir intra-muros. Je ne lui ai pas demandé s'il s'agissait d'un logement social, mais cela y ressemblait fort. Un marchand de journaux qui habite encore Paris, c'est devenu là encore un cas d'espèce.

Qu'est-ce qu'un vrai Parisien? Les castes laborieuses connaissent la ville mieux que beaucoup de brahmanes domiciliés intra-muros. Le matin ils entrent dans Paris dès six heures. Le soir ils repartent chez eux, au plus tard à 20 h 30 s'ils n'ont pas travail de nuit. On les appelle aussi les Franciliens.

12

De si beaux criminels

Paris n'a pas le monopole de la criminalité de haut vol. Par définition, les plus grandes villes — Chicago, Los Angeles, New York, Naples et même Londres, pour nous en tenir au monde occidental — produisent des criminels d'envergure. Une grande métropole de dix millions d'habitants constitue un terrain naturel pour se cacher, se constituer en bande organisée, acheter des armes et des faux papiers. Un *apache*, comme on disait du temps du préfet Lépine, passe plus facilement inaperçu à Pigalle que dans la Creuse. Certes, Marseille affiche à cet égard une solide tradition, Lyon et Grenoble peuvent également se vanter d'un joli palmarès. Mais Paris a quelque chose en plus.

Les criminels y ont souvent du style, de l'esprit, voire des prétentions intellectuelles. Dans une capitale où depuis quelques siècles on porte aux nues la littérature, et où l'on s'étripe dans les estaminets à propos de philosophie ou de politique, il arrive que de grands bandits se piquent de taquiner la Muse, d'avoir des idées ou de laisser un message à la postérité. Et quand ils n'ont pas eux-mêmes la fibre littéraire, ils inspirent les romanciers et — plus tard — les réalisateurs de cinéma.

Londres a eu Jack l'Éventreur, ce qui n'est pas si mal. Mais l'apparition d'un tueur en série sadique dans les bas-fonds de Whitechapel ne témoigne de rien sinon de la bizarrerie britannique et de la mondialisation à venir : Jack the Ripper semble surgi de nulle part et pourrait être de n'importe quelle nationalité. Les plus célèbres tueurs en série modernes ont peut-être été anglo-saxons — et plus particulièrement américains —, mais ils échappent généralement aux classifications nationales, et on a également trouvé de vrais « monstres », tout aussi énigmatiques, dans des pays aussi différents que la Russie, l'Allemagne ou la Chine.

Paris a donc cette particularité d'avoir à son palmarès des criminels authentiquement français, c'est-à-dire éloquents, cultivés, enflammés et cyniques.

Exemple Pierre François Lacenaire, guillotiné en janvier 1836 à Paris à l'âge de trente-deux ans pour le meurtre d'un ancien complice et de la mère de ce dernier. Il était issu d'une famille de la petite bourgeoisie commerçante et avait basculé très jeune dans la délinquance et la vie de mauvais garçon : engagé dans l'armée puis déserteur, escroc, voleur, meurtrier à ses heures, mais également écrivain ambulant. Il passe d'une prison à l'autre, parfois s'évade, change d'identité puis, quand l'étau se resserre sur lui et que des complices le chargent, il se fait un plaisir de tout avouer au juge d'instruction et de se glorifier de ses crimes.

C'est une forte personnalité. Au cours de son ultime

séjour à l'ombre, il sympathise avec le républicain Raspail, emprisonné de son côté pour des raisons politiques plus nobles. Lacenaire a de la verve sinon des convictions, il pose au révolté et séduit. Détenu à la Conciergerie, il reçoit des curieux et des admiratrices. Au cours de son procès pour meurtre, les mondaines se pressent pour voir et entendre le « romantique assassin », qui détaille ses crimes avec désinvolture et déclare théâtralement : « Je tue un homme comme je bois un verre de vin. » Le jour de son exécution, au pied de l'échafaud, il aurait eu encore ce mot : « J'arrive à la mort par la mauvaise route, j'y monte par un escalier. » La légende veut qu'au moment de son exécution la guillotine se soit enrayée : Lacenaire se serait retourné sur lui-même pour voir la lame qui allait lui trancher le cou.

Auparavant, il avait écrit en prison ses mémoires et des poèmes[1], dont la publication en 1836 à Paris connut un grand succès. Dans différentes versions, plus ou moins authentiques, les souvenirs de Lacenaire ont été continuellement réédités : chez Albin Michel en 1968, à L'Instant en 1988, chez José Corti en 1993, pour nous en tenir à une époque récente. Au XIXᵉ siècle, son personnage a inspiré Stendhal qui l'a évoqué dans *Lamiel* et Balzac dans *La Muse du département*, Baudelaire l'a qualifié de « héros de la vie moderne », Dostoïevski a utilisé les minutes de son procès lors de la rédaction de *Crime et châtiment*, et Lautréamont a largement cité ses *Mémoires* dans le qua-

---

1. *Mémoires, révélations et poésies de Lacenaire, écrits par lui-même à la Conciergerie*, 1836, Paris, chez les marchands de nouveautés, deux volumes.

trième *Chant de Maldoror*. Plus tard, Jacques Prévert en fera un admirable personnage de bandit chevaleresque dans *Les Enfants du paradis* de Marcel Carné.

Le célèbre Henri Désiré Landru (1869-1922) était également haut en couleur. Né en 1869 au sein d'une famille modeste du 19e arrondissement, dans ce qui est aujourd'hui l'avenue Simon-Bolivar, c'est lui aussi un instable. Retour du service militaire en 1893, il s'invente une profession pour séduire et épouser sa cousine (de qui il aura quatre enfants). En sept ans, il change dix fois de métier et quinze fois d'employeur. Puis se lance dans l'escroquerie à plein temps. Est-il un visionnaire ? En tout cas il a de l'imagination. En 1900 il prétend avoir inventé une « bicyclette à pétrole » — autrement dit le Solex — et demande aux acheteurs d'avancer le tiers de la somme à la commande, après quoi il disparaît avec la caisse. Il va d'une escroquerie à l'autre, est condamné à des peines de prison en 1904, 1906, 1909, puis de nouveau condamné, par défaut, en 1914, à la déportation à vie au bagne de Cayenne. Landru continue de circuler sous l'un ou l'autre de ses quatre-vingt-dix pseudonymes. Il entretient une maîtresse, une chanteuse qui, jusqu'à son suicide en 1968, conservera son portrait à côté de celui de sa mère. Sa femme et ses quatre enfants le croient brocanteur, et ignorent jusqu'à ses séjours en prison.

Il n'a rien du tueur compulsif et morbide, qui prendrait goût au meurtre, c'est un homme de bon sens à l'esprit pratique. Menacé du bagne, il ne peut plus se permettre de laisser vivantes derrière lui les victimes de ses escroqueries.

Il assassinera donc au moins onze femmes — généralement veuves et disposant d'un modeste patrimoine — après leur avoir promis le mariage et avoir fait main basse sur leurs économies. Claude Chabrol en tirera la matière d'un film savoureux, sorti en 1963 avec Charles Denner dans le rôle-titre.

Tout comme Lacenaire, Landru est une vedette de son temps, et son procès, qui s'ouvre en novembre 1921, fait courir une partie du Tout-Paris, dont Raimu, Mistinguett et Colette. Pendant des semaines, le public et la presse se régalent de ses mots d'esprit : «Vous parlez toujours de ma tête, monsieur l'avocat général, je regrette de ne pas en avoir plusieurs à vous offrir!» Un jour il se met soudain à pleurer : «Vous pleurez, monsieur Landru? — Oui, parce que je pense qu'avec tout ce scandale, ma pauvre femme a appris que je l'avais trompée.» Imperturbable malgré l'accumulation de preuves indirectes accablantes (débris humains et effets personnels retrouvés dans des tas de cendres, détails compromettants notés dans ses carnets), il demande qu'on lui montre les cadavres : «Si les femmes que j'ai connues ont quelque chose à me reprocher, elles n'ont qu'à porter plainte!» Finalement condamné à la peine de mort, il fait bonne figure. Au curé qui lui demande s'il croit en Dieu il répond : «Monsieur le curé, je vais mourir et vous jouez aux devinettes?» Quand on lui offre la cigarette et le verre de rhum traditionnels, il refuse : «Ce n'est pas bon pour la santé.» Pour lui, le bon mot était une ardente obligation, et il fut une source d'inspiration inépuisable pour des auteurs de films, de romans, de chansons. Il y a des tueurs en série simplement sinistres : Landru avait de l'humour, ce qui explique sa célébrité posthume. Jack l'Éventreur n'était certainement pas aussi drôle.

Jules Bonnot — en 1911 et 1912, lui et sa bande tueront une douzaine de personnes dans des attaques à main armée — avait moins d'humour mais il avait du panache, et un vernis politique incontestable. Né en 1876 d'un père ouvrier analphabète, il quitte l'école à quatorze ans et, malgré des dons pour la mécanique, va de petit boulot en petit boulot, revendique, se fait congédier. De retour de son service militaire, en 1901, tout jeune marié, il devient anarchiste militant. Fin décembre 1911, au plus fort des activités criminelles de la bande, lui et ses deux lieutenants (Octave Garnier et Raymond — dit la Science — Callemin) — seront hébergés chez le directeur du journal *L'Anarchie*, un Russe naturalisé belge, Victor Serge, militant qui deviendra plus tard un auteur célèbre, rallié à la révolution bolchevique puis opposant à Staline. Un intellectuel d'extrême gauche tout à fait convaincu et dévoué, qui désapprouve la violence de la bande à Bonnot mais héberge les camarades anarchistes par solidarité.

Jules Bonnot et ses acolytes appartiennent à la catégorie des tueurs fous, comme Bonnie and Clyde aux États-Unis et, bien plus tard, en Belgique, les «tueurs du Brabant», capables de provoquer un bain de sang pour s'emparer de la caisse d'un supermarché. En même temps ils ont des principes. Repéré le 27 avril 1912 par la police dans sa planque de Choisy-le-Roi, Bonnot subit un véritable siège. Le préfet de police Louis Lépine se déplace en personne pour diriger les opérations. On fait venir en renfort un régiment de zouaves. De temps à autre, le bandit apparaît au balcon et fait feu sur les assaillants, puis se retire pour terminer la rédaction de son testament où il prend soin de disculper certains camarades anarchistes accusés à tort d'avoir participé aux braquages. Finalement la police fait dynamiter la maison, Bonnot est grièvement blessé mais trouve encore la force d'accueillir les policiers à coups de revolver. Il mourra semble-t-il à son arrivée à l'Hôtel-Dieu.

Non seulement il comptait parmi ses amis un personnage d'envergure comme Victor Serge, mais encore il suscitait les admirations et parfois les adhésions les plus diverses. Le poète Robert Desnos se lie à dix-sept ans avec des rescapés de la célèbre bande. Dès 1912, plusieurs des futurs surréalistes se passionnent pour ces «bandits tragiques». Le jeune André Breton déclare que «les activités de la bande, sa révolte sociale, son côté hors la loi, et même l'audace dont elle a fait preuve en utilisant une automobile jaune pour tenter de fuir ont une allure irrésistible[1]». En mai 1968, les étudiants dits «enragés» qui occupent la Sorbonne rebaptisent la salle Cavaillès du nom de Jules-Bonnot. Celui-ci était davantage qu'un simple braqueur : un bandit-penseur, un symbole, si discutable fût-il.

Jacques Mesrine n'avait rien du rêveur anarchiste en guerre contre la société même s'il a fini en dénonciateur des QHS — les quartiers de haute sécurité dans les prisons

1. *André Breton*, Mark Polizzotti, Gallimard, 1995.

françaises. Plus il s'expliquait — dans son livre *L'Instinct de mort* ou dans ses déclarations à *Libération* quand il était en cavale —, moins on comprenait, mis à part le fait qu'il portait en lui une violence extrême, qu'il cognait et tirait au pistolet sans préavis à la moindre contrariété.

Il est issu d'une famille de classe moyenne de la proche banlieue parisienne et n'a pas vraiment à se plaindre de son sort. En 1956, à vingt ans, il s'engage en Algérie comme commando-parachutiste et y reste trois ans. Il prétendra par la suite y avoir découvert en lui cet «instinct de mort», avoir pratiqué la torture et les «corvées de bois». Mais il s'est peut-être attribué des meurtres imaginaires tout en niant d'autres crimes bien réels. Mesrine n'est pas une victime de la société — et d'ailleurs ne prétend pas l'être. Pas plus qu'il n'est un redresseur de torts.

Il reste pourtant une personnalité hors du commun, un bandit extraordinaire. Jugé en 1969 pour enlèvement et meurtre dans une petite ville du Québec où il s'est enfui pour échapper à la police française et au milieu, il s'évade de sa prison avec sa compagne et complice, on les reprend. Lourdement condamné, il s'évade à nouveau, mais cette fois d'un établissement de haute sécurité. Revient quelques jours plus tard avec un autre évadé... pour prendre d'assaut le pénitencier et faire évader les autres détenus! Il repart en France, est arrêté par la police, s'évade du palais de justice de Compiègne à l'aide d'un pistolet trouvé dans les toilettes. Est repris par le commissaire Broussard quatre mois plus tard et lui offre de sabler le champagne. Il est condamné le 19 mai 1977 à vingt ans de prison, retourne à son quartier de haute sécurité à la Santé. D'où il s'évade près d'un an plus tard jour pour jour, le 3 mai 1978, dans des conditions rocambolesques : il utilise des armes dissimulées dans le faux plafond d'un parloir où il se trouve avec une de ses avocates ; son complice, François Besse, s'est muni d'une petite bombe lacrymogène. Une fois dans la cour intérieure, Mesrine et Besse trouvent une échelle providentielle qui permet de franchir le mur d'enceinte. Alors commencera une incroyable cavale de dix-huit mois au cours de laquelle, dans un premier temps avec Besse, «l'ennemi public numéro un» braque un grand casino et plusieurs banques, échappe à quelques reprises à la police, enlève un richissime homme d'affaires de la Nièvre, Henri Lelièvre, réussit, malgré la surveillance de la police et le blocage des comptes bancaires, à se faire remettre par le fils dudit Lelièvre une somme de six millions de francs en petites coupures. Plus tard, associé à un truand marseillais (véritablement) en lutte contre les QHS, Charlie Bauer, il s'offrira le luxe de kidnapper, torturer et laisser pour mort un journaliste de *Minute*, Jacques Tillier, qui a eu l'impudence de le traiter de lâche dans son journal. Mesrine, qui passe son temps à changer d'apparence, vit tranquillement sous une fausse identité près de la porte de Clignancourt, le quartier où il a passé son enfance. Il recevra en janvier 1979 dans sa planque un journaliste de *Libération*, Gilles Millet, qui l'interviewe longuement. C'est à deux pas de chez lui que, le 2 novembre 1979, au milieu des embouteillages de la porte de Clignancourt, il sera criblé de balles et abattu par les hommes de la brigade criminelle du commissaire

Broussard, qui visiblement n'a pas cherché outre mesure à le prendre vivant.

Jacques Mesrine n'était certes pas un intellectuel. Ce n'était pas, contrairement à Jules Bonnot, un révolté qui se serait égaré dans la criminalité. C'était un tueur sans états d'âme dont la violence n'avait pas de véritable justification. Mais c'était également un personnage hors norme, prêt à prendre tous les risques pour assurer le spectacle et qui, sur le tard, a réussi à s'inventer un discours et un personnage, à transformer en tragédie moderne, en geste héroïque, un parcours de délinquant meurtrier.

J'avais suivi pendant trois semaines son procès aux assises en 1977. Son livre, *L'Instinct de mort*, était paru quelques jours plus tôt, aux éditions Jean-Claude Lattès. Une publication qui n'arrangeait pas son avocat principal, Mᵉ Jean-Louis Pelletier, car l'auteur y avouait — et revendiquait — des meurtres dont on n'avait même pas entendu parler et qui se rajoutaient à ceux dont on l'accusait. Il se disait alors que Jean-Paul Belmondo était en train d'acheter les droits d'adaptation de ce livre au cinéma. Les bancs de la presse étaient archicombles : *Le Monde*, *Libération*, *Le Canard enchaîné*, *Le Nouvel Observateur*, tout le monde était là. Un jour Mesrine, en pleine audience, avait sorti de sa poche un mystérieux paquet et l'avait lancé au milieu du prétoire : c'étaient les clés des menottes utilisées pour le transport des accusés de la Santé au Palais. « Vous voyez, Monsieur le président, tout s'achète dans vos prisons. »

Comme Lacenaire — et dans une moindre mesure Bonnot — il avait pris la peine de coucher par écrit ses pensées et ses discours, certes un peu fumeux. À l'occasion il avait fait preuve d'une grande solidarité vis-à-vis d'autres détenus. Sa dénonciation des QHS n'était pas seulement inventée pour la frime. Contrairement à Bonnot, qui avait de véritables soutiens dans la mouvance anarchiste, Mesrine n'a jamais eu de disciples. Mais il a fasciné, et son combat contre les QHS a emporté l'adhésion de certains militants qui n'avaient rien à voir avec les milieux de la criminalité. Jacques Mesrine était également un casse-cou, un cascadeur, un homme de spectacle. Paris lui fournissait un théâtre à sa mesure.

Changement de décor et d'échelle.

Jusqu'à une époque pas si lointaine, Paris pouvait se targuer d'avoir un milieu traditionnel, structuré, capable d'inspirer les scénaristes de *Touche pas au grisbi* ou du *Rouge est mis*. Le truand parisien incarné à l'écran par Jean Gabin, Lino Ventura ou Paul Meurisse n'est pas un grand intellectuel, mais c'est un personnage qui appartient à l'Histoire.

C'était au début de l'automne de 1975. Je me suis retrouvé tout à coup dans un épisode de *Razzia sur la chnouf*, à moins que ce ne fût une scène du *Grand Pardon*. J'étais déjà correspondant de *La Presse*, quotidien de Montréal.

Je reçois un coup de fil dans l'après-midi. Au téléphone, une voix alerte, un peu trop joviale : «Cher confrère, comment allez-vous? Je suis journaliste à *Paris Match* et on m'a demandé de prendre contact avec vous...»

Le jeune homme guilleret à l'autre bout du fil répondait au nom de Marc Francelet. Sauf erreur, il sortait de quelques semaines de détention préventive, avait en effet été photographe à *Paris Match*, mais aussi attaché de presse de Jean-Paul Belmondo. Déjà à cette époque, il faisait partie du cercle des intimes de Françoise Sagan et il allait plus tard l'accompagner dans sa fameuse équipée en Ouzbékistan, qui permit à la romancière à court d'argent de recevoir quelques millions de francs pour *conseiller* son ami François Mitterrand en matière de politique pétrolière. Récemment encore il défrayait la chronique, et on requérait contre lui en 2012 trois ans de prison, dont dix-huit mois fermes, entre autres pour recel d'abus sociaux.

Et qui était le commanditaire de cette surprenante démarche? «Je crois que vous le connaissez : c'est Gilbert Zemmour. Il a des documents qui pourraient intéresser votre journal.»

Cela ne s'invente pas : le rendez-vous était fixé au Fouquet's, brasserie luxueuse des Champs-Élysées qui n'en finit pas de rester à la mode. Le journaliste de *L'Express* Jacques Derogy a déjà raconté comment Marcel Francisci, considéré comme le parrain corse du milieu parisien du jeu (assassiné dans un parking en 1982) l'avait fermement invité à venir le rencontrer un soir à minuit dans ce même établissement. Pas de doute, j'étais au bon endroit.

Ils étaient trois en terrasse, finissaient de déjeuner et avaient allumé de gros havanes. Marc Francelet était un jeune homme avenant, genre play-boy de chez Castel habillé avec un soupçon de tape-à-l'œil. Il me présenta d'abord un monsieur sans doute sexagénaire, la mine fatiguée et désabusée comme on en voit dans les vieux films noirs américains. C'était maître Joannès Ambre, un avocat pénaliste dont j'ignorais alors la notoriété entre Rhône et Saône, et que j'allais retrouver quelques années plus tard au procès du Gang des Lyonnais.

Le troisième homme était Gilbert Zemmour en personne. Pas très grand, trapu, le crâne un peu dégarni, la chemise largement ouverte sur un torse velu et une lourde chaîne en or. Six mois plus tôt, dans un banal café du boulevard Saint-Germain appelé Le Thélème, une irruption de la brigade antigang du commissaire Broussard — toujours lui — avait, volontairement ou non, provoqué une violente fusillade entre des membres du clan Zemmour, qui *tenait* le faubourg Montmartre depuis la fin des années 1960, et des hommes du Gang des Lyonnais avec qui il était en guerre pour le contrôle des salles de jeux parisiennes. Résultat : le frère aîné des Zemmour, William, avait été tué de plusieurs balles, de même que son garde du corps. Au passage, deux avocats algériens avaient été sévèrement tabassés par les flics de l'antigang qui les prenaient pour des suspects. Petit scandale.

«Alors voici... », commença Marc Francelet.

En bons gestionnaires, les Zemmour cherchaient à diversifier leurs activités. Gilbert avait transféré une partie de ses avoirs à Montréal, où il avait monté une importante société immobilière. Que croyez-vous qu'il arriva ? «À cause de cette affaire du Thélème qui a fait tant de bruit, expliquait Francelet, les locataires de M. Zemmour ont cessé de payer les loyers... Alors voilà : pour contrer cette publicité malveillante, nous avons à disposition des photos du dossier de l'autopsie qui prouvent hors de tout doute que William a bel et bien été volontairement abattu par les flics de Broussard. »

Là-dessus Gilbert me regarda et approuva de la tête : « Avoir descendu William ! C'est pas croyable ! William ! Il aurait pas fait de mal à une mouche ! Edgard je dis pas, il a son caractère, mais William ! Hein, maître Ambre, c'est vrai ce que je dis…

— C'est vrai qu'Edgard il faut pas lui marcher sur les pieds… », concéda le vieux plaideur du bout des lèvres, peut-être pas très heureux d'être obligé de s'exhiber en public avec un tel client. Il n'épilogua pas sur le sujet : Edgard, le plus jeune, était généralement considéré comme un fou furieux, un excité de la gâchette, tout le monde le savait.

En somme la famille Zemmour, à qui on attribuait la guerre des clans qui depuis 1970 décimait au faubourg les vieilles familles Atlan et Perret, offrait généreusement de me refiler pour publication des documents sortis du dossier de l'instruction et prouvant de manière irréfutable que les policiers avaient bel et bien abattu — ou achevé — l'aîné des Zemmour et son homme de main. Cela m'aurait permis, sans doute, de nouer des relations suivies avec le clan, d'entrer dans le cercle familial. Au passage, j'aurais le plaisir de recevoir la visite de quelques inspecteurs musclés de la Crim', désireux d'en savoir plus sur mes nouveaux amis.

J'avais jusqu'à un certain point l'instinct du chasseur-journaliste, mais pas jusqu'à risquer de finir coulé dans le béton. « Ces gens-là, il ne faut pas entrer en contact avec eux, il ne faut pas leur parler!» me dit un ami qui connaissait le faubourg Montmartre sur le bout du doigt. Je n'avais pas vraiment l'intention de donner suite et je fus heureux de ne plus entendre parler de Marc Francelet. «Les Zemmour! Bah! Je les connais bien, ils ne sont pas si terribles que ça!» me confie bizarrement le journaliste Jacques Derogy, spécialiste des questions de police à *L'Express*, avec qui je déjeune quelques mois plus tard. Mystère des affinités et complicités à Paris. Un autre journaliste, René Backmann, du *Nouvel Observateur*, était lui d'un avis différent. Dans les suites de la fusillade du Thélème, il avait écrit un long reportage publié sur deux pleines pages. Or, à la dernière minute au marbre, le nom de l'auteur avait été supprimé sur les conseils pressants de policiers de la brigade criminelle. Et si Edgard, le fou furieux de la famille, décidait de se vexer et de laver l'affront?

À peu près à la même époque, j'avais interviewé un «grand flic», ancien chef de la police judiciaire. La rencontre avait eu lieu dans un vieux bureau mansardé du quai des Orfèvres. Contrairement aux flics nord-américains qui sont en général des armoires à glace et pratiquent une langue de bois semblable à celle des militaires, mon interlocuteur était un monsieur grisonnant à lunettes, pas particulièrement impressionnant par son physique, vêtu d'une veste fatiguée passée par-dessus un vieux pull à col en V. L'air d'un prof à la retraite, d'un fonctionnaire dans un film des années 1950, du vieux flic désabusé qui a tout vu au cours de sa carrière : les petits arrangements avec les indics, les coups de fil du chef de cabinet du ministre de l'Intérieur en cas d'affaire sensible, les coups fourrés montés par les services rivaux.

«Gilbert Zemmour? me dit-il d'un ton las. Il ne m'a jamais impressionné, je l'ai eu souvent dans mon bureau. Le seul problème, c'est qu'il a un petit pois à la place du cerveau. À l'époque où j'avais le dossier, il était allé un soir à minuit à Saint-Germain-des-Prés, au Don Camilo, il avait garé sa voiture sur le trottoir, bien en évidence, s'était fait ouvrir la porte, était entré le pistolet au poing et avait abattu un indicateur surnommé Bouboule. Devant tout le monde, devant des dizaines de témoins! Puis il était reparti avec sa bagnole. Et, bien sûr, tous les témoins avaient instantanément perdu la mémoire et se déclaraient incapables d'identifier le tueur.»

Par la suite je me suis dit que j'avais eu raison de renoncer à ce scoop même s'il aurait pu me rendre célèbre. Avec les Zemmour, cela risquait souvent de tourner au vinaigre. L'irascible Edgard, finalement installé à Miami, allait finir assassiné le 8 avril 1983 dans sa propre villa par un tireur équipé d'un fusil à lunette. Quant à Gilbert, il allait connaître le même sort dans les beaux quartiers de Paris, le 28 juillet de la même année, pendant qu'il promenait ses deux caniches nains.

Les Zemmour n'étaient certes pas travaillés par le démon de la littérature et n'avaient aucune cause à défendre. Avec eux, on n'était pas dans le registre de la tragédie à la Mesrine, ni dans la fantaisie débridée d'un Landru. On faisait *dans le prosaïque*, pour plagier Michel Audiard. Mais on était encore dans une atmosphère typique et traditionnelle. On aurait pu en faire un film. Alexandre Arcady le réalisa, avec Roger Hanin en vedette : *Le Grand Pardon*. J'aurais pu en être l'un de ces protagonistes mineurs qui finissent dans un coffre de voiture ou noyés dans une barrique d'huile d'olive. À la réflexion je ne regrettais rien.

13

Le Parisien est un autre

Paris adore les étrangers. C'est une ville faite pour eux. Certains deviennent de grands personnages de leur époque, tels Eugène Ionesco, Samuel Beckett, Arrabal ou Arthur Adamov, qui incarnent presque à eux seuls l'essentiel de l'avant-garde théâtrale française de la seconde moitié du XXᵉ siècle. D'autres se contentent d'être de parfaits Parisiens, les plus au fait des derniers mouvements de mode, les plus spirituels, les plus branchés. Les premiers entrent dans les livres d'histoire. Les seconds défraient la chronique mondaine, font les gros titres des magazines à la rubrique *tendances*, ce qui n'est déjà pas si mal.

Si l'on faisait un sondage pour déterminer qui a été le Parisien le plus marquant du XXᵉ siècle, celui qui a laissé une trace majeure, il y a de fortes chances pour que le lauréat vienne du monde de l'art et de la littérature. Les grands personnages de la politique appartiennent à la nation (Clemenceau, de Gaulle) et n'ont rien de parisien, les petits ne passent guère à la postérité. Jack Lang et Frédéric Mitterrand ont été des Parisiens emblématiques justement parce qu'ils ont été associés à la vie culturelle du pays, mais ce sont des personnages publics de rang moyen.

Le grand Parisien du siècle a donc forcément à faire avec la culture. Certains éliront Marcel Proust, le romancier français le plus marquant du XXe siècle ; d'autres, un grand acteur et homme de théâtre comme Louis Jouvet ; d'autres encore, Jean Paulhan, personnalité centrale de la littérature et de l'édition au XXe siècle. Mais le nom qui réunit tous les critères ne serait-il pas celui de Pablo Picasso ?

Picasso a passé une très grande partie de sa vie adulte entre Montmartre et la rue des Grands-Augustins. De Paris et de la vie parisienne il a tout connu : il en fut l'une des têtes d'affiche, à partir des années 1910. Quand il s'est retiré, ce fut pour Golfe-Juan, Vallauris, Mougins, bourgades de la Côte d'Azur voisines de Cannes, de Saint-Paul-de-Vence et de Monaco, traditionnels lieux de villégiature pour la nomenklatura parisienne. Dans ses retraites méridionales, Picasso continuait de recevoir, on faisait antichambre pour venir le visiter.

Génie polymorphe, véritable force de la nature, Picasso était une bête à la fois solitaire et mondaine. Certes classé un temps comme cubiste, il n'a jamais appartenu à aucune autre école que la sienne, n'a jamais obéi à aucune discipline de groupe. Tel un astre dominant, il a influencé tous les acteurs principaux de son époque et n'a jamais laissé indifférent. À Paris, personne ne pouvait ignorer sa présence écrasante. On cherchait à obtenir de lui une caution au moins officieuse, un mot ou un regard bienveillants, un geste amical, une aumône. Tout le monde le redoutait, le courtisait, le respectait : André Breton et les surréalistes, Jean-Paul Sartre, Aragon et plusieurs dirigeants du Parti communiste, André Malraux et l'ensemble des grands de l'Hexagone. Jean Cocteau, on l'a vu, le suivait comme son ombre, et passait sa vie à attendre un signe de sa part.

Picasso n'était pas seulement un artiste génial et une célébrité, bref un homme important comme on les aime en France. Il était aussi un être éminemment urbain, habile, rusé, rompu à toutes les subtilités de la vie mondaine et culturelle. Au rayon de l'hypocrisie et de la méchanceté, qualités indispensables sous ces latitudes, il n'avait pas son pareil. Picasso pouvait jouer au besoin le sphinx impénétrable, ou le vieux paysan espagnol madré qui feint de ne rien comprendre aux jeux de société, pour mieux dérouter ses interlocuteurs et les collectionneurs, mais il possédait sur le bout du doigt les codes parisiens et, par-dessus tout, l'art de la conversation. Il n'était sans doute pas aussi volubile et extravagant que Salvador Dalí, dont les monologues en français éblouissaient ceux qui l'approchaient, mais il avait d'autres qualités majeures : la rapidité, le mordant, la précision dans le tir. On raconte que, sous l'Occupation, il aurait montré à un officier allemand une photo de son tableau *Guernica*. « C'est vous qui avez fait ça ? » aurait demandé l'officier. « Non, c'est vous », aurait répondu Picasso. Il n'y a pas de grand Parisien sans le sens de la repartie. L'étranger, même génial et célèbre comme lui, restera un visiteur — de marque mais un visiteur tout de même — s'il ne sait pas briller dans la conversation ou tuer d'un bon mot. Rien n'a changé depuis les scènes de salon de l'Ancien Régime décrites en 1996 dans *Ridicule*, le film de Patrice Leconte. Les bons mots ne sont plus les mêmes, mais la guerre des mots n'a jamais cessé.

Scène parisienne entre toutes. Le 19 mars 1944[1], dans les tout derniers mois de l'Occupation, Picasso invite une trentaine d'amis dans l'appartement de Michel Leiris pour la lecture d'une pièce de théâtre «surréaliste» qu'il a écrite — en quatre jours — en janvier 1941 : *Le Désir attrapé par la queue.* La distribution est elle-même surréelle. Albert Camus signe la mise en scène. Jean-Paul Sartre tient le rôle du Bout rond, Simone de Beauvoir fait la Cousine de la Tarte, Raymond Queneau l'Oignon, Dora Maar l'Angoisse grasse. Dans le public, on trouve Jacques Lacan, Sylvia et Georges Bataille, Jean-Louis Barrault, Valentine Hugo, Henri Michaux et plusieurs autres. Bref quelques-uns des plus hauts dignitaires de la République parisienne des arts et des lettres. La pièce est sans doute davantage une curiosité littéraire qu'une œuvre majeure, mais elle a été jouée par la suite à Londres en 1949 sous la direction de Dylan Thomas et à New York en 1952 par le Living Theater. En tout cas, Picasso faisait une démonstration éclatante de sa maîtrise de la langue et des codes littéraires devant le plus brillant jury qui soit.

Il s'agit d'un prérequis : l'étranger est un candidat admissible au titre de grand Parisien à la condition expresse de se mouvoir avec aisance, intelligence et efficacité en français.

---

1. C'est la date généralement retenue par les spécialistes, mais il existe une incertitude à ce sujet. Simone de Beauvoir, dans *La Force de l'âge*, situe l'événement «peu après le 26 février».

Une certaine forme d'accent ne constitue pas un handicap : la plupart des locuteurs d'origine étrangère, même les plus virtuoses, les plus véloces et subtils en français, conserveront jusqu'à la mort une trace de leur langue de naissance, généralement la façon de prononcer le *r* (italien, anglais, allemand, grec, hispanique, etc.). Picasso avait donc un accent espagnol, Elsa Triolet un accent russe, et l'éditrice Teresa Cremisi assume une légère pointe d'accent italien, bien plus léger que celui d'Umberto Eco, dont la conversation est pourtant particulièrement étincelante.

L'autre condition exigée de l'aspirant au titre de Parisien d'adoption : qu'il comprenne ou à tout le moins devine l'extraordinaire complexité de cet univers urbain qui se développe en vase clos après s'être construit sur quelques siècles d'habitudes bizarres et d'histoire tumultueuse. Il faut, comme l'écrit le journaliste-écrivain Philippe Labro, « pénétrer les cercles les plus divers de cette ville si compliquée (…), déchiffrer les dessins de ce tissu difficile à transpercer, celui que tendent, sans même le savoir, les Parisiens entre eux et l'étranger[1] ».

Le bon candidat est généralement un urbain, habitué aux grandes villes, à ces métropoles où l'on apprend que l'homme n'est ni bon ni mauvais, ou plutôt les deux à la fois et que c'est incurable. Certains diront que c'est du bon sens, d'autres que c'est du cynisme. En tout état de cause, l'optimisme béat et l'étonnement perpétuel sont de très mauvaises dispositions d'esprit pour qui veut faire son

---

1. Dans sa préface à *De Paris à la Lune*, Adam Gopnik, *op. cit.*

chemin vers les sommets parisiens ou plus simplement se faufiler dans des milieux agréables.

Si l'on ébauche une liste approximative des étrangers qui ont atteint le grade de super-Parisiens à l'époque contemporaine, on constatera — outre le fait qu'ils furent tous de brillants locuteurs du français — qu'ils venaient tous de sociétés aussi compliquées que celle où ils se sont finalement installés.

Depuis toujours, l'Europe latine et méditerranéenne a alimenté la parisianitude de haut niveau. On trouve, outre Picasso, des Espagnols comme Jorge Semprun ou Arrabal. Des Grecs : le cinéaste Costa-Gavras, l'écrivain Vassilis Alexakis, les philosophes Nikos Poulantzas ou Kostas Axelos[1]. Curieusement, à l'exception notable de Teresa Cremisi, star de l'édition, les Italiens célèbres ne sont pas si nombreux : peut-être parce qu'ils sont bien chez eux et que, voisins de la France et si proches à tout point de vue, ils n'ont même pas à s'installer à Paris pour être des Parisiens d'honneur. Umberto Eco est ici chez lui, même s'il n'y habite pas. Traditionnellement, romanciers et cinéastes italiens ont été des habitués de Paris où ils gardaient parfois un pied à terre, et ils parlaient couramment le français pour la plupart. Les Italiens ont tant de points communs avec la France et sont de si parfaits Parisiens que ceux qui prennent résidence à l'ombre de la tour Eiffel se fondent dans le paysage et qu'on ne les remarque plus, même s'ils

---

1. L'époque étant ce qu'elle est, il faudrait, je suppose, mettre aujourd'hui en tête de liste un certain Nikos Aliagas, vedette de TF1.

travaillent dans l'édition, dans les journaux, à l'université. L'intellectuel ou l'artiste italien est presque un Parisien de naissance. Autre pays surreprésenté dans les hautes sphères du parisianisme : l'Argentine. Ou, devrais-je dire, Buenos Aires, car ses habitants les *Porteños* sont sans conteste les plus Européens de tous les Latino-Américains. On trouve parmi eux de nombreux Italiens issus de l'immigration du début du XXᵉ siècle, beaucoup de descendants d'immigrés est-européens. Les Argentins traînent par ailleurs en Amérique latine une réputation d'insupportables snobs, ce qui les prédestine à s'adapter à la vie en bord de Seine. La contribution des Argentins à la vie culturelle et intellectuelle du dernier demi-siècle n'est pas négligeable : le dessinateur Copi fut considéré dans les années 1970 comme une référence absolue dans les milieux branchés. Alfredo Arias fut et demeure un arbitre des élégances au théâtre. Le grand amuseur public Jérôme Savary, décédé en mars 2013, avait un père français et une mère américaine, et a fait très jeune ses études en France, mais il était né à Buenos Aires, avait la nationalité argentine et retourna pour trois ans dans son pays natal en 1962, à vingt ans, pour y accomplir son service militaire. Si Borges, contre toute logique, n'est jamais venu s'installer à Paris, on a eu droit à Julio Cortázar. Dans la même veine borgésienne, et venant d'un pays cousin de l'Argentine, le réalisateur chilien Raoul Ruiz a été sans conteste l'un des cinéastes parisiens les plus importants de son temps, même si curieusement son français parlé est toujours resté un peu laborieux.

D'autres Latino-Américains se sentent à Paris comme des poissons dans l'eau — exemple Mario Vargas Llosa, qui parle un français remarquable, mais aussi de nombreux Brésiliens — car ils y retrouvent le même goût pour les complications, l'importance des conventions et des apparences, le poids de l'Histoire et de la religion, le conflit inéluctable entre le sexe et l'ordre social.

Autre pays qui semble en prise directe sur la France : la Roumanie. Encore des Latins, ou plutôt des Slaves romanisés et latinisés : ce cocktail détonant explique sans doute le caractère compliqué, fantasque et ténébreux de ces Européens du troisième type. La liste des Roumains qui se sont illustrés rive droite ou rive gauche est impressionnante. On a eu droit au début du XXe siècle aux nombreuses «princesses» qui jouèrent un rôle éminent dans la vie mondaine sous le regard de Marcel Proust : la princesse Bibesco, qui finit par demander à l'abbé Mugnier de la convertir au catholicisme, Hélène Soutzo qui, arrivée en 1913 à Paris, engloutit une fortune issue de la banque et devint pour la vie Mme Paul Morand, entre autres. La liste continue et s'étoffe avec, dans les années 1920, le dadaïste Tristan Tzara, un Roumain qui avait d'abord distraitement posé ses bagages en Suisse. Héritage du fascisme roumain et de la guerre : après 1945 on retrouva Eugène Ionesco, qui allait devenir le dramaturge français le plus important de la seconde moitié du XXe siècle, le moraliste Émile Cioran, qui fut l'un des plus grands stylistes en langue française, et le philosophe Mircea Eliade. Ils venaient d'un pays et d'un passé tellement bizarres que les complications de la

vie parisienne leur parurent bien innocentes. Dans la foulée, on hérita des romanciers Virgil Tanase et Paul Goma,
mais la liste n'est pas close, loin de là.

Les Roumains sont des Slaves d'un genre un peu particulier. Il y a aussi les Slaves tout court, à commencer par
les Russes. Sans remonter à la comtesse de Ségur et pour
nous en tenir au xxᵉ siècle, beaucoup d'entre eux ont été
dans leur domaine respectif de parfaits Parisiens. Cela va de
Stravinsky et Diaghilev à Noureïev, d'Henri Troyat à Elsa
Triolet, Joseph Kessel ou Romain Gary, aujourd'hui Andreï
Makine, prix Goncourt 1995. Chacun dans son genre, ils
ont atteint les hautes sphères, où ils étaient traités sur un
pied d'égalité par les puissances régnantes. Joseph Kessel
fut même élu à l'Académie française, que dire de plus?

Les Russes auraient-ils des dispositions naturelles à
la parisianité? Il paraît que Noureïev parlait un charabia
épouvantable, aussi bien en anglais qu'en français, mais
il le faisait avec un aplomb jamais pris en défaut. Ce qui
compte à Paris, ce n'est pas de conjuguer les verbes correc-
tement, de manier l'imparfait du subjonctif ou de respecter
les formes atones de la négation comme Jean-Marie Le Pen
ou de vieux profs de français aigris, mais de s'exprimer avec
aisance et autorité. On peut dire : *Chais pas*, et briller dans
la langue de Molière. Le français qu'il écrivait si bien n'était
pas la langue maternelle de Romain Gary, mais il le parlait
avec drôlerie et virtuosité, accent russe compris. Les Russes
de Paris s'affichent tels qu'ils sont, sans jamais douter.
Venant d'une contrée immense, mystérieuse et tragique,
ils ont une folie profonde qui les dispense de s'intéresser

aux subtilités montparnassiennes ou germanopratines. Ils adoptent les manières qui leur conviennent et ignorent les autres. Paris ne les impressionne en aucune manière. Ils mènent leur vie et foncent droit devant eux sans se soucier des usages quand ceux-ci leur paraissent fastidieux. Le bruyant et falstaffien Gérard Depardieu d'aujourd'hui pourrait être un de leurs modèles, et finalement ce n'est peut-être pas par hasard si Vladimir Poutine lui a généreusement accordé un passeport russe.

Il y a d'autres pays, sérieux, sages et consensuels, plutôt ordonnés et portés sur la moralité : leurs ressortissants ont peu de chances de s'acclimater à la vie parisienne. Des pays où l'on ne pratique ni le bavardage frivole, ni les discussions enflammées à propos de presque rien, ni les jeux de société compliqués. Où l'on pense que seul le mérite doit être récompensé, que le bien finira un jour par triompher. Ils ne sont pas à l'aise à Paris et n'y prennent pas racine.

Premiers absents de marque : les Allemands. Il y eut bien quelques exceptions : l'artiste Max Ernst, qui passa l'essentiel de sa vie d'adulte en bord de Seine, mis à part son exil forcé aux États-Unis pendant la guerre ; l'écrivain Walter Benjamin, qui s'exila à Paris dès l'arrivée au pouvoir des nazis. La liste des grands noms s'arrête à peu près là. Stefan Zweig avait beau être un européiste engagé, un bon connaisseur du français, le meilleur ami de Romain Rolland, il alla directement à Londres après avoir fui l'Autriche, puis continua son chemin jusqu'au Brésil, où il se suicida en 1942. Sigmund Freud, exfiltré d'extrême justesse

de Vienne en 1939, choisit lui aussi la capitale britannique
et y mourut en 1940. Ni Thomas Mann, ni Bertolt Brecht,
ni aucune célébrité intellectuelle ou artistique du siècle ne
furent des familiers de Paris. Notable exception à la règle :
Ernst Jünger, qui faisait partie des troupes d'occupation en
tant que lieutenant de la Wehrmacht. Mais il était également un écrivain et un antinazi bien que venu de la droite,
et il noua de véritables relations personnelles au sein de
l'intelligentsia. À une époque plus récente, on a vu dans la
région les cinéastes Volker Schlöndorff ou Wim Wenders,
qui parlent tous deux couramment français. Mais ils n'ont
jamais fait partie de la vie parisienne. À la télévision, on
a pu constater qu'ils n'étaient pas franchement à leur aise
dans ces émissions culturelles où tout va trop vite, où il
faut avoir dans la seconde la repartie qui tue, où il convient
d'afficher en toute circonstance un parfait détachement et
une pointe de cynisme. Manifestement les Allemands ne
sont pas doués pour ces jeux. Pas plus que le grand cinéaste
autrichien Michael Haneke, souvent célébré à Cannes,
porté aux nues par les cinéphiles, invité à monter *Don Gio-
vanni* au Palais-Garnier.

Il m'est arrivé au fil des décennies de croiser des corres-
pondants de presse étrangers. J'ai toujours eu le sentiment
que les journalistes allemands — y compris ceux appartenant aux meilleures publications, *Die Zeit, Der Spiegel*,
le *Frankfurter Allgemeine Zeitung* — restaient fondamen-
talement intimidés par la scène parisienne, la virtuosité
langagière, l'ironie ambiante, le culte assumé de la légèreté.
Contrairement aux Italiens, aux Espagnols, aux Brésiliens

ou aux Russes, qui viennent s'ébattre dans ce marigot comme d'insouciants alligators.

Un Allemand roi des salons parisiens, on n'en a pratiquement jamais vu, à l'exception notable du couturier Karl Lagerfeld, qui a tout compris de ce qu'il convient de dire et faire dans les dîners en ville et les *talk-shows* de Laurent Ruquier ou Thierry Ardisson. Pour ce qui est du sens de la provocation et de la dérision, il ne craint aucun compétiteur.

On ne va pas allonger la liste à l'infini. Qu'il suffise de constater également l'absence des Hollandais, des Scandinaves, qui forment avec l'Allemagne l'essentiel de cette Europe du Nord à dominante protestante, si exemplaire sur le plan politique et social, un peu ennuyeuse dans la vie de tous les jours. Ingmar Bergman, malgré l'adulation dont il a toujours été l'objet, a toujours évité Paris. Quand il a fui le fisc suédois, il s'est installé à Munich[1]. On se souvient du *Festin de Babette*, ravissant film danois de 1987, où une paisible communauté provinciale, honnête et puritaine, voit sa vie bouleversée par l'arrivée de LA Parisienne, incarnée

---

1. Y aurait-il une incompatibilité d'humeur irrémédiable entre les Suédois et Paris ? On peut se poser la question à la lecture de lettres écrites en 1883 par August Strindberg, provisoirement installé rive gauche où il travaillait à *Inferno*. Ainsi ces récriminations franchement excessives, sans doute écrites l'un de ces jours où rien n'allait : « Comme ils puent ! Ils ne se lavent pas, se contentent de se parfumer. Et comme ils vous volent ! S'ils ne vous volent pas, ils mendient. (...) Il n'y a pas de librairie digne de ce nom sauf pour la pornographie (*sic* !). Nous n'arrivons pas à manger la nourriture pour chiens qu'ils nous servent sans tomber malades. Pisser coûte 5 centimes, chier un franc au moins, et on ne peut baiser pour moins de 10 francs... » Cité in : *Petite anthologie du désamour*, Éditions Parigramme, 2013.

par Stéphane Audran. Pourtant sérieuse et dure à l'ouvrage, elle se révèle être une ancienne communarde pourchassée par la justice et une ex-tenancière de restaurant, bref une agitée de la politique et une jouisseuse sans moralité.

Quant aux Britanniques, ils sont à part, comme d'habitude. Ils sont très nombreux en France, notamment à Paris. Beaucoup d'entre eux parlent parfaitement le français, ce qui les distingue des Américains[1]. Eux aussi respirent une certaine austérité. Ils réprouvent la propension des Français à la petite malhonnêteté et à l'incivisme, des travers qui atteignent leur paroxysme dans la capitale. Quand ils se livrent aux plaisirs décadents de la table ou de l'œnologie, ils le font avec un sérieux effrayant, se plongent dans des livres, apprennent par cœur les noms des vignobles et des cépages, et sont incapables de boire un verre de vin sans que cela ressemble à une grand-messe. L'humour britannique, si admirable dans les livres ou dans les débats à Westminster, ne semble pas irriguer les simples conversations de tous les jours. Le mauvais esprit courant des Français les choque, et bien peu d'entre eux ont les moyens de briller dans les dîners.

Reste le cas des Américains. Il est paradoxal.

Il y a une légende dorée des Américains à Paris. En 1790, Benjamin Franklin y fut accueilli triomphalement et on le

---

1. Constatons au passage que le Britannique généralement considéré comme un grand spécialiste de la France, Theodore Zeldin, auteur notamment d'une somme sur les *Passions françaises*, s'exprime après tant d'années dans un français correct mais lent et laborieux. Symptôme.

fit citoyen d'honneur. Dans les années 1920, Scott Fitzgerald et Ernest Hemingway devinrent les rois de la nuit, les vedettes du Bal nègre, du Dingo Bar de la rue Delambre et du Ritz, selon les chroniqueurs les plus autorisés. Sylvia Beach, qui la première publia *Ulysses* de James Joyce, en 1921, avait ouvert avec Adrienne Monnier Shakespeare and Company, rue de l'Odéon[1], une librairie où l'on croisait Fitzgerald et Hemingway, Ezra Pound, Peggy Guggenheim ou John Dos Passos, mais aussi Gide, Claudel, Breton et Aragon. Dans les années 1930, ce fut au tour de Henry Miller, Anaïs Nin et quelques autres. Les Américains étaient si nombreux à Paris dans ces années-là que même le *Chicago Tribune* y publia — jusqu'en 1934 — une édition quotidienne. Quand les Parisiens se tournent aujourd'hui avec nostalgie vers cette époque, ils ont l'impression, pas complètement fausse, qu'une partie majeure de la vie littéraire américaine se déroulait alors entre Montparnasse, la place de Clichy et le quartier de la Bastille. *Paris est une fête*, titre du livre de souvenirs des Années folles publié tardivement par Hemingway en 1947[2], est une expression passée dans le langage courant des milieux cultivés. Le fantôme de Scott Fitzgerald qui hante le Ritz confirme rétrospectivement la place éminente que tenait alors Paris sur la scène mondiale.

---

1. Laure Murat, qui a raconté l'histoire de Sylvia Beach dans *Passage de l'Odéon* (Fayard, 2003), précise que l'actuelle Shakespeare and Co installée depuis le début des années 1950 quai de Montebello, face à Notre-Dame, n'a aucun rapport avec celle du 18, rue de l'Odéon, qui ferma définitivement ses portes en décembre 1941, après l'arrivée des Allemands.
2. Titre original : *A Moveable Feast*, Gallimard, 1964 pour l'édition française, Folio, 2011 pour l'édition ici utilisée.

Ajoutons à ce passé glorieux la fascination extrême que les romanciers et les réalisateurs d'outre-Atlantique exercent toujours sur l'intelligentsia et les grands médias parisiens. Ceux-ci ont un jour décidé, quelques décennies après le succès planétaire de *Portnoy's Complaint* en 1967, que Philip Roth était «le plus grand romancier vivant», et depuis on l'a répété à la sortie de chacun de ses livres. Une dizaine ou une vingtaine de romanciers made in USA — certains remarquables, d'autres non — mobilisent à chaque publication, la même semaine, la une des sections livres des grands médias : James Ellroy, Richard Ford, Tom Wolfe, Jim Harrison, Paul Auster et plusieurs autres. Côté cinéma, on idolâtre Robert De Niro, Sharon Stone, Sofia Coppola, Woody Allen, Jim Jarmusch, Martin Scorsese et, à force de les admirer, on finit par les considérer comme des membres de la famille. «Vous êtes ici chez vous», leur disent les journalistes et animateurs.

À l'automne de 1995, un certain Adam Gopnik s'était installé pour cinq ans à Paris comme correspondant du *New Yorker*, un hebdomadaire de grande qualité et l'une des publications les plus prestigieuses au monde. En 2003 paraissait la traduction française de *From Paris to The Moon*, une sélection de ses articles publiés de 1995 à 2000. C'est élégamment écrit, gentiment ironique, cela se veut simple et terre à terre (problèmes de plombiers, de grèves à la SNCF, de la livraison de la dinde de Noël depuis sa ferme natale, de l'achat de la bûche de Noël chez Ladurée) mais on y trouve aussi une accumulation extraordinaire de clichés, de préjugés, d'idées reçues et parfois de grosses bêtises. Lorsque Gopnik et sa femme sont à la recherche d'un club de gymnastique, « quelqu'un a suggéré que nous nous inscrivions au Health Club du Ritz : on ne pouvait pas faire plus français que cela[1] ». Philippe Labro, le Monsieur USA de la scène parisienne, lui a pourtant écrit une préface plus que louangeuse, et, à la publication du livre, Bernard-Henri Lévy lui a consacré une page entière dans *Le Point*. Philippe Labro va jusqu'à affirmer que Gopnik a eu le mérite de « débarquer à Paris, discret, dépourvu de toute lettre d'introduction pour pénétrer dans les cercles les plus divers[2] ». On suppose qu'il s'agit d'un trait d'humour. Car à Paris, malgré le délire antiaméricain que croit deviner Gopnik chez ses voisins qui fréquentent le marché bio du boulevard Raspail, chacun déroule le tapis rouge devant les représentants des plus grands médias new-yorkais, les *New York Times*, *Vanity Fair* et autres *Esquire*. Devant le *New Yorker* on se met à genoux. À peine arrivé dans son appartement du « bon » 7e arrondissement, son correspondant, à moins d'être un autiste ou un passager clandestin, reçoit en une semaine plus d'invitations personnelles flatteuses que n'en voit arriver en une année le représentant du *Spiegel*, voire celui du *Financial Times*.

Les acteurs, les réalisateurs, les écrivains, les artistes américains sont, répétons-le, des héros, des dieux de l'Olympe. On suit à distance le feuilleton new-yorkais dont ils sont les vedettes. Si l'un d'entre eux daigne venir habiter Paris — le

---

1. *Op. cit.*
2. *Id. ibid.*

plus souvent un romancier —, on en fait des articles dans les journaux. On signale la présence des célébrités de passage ; des agences de publicité tentent de louer leurs services pour la soirée de lancement d'un nouveau parfum, l'inauguration d'un nouveau palace. Même à un niveau plus modeste et discret — dans l'université, dans l'édition —, tout visiteur américain possède par la citoyenneté une carte de visite sans équivalent, qui lui ouvre beaucoup de portes.

Cela ne fait pas pour autant de ces Américains de vrais Parisiens. On les invite, on se flatte de les avoir à sa table. Mais ils resteront des visiteurs, auxquels il faut parfois prodiguer la traduction simultanée dans les dîners en ville, ou qui sont perdus lorsque la conversation s'égare autour des petites histoires et intrigues locales, dans le domaine de l'art, de la politique, de la télévision. Avec un Argentin ou un Roumain, pas de problème de ce genre : six mois après son arrivée, il a tout compris, les dernières expressions à la mode, les personnages à connaître à tout prix dans le feuilleton médiatique et mondain, et surtout les ringards, les blaireaux, les *losers* à qui il faut éviter d'adresser la parole.

J'ai croisé ou fréquenté au fil des ans un grand nombre d'Américains qui s'étaient installés à Paris et y vivaient depuis des décennies. Certains parlaient encore assez mal le français, avaient du mal à suivre une conversation générale, ne comprenaient pas toujours lorsque les échanges allaient trop vite. Dans des milieux comparables — le journalisme, l'université, la culture dans un sens large —, j'ai souvent rencontré des Britanniques parfaitement francophones, fort peu d'Américains. Ceux-ci se révèlent à l'usage encore plus mauvais que les Français de souche pour l'apprentissage des langues étrangères. Leur cerveau semble ne jamais se résoudre au fait que les autres grands pays — occidentaux du moins — ne sont pas en tout point semblables aux États-Unis, et que certains Européens, inexplicablement, ne comprennent toujours pas l'anglais quand on s'adresse inopinément à eux dans la rue. Il est vrai que cette langue, baragouinée sur tous les continents, est devenue la *lingua franca* du monde moderne et que tout un chacun l'utilise spontanément quand il descend d'avion à Moscou, à Berlin ou à Shanghai. L'Américain est certes ridicule quand il s'adresse dans sa langue à un boulanger du 18ᵉ arrondissement, mais moins que le Gaulois ne l'est quand il interpelle des passants à Moscou ou à Chicago dans la langue de Coluche. Car il faut constater l'évidence : sur la Terre, et singulièrement en France, il se trouve encore une forte majorité de gens qui ne comprennent toujours rien de cet idiome, à l'exception de certains mots parfois inventés de toutes pièces : *jogging, pin's, walkman* ou *goal-average* (qui se prononce alors *golavérage*, avec accent tonique sur les deux a).

Cette disposition d'esprit explique que des Américains, après de nombreuses années, continuent de parler le français comme s'ils déchiffraient des mots vaguement incompréhensibles mis bout à bout. À leur décharge, il faut dire qu'à Paris on peut vivre sa vie entière en anglais, à la seule condition de savoir commander au restaurant et demander son chemin dans la rue. On y trouve des journaux américains, à commencer par l'*International New York Times*,

l'ex-*International Herald Tribune*, et des périodiques plus
ou moins éphémères mais toujours assez chics. Il y a des
librairies et même de petits théâtres anglophones, il y a,
au bas de la rue Saint-Jacques, le fameux Shakespeare and
Company deuxième manière où l'on donne des lectures de
romans ou de poésie. Il y a des bistrots de Montparnasse ou
de Saint-Germain fréquentés par des Américains sédentari-
sés et où la seule langue d'usage reste l'anglais. Sans même
parler du célèbre Harry's Bar de la rue Daunou, connu de
tous les Américains de passage. On peut vivre toute sa vie à
Paris sans jamais sortir de milieux anglophones.

C'est une vieille histoire. Dans *Paris est une fête*, Hemingway note que Scott Fitzgerald n'a même jamais essayé d'apprendre le français. Ce qui explique peut-être la mauvaise
opinion qu'il avait des indigènes :

> Scott détestait les Français et les seuls Français qu'il
> rencontrait étaient des serveurs qu'il ne comprenait pas,
> des chauffeurs de taxi, des employés de garage et des pro-
> priétaires[1].

Je me souviens d'avoir été frappé par une longue interview d'une heure accordée à la télévision canadienne au
milieu des années 1960 par Henry Miller. Celui-ci, chacun
le sait, avait passé dix années entières à Paris, de 1930 à
1940, à sillonner les rues de la ville. Or le romancier, grand
voyageur et cosmopolite, parlait un français laborieux, en
cherchant ses mots et en alignant des phrases ternes.

---

1. *Paris est une fête, op. cit.*

À la relecture de *Tropique du Cancer*, on constate à la vérité que Henry Miller ne fréquente jamais que des Américains, ou des Anglais, ou alors des étrangers qui eux-mêmes fonctionnent en anglais. Dans la vie quotidienne de Miller, il n'y a pratiquement jamais de Français, à l'exception d'une pute ou d'un patron de bistrot, qui font de la figuration et parfois lâchent une expression pittoresque *en français dans le texte*. Pour le reste, le Paris de Henry Miller est américain et en tout cas parle anglais.

C'était la réalité. Dans des lettres à Anaïs Nin, Miller se plaint épisodiquement de son «pauvre français». En décembre 1934, il narre sa première rencontre avec Blaise Cendrars, qu'il admire par-dessus tout :

> En tant qu'homme, j'ai dû le décevoir, je n'ai presque rien dit. (…) À un moment j'ai fui sous le prétexte d'aller travailler. Je ne vais pas vous donner les détails de la rencontre. C'est trop vaste. (Tout en français d'ailleurs car il refuse par principe de parler anglais.) Je suis fourbu[1].

Qui ne peut pratiquer avec brio l'art de la conversation ne sera jamais heureux à Paris. Dieu merci, Henry Miller n'était pas le plus puritain des hommes, et se rattrapait avec les professionnelles de l'amour tarifé, au café L'Éléphant du boulevard Beaumarchais ou rue Vavin. Autre forme d'intégration qui n'est pas absurde.

Sur l'album de photos de la vie mondaine, intellectuelle

1. *Lettres à Anaïs Nin*, Christian Bourgois, 1967. Citation tirée de la version 10-18, 1973.

et artistique parisienne depuis le début du xxᵉ siècle, les Américains figurent à titre de visiteurs, d'oiseaux de passage. On compte les exceptions sur les doigts d'une main. On mentionnera le surréaliste Man Ray, arrivé dans les années 1920 et enterré au cimetière du Père-Lachaise. Pour le reste, la liste se limite à trois femmes. Gertrude Stein, qui elle non plus ne quitta jamais Paris après y être arrivée en 1904. Sylvia Beach, dont on a déjà parlé, et qui fit partie intégrante du monde littéraire et artistique au plus haut niveau. Florence Gould, enfin, richissime et généreuse mécène de nationalité américaine, qui tint salon pendant des décennies, y compris sous l'Occupation, où elle recevait aussi bien Jean Paulhan que Marcel Jouhandeau et Paul Morand. Elle poussa le parisianisme jusqu'à orchestrer des élections à l'Académie française et à créer et doter le prix littéraire Roger-Nimier. Le succès et l'influence de Florence Gould sur la scène parisienne ont assurément quelque chose d'intrigant s'agissant d'une citoyenne américaine, née à San Francisco en 1895, mariée à un milliardaire californien. La clé de ce petit mystère : elle était la fille de Maximilien Lacaze, un éditeur français émigré aux États-Unis et qui y avait fait fortune. La plus parisienne de toutes les Américaines débarquées un jour en bord de Seine et dans les beaux quartiers fit une carrière d'autant plus extraordinaire qu'elle était une fausse Américaine. Cela aide.

IV

FANTÔMES

14

Rastignac parmi nous

Le brillant jeune homme qui connaît une réussite aussi étonnante que fulgurante existait depuis longtemps déjà à Paris, mais on ne l'avait pas formellement identifié. Balzac ne l'a donc pas créé, mais il lui a donné un nom. De la même manière, le marquis de Sade n'a certes pas inventé la fessée, mais il lui a fourni, si l'on ose dire, une raison d'être. Les histoires de couples élégamment douloureuses et compliquées, un célèbre auteur parisien du XVIIIe siècle les a qualifiées une fois pour toutes de marivaudages. La capitale de la France adore les concepts, et aurait été parfaitement capable d'inventer le machiavélisme, si Florence à l'apogée de sa gloire ne lui en avait soufflé l'idée. Paris au fil des siècles a donc produit quelques archétypes impérissables.

Ainsi Rastignac.

Honoré de Balzac n'imaginait pas que le patronyme connaîtrait une telle postérité et peut-être ne pensait-il pas donner au personnage une telle importance. Il fait apparaître Eugène de Rastignac de manière fugitive dans *Le Bal de Sceaux*, publié en 1829, mais c'est dans *Le Père Goriot*, chef-d'œuvre de 1835, qu'il devient dans *La Comédie humaine* une figure centrale dont on suivra de loin en loin la brillante carrière jusqu'à son élévation à la pairie de France.

Le héros en question est une créature éminemment parisienne, même si sa réputation a largement débordé ses frontières. C'est un jeune loup qui, parti de rien ou presque, atteint les sommets de la société en un temps record grâce aux armes de la ruse et de la séduction. L'expression désigne par extension tous les jeunes ambitieux trop pressés d'arriver. Quand ils n'arrivent à rien ou que leur succès se limite au cadre d'une ville de sous-préfecture, on parlera de Rastignac de banlieue, de Rastignac au petit pied, de Rastignac du pauvre. Rastignac tout court est forcément quelqu'un qui a brillamment réussi — et dans la capitale.

De l'avis des spécialistes, c'est Adolphe Thiers, toujours lui, qui aurait servi de modèle au romancier. Né en 1897 près de Marseille dans une famille issue de la bonne bourgeoisie mais un peu déclassée — un père affairiste proche de Lucien Bonaparte, une mère apparentée à André Chénier —, il fait des études de droit à Aix-en-Provence, puis monte aussitôt à Paris, dès 1823. Sept ans plus tard, à trente-trois ans, il a terminé une monumentale histoire de la révolution française en dix volumes qui lui vaut, à seulement trente-six ans, un siège à l'Académie française, alors en pleine gloire. Dès 1832 il a entrepris une carrière ministérielle qui sera d'une longévité exceptionnelle. Entretemps il a conquis le cœur d'Euridice Dosne, épouse légitime d'un richissime agent de change. Guère vindicatif, le mari a pris l'amant de sa femme comme associé. En 1833, l'année de son entrée sous la Coupole, Adolphe Thiers consolide une fois pour toutes sa situation en épousant Élise Dosne, la fille de sa maîtresse, ce qui fait de lui le futur héritier de l'immense fortune de la famille.

De même, le jeune Rastignac, débarqué sans le sou de sa ville natale d'Angoulême, séduit à vingt et un ans la belle Delphine de Nucingen qui s'ennuie dans son hôtel particulier, entre dans la banque Nucingen, puis épouse la fille de la famille.

Sur un point, l'auteur de *La Comédie humaine* a pris des libertés avec son modèle vivant. Adolphe Thiers était assez vilain de sa personne, et particulièrement petit, même pour l'époque. Karl Marx, dans un texte consacré à la Commune, le surnomma le «nabot monstrueux»; la reine Louise, fille de Louis-Philippe, lui donnait du «poney blanc». Ses deux surnoms les plus répandus dans la presse et l'opinion furent «Foutriquet» et «Mirabeau-Mouche».

Or le personnage balzacien passé à la postérité est avant tout un charmant homme, svelte, élégant, un peu dandy, éternellement jeune. Issu d'une famille de vraie noblesse tombée dans la quasi-pauvreté, Eugène arrive dans la capitale tellement fauché que, malgré le soutien financier de sa mère et de ses sœurs, il est condamné à habiter la pension Vauquer, rue Neuve-Sainte-Geneviève, dans le quartier étudiant. Sa garde-robe se résume à un seul habit propre, pas à la dernière mode et trop habillé pour l'après-midi. Faute de pouvoir se payer une voiture pour traverser la ville, il arrive avec des bottillons crottés à ses rendez-vous, mais n'en conserve pas moins une certaine allure : « Il avait le teint blanc, des cheveux noirs, des yeux bleus, écrit Balzac. Sa tournure, ses manières, sa pose habituelle dénotaient le fils d'une famille noble, où l'éducation première n'avait comporté que des traditions de bon goût. » Tandis qu'il rend sa première visite à Delphine de Nucingen, « quelques femmes le remarquèrent. Il était si beau, si jeune, et d'une élégance de si bon goût ! ».

Le jeune homme a aussi de la culture. À vingt ans, Rastignac rêve de devenir écrivain, il parle de poésie avec éloquence. Élégance, bonnes manières, fibre littéraire : les trois ingrédients indispensables au personnage.

Dans les allées du pouvoir, en tout cas médiatique et littéraire, on passe sa vie à Paris à buter sur des clones de ce Rastignac. Il apparaît comme le personnage emblématique de la bonne société. Les Américains un tant soit peu cultivés pensent que la majorité des Parisiens ressemblent à Jean-Pierre Léaud, François Truffaut et Bernard-Henri Lévy. L'*homo parisianus* a les traits fins et la mèche insolente, il est un peu agité et parle tout le temps en faisant beaucoup de gestes. Il reste mince à plus de quarante ans, il est joli garçon et plaît aux femmes, sans être pour autant ni danseur de tango, ni acteur, ni gigolo. Ces jours-ci, il serait le plus souvent un écrivain. Et un écrivain parisien célèbre — qui est en même temps un gros vendeur en librairie — est presque toujours un Rastignac, un fin causeur, charmeur, télégénique et séducteur. Jean d'Ormesson en reste un bon exemple.

Scène déjà ancienne, notée au milieu des années 1980 au Twickenham, ce bar de la rue des Saints-Pères célèbre à cause de sa proximité avec la maison Grasset, qui utilisait les lieux pour les rendez-vous, les interviews et comme boîte aux lettres. Je vous laisserai l'enveloppe au bar, vous disait le service de presse, c'est ouvert jusqu'à minuit. Quand il ferma ses portes à la fin du mois de décembre 1991, certains habitués firent appel à Jack Lang pour que l'estaminet soit classé « lieu de mémoire ».

C'était un jour de semaine, vers quinze heures trente ou seize heures. Dans un box pour quatre personnes idéalement situé entre le bar et la vitrine côté rue des Saints-Pères, on pouvait voir un fameux trio en train de deviser à mi-voix, l'air grave et détaché, tels des conspirateurs de bonne famille. Peut-être discutaient-ils de guerre et de paix, de la conduite à tenir vis-à-vis de cet énigmatique Gorbatchev, ou alors des mesures de rétorsion à appliquer contre deux critiques littéraires qui venaient de se montrer insolents, et dans *Le Nouvel Observateur* par-dessus le marché ! Les trois élégants jeunes gens, qui donnaient l'impression d'avoir passé un pacte avec le diable pour rester jeunes jusqu'au tombeau, étaient, par ordre alphabétique, Jean-Paul Enthoven, éditeur chez Grasset, chroniqueur au *Point* et auteur, Jérôme Garcin, journaliste littéraire déjà célèbre et auteur, et Bernard-Henri Lévy, qu'on ne présente plus, selon l'expression consacrée.

On ne pouvait s'empêcher de se dire : quel trio rastignacien plus vrai que nature ! Aucun des trois héros n'était né à Angoulême ou dans les ténèbres de la France profonde.

Garcin a vu le jour à Neuilly. Enthoven et Lévy sont nés en Algérie mais sont arrivés jeunes à Paris, où ils ont fait leurs études dans les plus prestigieuses institutions, ce qui n'est pas la même chose que de débarquer dans la capitale à vingt-deux ans sans connaître personne. Les trois jeunes gens avaient en commun d'être de beaux garçons, et d'avoir brillamment réussi avant l'âge de trente ans.

Le plus jeune d'entre eux, Jérôme Garcin — né en 1956 — avait ce mélange de courtoisie, de perpétuel étonnement et de froideur, un visage légèrement poupin à la peau irréprochablement entretenue. Les bonnes familles produisent volontiers ces jeunes hommes bien sous tout rapport, qui ont la plume alerte, du savoir-faire dans les salons et donnent toujours l'impression de revenir d'un match de tennis ou d'une promenade à cheval au bois de Boulogne. Garcin aurait pu être le frère cadet de l'académicien Jean-Marie Rouart ou de l'historien et ancien ministre Jean-Noël Jeanneney. Sans doute venait-il à cette époque d'accéder à la direction du Masque et la Plume, célèbre émission de débats culturels de France Inter, où il prenait la succession de deux autres éternels jeunes hommes de la génération précédente, François-Régis Bastide et Pierre Bouteiller, ce qui faisait de lui d'office l'un des journalistes littéraires et culturels les plus en vue à Paris.

Certes, on l'a dit, ce Jérôme ne venait ni d'Angoulême ni de province, contrairement au vrai Rastignac. Rejeton d'un père journaliste, inscrit dans les meilleurs lycées, Garcin n'avait pas à monter à Paris puisqu'il y était né. Il lui restait à gravir les échelons, ce qu'il fit avec entrain. Direction des pages littéraires au *Quotidien de Paris* puis au *Nouvel Observateur*, quelques romans de bonne facture chez Gallimard, sans compter Le Masque et la Plume déjà mentionné. Une belle carrière sans fausse note. Jean-Paul Enthoven était le plus proche compagnon d'armes de BHL et il avait le même âge, à deux mois près. Comme lui éditeur chez Grasset et chroniqueur au *Point*, on l'a dit, lui aussi quelques romans à son actif. Il faisait davantage prince du désert et on lui prêtait un joli palmarès féminin. Les deux jeunes hommes allaient en 1998 sceller leur alliance en unissant Justine, fille de BHL, au fils aîné de Jean-Paul, l'irrésistible et ténébreux Raphael. Le plus beau mariage de la décennie à Saint-Germain-des-Prés. L'équivalent de ce que serait en Californie une union entre la fille du regretté Steve Jobs et le fils de Bill Gates, si de tels rejetons existent. Une façon de dire : le titre de Rastignac est héréditaire, notre dynastie durera des siècles.

Le mariage explosa en plein vol, un certain week-end au palais de BHL à Marrakech, où Enthoven père avait amené pour un week-end sa dernière conquête, l'ex-mannequin Carla Bruni. Celle-ci, un peu Rastignac version féminine, avait lâché le père et était repartie avec le fils, dont elle aura un enfant. Même l'échec du plus beau mariage de la décennie prenait des allures grandioses et shakespeariennes.

Sur Bernard-Henri Lévy, tout a été dit. On connaît le parcours stupéfiant qui a fait de lui, sinon le grand intellectuel de son temps comme il l'aurait voulu, du moins l'écrivain le plus prolifique et médiatisé de son époque, en France et encore plus à l'étranger. Les ventes de ses livres sont devenues aléatoires au fil du temps : *Qui a tué Daniel Pearl ?* en 2003 et *American Vertigo* en 2006 ont été de gros succès de librairie. En revanche, les énormes pavés qu'il a publiés, tel Jules César après la conquête de la Gaule, sur ses aventures en Bosnie (*Le Lys et la Cendre*, 1996) et surtout en Libye (*La Guerre sans l'aimer*, 2011) ont été des échecs cuisants, surtout au vu du battage médiatique qui avait accompagné leur sortie. Idem pour *Ennemis publics* (2008), son échange de lettres avec Michel Houellebecq, qui avait été lancé comme un *blockbuster* hollywoodien, avec passage en direct au journal télévisé de France 2. Même chose en 2013 pour le nouveau pavé de quelque six cents pages accompagnant la (brillante) exposition thématique à la fondation Maeght — *Les Aventures de la liberté* — dont il était le concepteur et le commissaire. Quant à *Pièces d'identité*, ce modeste bouquin de mille cinq cents pages grand format qui reprenait des articles des années 2004-2009, on ne l'a guère vu non plus, très loin s'en faut, dans les listes des meilleures ventes.

Malgré ces légers creux de la vague, Bernard-Henri Lévy reste une célébrité parisienne. À la sortie de chacun des ouvrages qu'on vient de mentionner, il a fait le tour des grands médias, des émissions de radio sérieuses et des *talk-shows* télévisés les plus divers, y compris ceux qui n'invitent pas d'écrivains. Pour les médias en général et la télévision en particulier, BHL reste un bon client, et il fait On n'est pas couché, le samedi soir sur France 2, aussi bien que le très couru Grand Journal de Canal +, pour presque tous ses livres, y compris la publication d'une conférence dont le texte dormait dans un tiroir[1].

Incontestablement, l'irruption en 1977 au premier plan de l'auteur de *La Barbarie à visage humain* a changé quelque chose dans le paysage éditorial et littéraire. Le succès de l'opération *nouveaux philosophes* concoctée et orchestrée par la redoutable Françoise Verny, de la maison Grasset, a dépassé toutes les espérances. La télévision française était au sommet de son pouvoir et de son influence. Elle s'était débarrassée plus qu'à moitié du carcan étatiste et avait gagné une vraie crédibilité. Les chiffres d'audience étaient d'autant plus spectaculaires que l'offre se résumait à trois chaînes de télévision. Un numéro d'Apostrophes était un événement majeur, et l'émission spéciale consacrée par Bernard Pivot aux susdits nouveaux philosophes avait fait sensation. Bons ou mauvais, géniaux ou besogneux, les philosophes et essayistes les plus connus en France étaient jusqu'à une époque récente des messieurs d'un certain âge, des intellectuels discrets et austères qu'on allait entendre dans les amphis de la Sorbonne ou au Collège de France : ils s'appelaient Lévi-Strauss, Foucault, Le Roy Ladurie, Braudel ou Derrida. Par la magie de la télévision, la scène philosophique était envahie d'un seul coup par de

---

1. Un exercice médiatique parfois risqué. C'est au Grand Journal, en 2010, qu'il se fait attraper par l'affaire « Marcel Botul », du nom d'un faux philosophe inventé de toutes pièces par des humoristes, et sur lequel BHL, dans *De la guerre en philosophe*, disserte doctement pour ses exploits de penseur kantien au Paraguay. À force de publier beaucoup et de travailler rapidement, l'éternel nouveau philosophe n'avait pas eu le temps de subodorer le canular sous le Botul.

jeunes iconoclastes à cheveux longs. BHL n'avait pas tout à fait trente ans, il fumait encore et arborait ce qu'Angelo Rinaldi appellera «le plus beau décolleté de Paris». André Glucksmann avait dix ans de plus mais une allure d'éternel adolescent. L'affaire avait eu un tel succès que *Time Magazine* s'était penché sur le phénomène. La France, y était-il écrit, est «le seul pays où les philosophes ressemblent à des rock stars». Le célèbre hebdomadaire américain pensait en premier lieu à BHL, qui était la tête d'affiche du nouveau feuilleton. Avec lui et grâce à la puissance de feu de la télévision, Rastignac revenait sur le devant de la scène.

De ces beaux et brillants jeunes hommes, il y en avait toujours eu en France. Benjamin Constant, né en 1767 à Lausanne et mort à Paris en 1830, fut un Rastignac avant la lettre. Il connut une phénoménale popularité de son vivant. Ses funérailles parisiennes donnèrent lieu à une manifestation grandiose en faveur des idées libérales. Un peu plus tard dans le siècle, Lamartine incarna à son tour la figure du héros romantique, poète reconnu qu'on s'arrachait dans les salons à vingt-cinq ans, favori de ces dames. Alfred de Musset, célèbre à vingt ans dès ses premiers pas en littérature, fut un grand séducteur, l'amant de George Sand et de la tragédienne Rachel, et un éternel jeune homme, mort prématurément à quarante-sept ans en laissant derrière lui une œuvre abondante, dont des pièces de théâtre qu'on joue encore aujourd'hui. Les États-Unis ont eu James Dean : la scène littéraire parisienne en a vu passer tellement dans son genre depuis deux siècles qu'on renonce à en tenir le compte. Il y eut Raymond Radiguet, étoile filante qui mourut à vingt et un ans après avoir écrit deux romans ciselés. Roger Nimier, hussard en chef des années 1950, qui se tua à trente-sept dans un terrible accident de voiture. André Malraux, qui fut, dans sa prime jeunesse, un aventurier flamboyant et resta longtemps un jeune homme. Entre autres exemples.

Avec l'arrivée de Bernard-Henri Lévy — et l'avènement de la télévision —, le brillant jeune homme devient la règle. Qui n'a pas le look vaguement Rastignac et la crinière au vent a peu de chances d'arriver au premier rang et de s'y maintenir. On peut se demander si aujourd'hui Jean-Paul Sartre et Raymond Aron feraient la même carrière. Parmi les auteurs classés « nouveaux philosophes » à la fin des années 1970, ceux qui n'étaient pas télégéniques disparurent de l'actualité : Jean-Paul Dollé, Christian Jambet, Jean-Marie Benoist, Philippe Nemo et quelques autres.

En 1986, dans une veine parallèle, Alain Renault et Luc Ferry signèrent ensemble *La Pensée 68* et *Le Cas Heidegger*, deux livres qui les firent connaître. Alain Renault était un petit un peu rond, et Luc Ferry un grand maigre qui plaisait aux dames. Chacun reprit sa liberté. Renault disparut des écrans radars parisiens et Luc Ferry entama une brillante carrière : grands succès de librairie, un passage de deux ans comme titulaire du maroquin au ministère de l'Éducation.

Autre duo, plus journalistique, Hervé Hamon et Patrick Rotman écrivirent à quatre mains un essai sur *Les Intellocrates*, qui en 1981 eut un grand retentissement, puis en 1988 les deux tomes de *Génération*, émouvante enquête sur les soixante-huitards. Hamon était le petit rondouillard,

Rotman avait la gueule du séducteur germanopratin. Quand ils se séparèrent, en 1990, après une ultime biographie d'Yves Montand, Hervé Hamon continua d'écrire des livres mais retomba dans une relative discrétion, tandis que Patrick Rotman poursuivit son ascension : directeur de collection au Seuil, auteur de nombreux documentaires politiques de référence, scénariste talentueux et très demandé au cinéma.

En revanche, Alain Finkielkraut et Pascal Bruckner étaient au même titre deux jeunes hommes au visage avenant et au physique avantageux. Ils avaient tous deux des admiratrices. Ils devinrent des vedettes du 6ᵉ arrondissement dès la publication de leur premier essai, *Le Nouveau Désordre amoureux*, publié aux éditions du Seuil en 1977. Quand ils mirent fin à leur association, après un second ouvrage écrit en commun, ils firent tous deux des carrières littéraires et médiatiques de haut niveau.

Au XIXᵉ siècle, il était préférable d'avoir la bonne mine d'Alfred de Musset pour faire son chemin en littérature. Mais ce n'était pas une condition impérative et Balzac pouvait prétendre au succès. Aujourd'hui on se demande si Balzac, Flaubert ou Stendhal auraient encore une chance de percer.

Notons au passage que la question ne se pose même pas aux États-Unis. Les romanciers et les intellectuels ne passent pas à la télévision et n'ont de notoriété qu'auprès de leurs lecteurs, à moins d'avoir couché avec Marilyn Monroe ou d'avoir été mêlés à des scandales retentissants. Peu importent leur format, leur âge, leur look. En Allemagne, le critique littéraire le plus célèbre de son temps était un monsieur que l'on connut toujours âgé, pas vraiment doté d'une gueule d'acteur, et qui animait l'émission de référence à la télévision : Marcel Reich-Ranicki était né en 1920 et n'a jamais ressemblé à François Busnel ou à Frédéric Taddei. Mais en Allemagne on pense qu'il n'est pas obligatoire d'avoir une taille de guêpe, la crinière ondulante et la jeunesse éternelle pour faire de la littérature ou en discuter. À Paris cela devient en quelque sorte un prérequis.

Indépendamment de son incontestable talent de romancier, Patrick Modiano aurait-il fait une aussi brillante carrière s'il n'avait pas eu cette silhouette de grand adolescent, cette timidité élégante et ces difficultés d'élocution qui émouvaient tant les femmes ?

Rastignac est parmi nous. Prenez Franz-Olivier Giesbert, journaliste de haut vol, animateur de nombreuses émissions littéraires de qualité à la télévision, mais aussi auteur d'une vingtaine de romans et essais, dont en 1997 une monumentale biographie de François Mitterrand. Jamais on ne vit carrière plus rastignacienne. Même si sa notice biographique indique une naissance en 1949 aux États-Unis, c'était un petit gars d'Elbeuf en Normandie. Mère enseignante, père américain inclassable qui tâtait un peu de la peinture et beaucoup de la bouteille, battait sa femme, avait participé au débarquement à Omaha Beach en tant que simple GI[1]. On ne peut sous-estimer l'entregent

---

1. Voir le très beau livre que Giesbert a écrit sur le sujet, *L'Américain*, Gallimard, 2004.

de FOG, dont le seul titre de gloire était à l'origine un modeste diplôme du Centre de formation des journalistes de la rue du Louvre, qui était certes alors une jolie carte de visite, mais sans plus. À vingt-cinq ans, Giesbert était déjà journaliste vedette au *Nouvel Observateur* et tutoyait la moitié de la classe politique. François Mitterrand, qui toujours eut un faible pour les brillants jeunes hommes (Jack Lang, Attali, Debray, Georges-Marc Benhamou), fit de lui un favori et un confident. À vingt-huit ans, FOG publia une première biographie du chef du Parti socialiste : elle n'était pas trop méchante en comparaison des horreurs qu'il allait plus tard écrire sur le même Mitterrand, puis sur Jacques Chirac ou Nicolas Sarkozy, mais elle n'était pas non plus révérencieuse. Mitterrand s'en formalisa et cessa d'adresser la parole à son biographe pendant une quinzaine d'années. Entre-temps celui-ci était monté en grade. Il avait commencé avec *Monsieur Adrien* en 1982 une carrière de romancier assez étonnante de la part d'un patron de presse, car certains livres avaient un ton et un contenu très personnels.

À trente-six ans, on le retrouve directeur de la rédaction du *Nouvel Observateur* et dauphin de Jean Daniel : un couronnement équivalant à celui de cardinal-archevêque de Paris, du moins pour la rive gauche. Trois ans plus tard, en septembre 1988, coup de tonnerre : FOG abandonne *Le Nouvel Obs* et passe à l'ennemi, c'est-à-dire au *Figaro*, navire amiral de la presse de droite. Une trahison qui peut éventuellement vous fermer toutes les portes de la gentry parisienne et vous condamner au bannissement à vie. Manifestement, Giesbert s'amusait de ses propres incartades. Si l'on en croit la journaliste Marion Van Renterghem, qui prépare une biographie du personnage et a publié un long portrait dans *Le Monde magazine*, FOG a toujours conservé des amis fidèles, aussi différents que Laurent Joffrin, Jean-François Kahn, Alain Minc ou Denis Tillinac. Bien qu'il ait depuis vingt ans et sans vergogne reproduit dans ses livres les confidences *off* des plus puissants personnages de la République, ceux-ci, sauf exception, ne lui en tiennent pas rigueur et le rappellent. Certains d'entre eux, comme Sarkozy, croyaient s'en être fait un ami sûr, or c'était lui qui s'était introduit dans leur intimité pour mieux les piéger. Après une mise en quarantaine de l'infidèle, même Jean Daniel finit par dire du bien de lui, ce qui n'est pas la moindre des absolutions. Outre un talent littéraire indéniable, une capacité de travail phénoménale, une aisance parfaite à la télévision, un goût étonnant pour la transgression — confessions parfois dostoïevskiennes dans ses récits, protection jalouse de sa vie privée —, l'une des armes principales de Franz-Olivier Giesbert n'a-t-elle pas été la séduction ?

Dans certains cas aigus, notre Rastignac tourne à l'ange du mal et frôle les mauvaises manières. L'arriviste arrive à ses fins avec tant de facilité qu'il n'a plus le temps de faire carrière. Ainsi François-Marie Banier. J'avais vaguement découvert son existence à la fin des années 1970. Dans un article du *Monde* qui traitait, entre autres sujets d'importance planétaire, de la venue de John Travolta à Paris et de son passage au Palace, célèbre lieu de nuit de l'époque, on pouvait lire : « Il y avait même François-Marie Banier monté sur son scooter qui mitraillait Travolta de son Leica.» J'en avais conclu que ce Banier était quelqu'un d'important. En fait, il était déjà très connu.

On voit les photos d'alors : il avait une gueule d'ange. Né avenue Victor-Hugo dans le 16ᵉ arrondissement d'un père hongrois et d'une mère italienne qui écrivait des livres savants sur les travaux d'aiguille, inscrit à Janson-de-Sailly, il s'enfuit à quinze ans, en 1962, survit en vendant des dessins abstraits dans la rue, devient attaché de presse du couturier Pierre Cardin, puis photographe. Le 2 juin 1971, Louis Aragon signe un article dans *Les Lettres françaises* : «Un inconnu nommé Banier», où il le compare à Benjamin Constant et Stendhal. Banier fait des photographies (talentueuses) de nombreuses stars, écrit des romans. Il fait des apparitions dans de nombreux films, notamment de Rohmer, et incarne Robespierre dans *L'Anglaise et le Duc*, un film de 2001. Il s'installe en toute simplicité dans un hôtel particulier rue Servandoni, à proximité de l'Odéon et du Sénat. En 1972, *The Sunday Times Magazine* le proclame «Golden Boy of Paris». Paul Morand, mondain entre les mondains, note le 5 février 1975 qu'il a déjeuné «chez Hervé Mille, avec Banier, Chambrun[1], Arletty», et une «duchesse» non identifiée. «Banier dit que l'écrivain qu'Aragon préfère, c'est Valery Larbaud. Curieux.» Banier est introduit dans les milieux les plus sélects car il a en effet la caution d'Aragon. Du coup, d'autres puissants de la

---

1. Le gendre de Pierre Laval.

République recherchent sa compagnie, par exemple François Mitterrand, dont on a vu plus haut qu'il appréciait — en tout bien tout honneur — la compagnie des brillants jeunes hommes. On connaît la suite : Banier-Rastignac, introduit dans le cercle des Bettencourt, finit victime de ses succès et de ses dons de charmeur. Même s'il est, comme on le dit, un photographe de grand talent, ou même un artiste important, ses exploits auprès de Liliane Bettencourt et le petit milliard d'euros qu'il se serait fait offrir en échange du plaisir de sa conversation auront à jamais éclipsé son œuvre. Et il passera davantage à l'histoire au chapitre des garçons de compagnie célèbres.

À Paris les clones de Rastignac sont portés en triomphe. On les adule. Ils battent des records de popularité. Mais, au moment crucial et pour les affaires importantes, on se méfie un peu.

Jack Lang et Bernard Kouchner en ont été de parfaits exemples. Pendant quelques décennies, ils ont occupé les tout premiers rangs parmi les personnalités politiques préférées des Français. Une manifestation, sans doute, de cette schizophrénie parisienne bénigne dont on a déjà parlé. D'un côté on plébiscite les bons apôtres, de l'autre on encourage les plus fringants carnassiers de la vie publique.

Il est vrai que les deux hommes sont étonnants. À soixante-dix ans révolus, ils respirent un air d'éternelle jeunesse. Pendant deux ou trois décennies, ils ont arpenté la scène politico-médiatique à grandes enjambées, brillé sur tous les plateaux de télévision. Kouchner avait beau laisser entrevoir un peu trop franchement son goût pour le pouvoir et les ors de la République, le cofondateur de Médecins sans frontières avait un abord tellement sympathique! Jack Lang avait certes des manières de courtisan dont on se moquait et un peu trop d'habileté dans l'intrigue, mais il avait de l'aplomb et de la repartie dans les débats, et il était toujours à la fine pointe de la mode!

Les deux hommes semblaient avoir le monde à leurs pieds et, pourquoi pas, le chemin de l'Élysée grand ouvert devant eux. Finalement, ça n'a jamais marché. Au moment décisif, la machine s'est enrayée, ou plutôt ne s'est jamais mise en marche, comme si les concours de popularité perdaient toute valeur dès qu'on montait sur le ring électoral. Bernard Kouchner, chouchou des sondages, se faisait battre quand il se présentait aux élections législatives. Au sein du Parti socialiste, il n'est jamais parvenu à faire fructifier sa popularité. Jack Lang a fait une brillante carrière ministérielle sous Mitterrand mais n'a jamais réussi à passer la vitesse supérieure. Au PS, il n'a pas une foule d'amis et reste en marge. Quand il a eu des velléités de candidature à la présidence, en 1995 ou en 2007, elles n'ont pas duré longtemps. Il a songé à la mairie de Paris en 2001, puis s'est retiré au dernier moment en échange du ministère de l'Éducation. De Bernard Kouchner, on se demande s'il est fiable. De Jack Lang, en dehors de son amour de la culture, s'il a des convictions autres que d'être aimé des foules (et des jeunes). Rastignac séduit, mais a-t-on envie de lui confier le pouvoir suprême?

La preuve. Dans une histoire ancienne, avant le triomphe définitif de la télévision, un jeune ambitieux originaire de

Jarnac — et d'Angoulême où il fut éduqué — monta à Paris pour s'emparer du pouvoir suprême. François Mitterrand était un Rastignac plus vrai que nature. «Jeune, il était très beau», disait un jour avec un peu de nostalgie dans la voix Françoise Giroud à Bernard Pivot dans l'émission Bouillon de culture. L'homme en tout cas était un grand séducteur, un amateur de femmes, comme on l'a vu dans le portrait que Jean Cau faisait de lui. Il était à l'extrême centre de la vie politique sous la IVᵉ République, c'est-à-dire partout et nulle part. Il était impénétrable et imprévisible. On se méfiait de lui. Il avait brillamment réussi à unifier la gauche sous sa férule, mais à trois reprises dans les années 1970 (législatives de 1973, présidentielle de 1974, législatives de 1978), il avait échoué alors que la victoire de cette même gauche semblait à portée de la main. Mitterrand séduisait mais inquiétait. Quand arriva la présidentielle de mai 1981, le candidat avait déjà, on le saura plus tard, de gros problèmes de santé, il s'était fait limer les canines qu'il avait trop carnassières, et il avait pris à soixante-cinq ans un embonpoint vaguement pompidolien qui rassura le pays. À Paris, il est bon d'être un parfait Rastignac pour faire son chemin dans les salons et briller dans les sondages et sur le petit écran. Mais, si l'on vise la plus haute marche, il faut faire oublier le jeune loup, sacrifier à jamais l'éternel jeune homme qu'on a été.

15

Les flamboyantes

Toutes les Parisiennes ne sont pas flamboyantes, mais beaucoup le sont. Paris est sans conteste la terre d'élection de femmes extravagantes et non conformistes qui ont joué un rôle public majeur de leur vivant et laissé leur trace dans l'Histoire. Pour les Nord-Américaines, du moins celles qui sont informées de l'existence de la France — des Nord-Américaines éduquées et donc féministes à des degrés divers —, les Françaises en général et les Parisiennes en particulier sont à peu de chose près d'infortunées Méditerranéennes soumises au joug patriarcal, contraintes de vivre dans une société où on les considère comme des objets de plaisir et où on les évalue à leurs seules qualités esthétiques. En un mot ce sont des victimes.

N'entrons pas dans ce débat périlleux. On rappellera ici pour la forme qu'en effet les Françaises ont obtenu le droit de vote — en 1945 — bien plus tard que la plupart des femmes occidentales, que la contraception resta interdite jusqu'en 1967, que les femmes mariées durent attendre 1965 pour avoir le droit d'ouvrir un compte bancaire sans l'autorisation de leur mari. Cependant ces dispositions législatives rétrogrades ne reflétaient pas nécessairement l'état réel de la société française — et surtout pas parisienne —, et à la même époque où le code civil ou pénal traitait les femmes en mineures, Simone de Beauvoir devenait une vedette mondiale de la littérature avec *Le Deuxième Sexe*, Françoise Sagan, à moins de vingt et un ans, roulait à tombeau ouvert dans des voitures de sport en direction du casino de Deauville où elle claquait les millions (d'anciens francs) de ses droits d'auteur, Agnès Varda réalisait *La Pointe courte* à Sète, Marguerite Duras commençait à s'imposer comme la grande romancière française de la seconde moitié du siècle. Malgré le conservatisme régnant dans certains secteurs de la société, ces femmes éminentes n'étaient pas exactement des victimes, mais plutôt des égéries de la liberté qui allaient servir de modèles aux féministes — plus généralement aux femmes — du monde entier. On ne va pas nier l'importance que peuvent avoir des lois archaïques sur les comportements privés, mais la France s'est souvent fait une spécialité d'allier les contraires : d'un côté une législation parfois extrêmement répressive, de l'autre une liberté de parole et de mœurs allant jusqu'à la provocation. De penser comme des féministes américaines que la Française est un être aliéné parce qu'il y a des publicités suggestives pour les dessous Aubade sur les abribus est un raccourci abusif, pour ne pas dire une sottise.

Constatons en effet cette singularité historique : Paris est un microcosme où, depuis quelques siècles, un nombre important de femmes ont joué un rôle de premier plan dans le domaine littéraire ou politique, mené au grand jour une existence mouvementée pour ne pas dire scandaleuse, alors même que les femmes nord-américaines restaient totalement absentes de la sphère publique. Quand on cherche à dresser la liste des grandes héroïnes flamboyantes de l'histoire américaine, on doit se rabattre sur Calamity Jane (1852-1903) et Bonnie Parker (1910-1934), qui font plutôt figure de curiosités dans le contexte social et historique de leur époque, au même titre que Jeanne d'Arc ou Christine de Suède en leur temps. Ajoutons-y la chorégraphe Isadora Duncan (1877-1927) — mais qui laissa définitivement l'Amérique à vingt-deux ans pour pratiquer son art en Europe —, l'anarchiste Emma Goldman (1869-1940) — qui milita toute sa vie aux États-Unis mais n'avait quitté sa Russie natale qu'à l'âge de seize ans.

Paris est un théâtre où, bien avant d'autres pays comparables, de nombreuses femmes illustres ont tenu la vedette et donné le ton. Cela commence au début du XVIIᵉ siècle.

S'agissait-il d'une simple coïncidence ? Dans la capitale du royaume, deux femmes vont jouer un rôle essentiel pendant la première moitié du XVIIᵉ siècle. L'Italienne Marie de Médicis devient régente après la mort en 1610 d'Henri IV car son fils Louis XIII n'a que neuf ans. Elle exercera le pouvoir pendant sept ans, connaîtra la disgrâce, fera la guerre aux armées de ce même fils, retrouvera sa faveur et restera dans son proche entourage jusqu'en 1630. Mort prématurément en 1643, Louis XIII laisse à son tour un successeur en bas âge, et c'est sa mère, l'Espagnole Anne d'Autriche,

qui concentrera l'essentiel des pouvoirs entre ses mains —
avec l'aide de son favori Mazarin — et jouera un rôle de
premier plan jusqu'à la mort de ce dernier en 1661.

La Florentine et l'Espagnole, qui occupèrent les hauteurs du pouvoir pendant près de quarante ans à elles deux,
succédaient à Catherine de Médicis, qui avait joué un rôle
prépondérant pendant une trentaine d'années auprès de ses
trois fils montés tour à tour sur le trône à partir de 1560.
Cette succession en un siècle de trois femmes régentes —
de fait sinon en titre —, dans un pays où la loi salique
réservait le trône aux mâles, eut-elle pour effet de « fémini-
ser » les mœurs de la Cour et de la capitale ? Faut-il y ajouter l'influence civilisatrice de l'Italie, où les manières étaient
notoirement plus raffinées qu'elles ne l'étaient à Paris sous
Henri IV ? Toujours est-il que dès cette époque de grandes
figures féminines occupèrent le devant de la scène politique
pendant trois quarts de siècle

Le feuilleton, pour ce qui nous concerne, commence
dans les années 1615 dans les salons de l'hôtel particulier
de la marquise de Rambouillet refait à neuf, rue Saint-
Thomas-du-Louvre. La maîtresse des lieux, Catherine, est
comme par hasard elle aussi à moitié italienne par sa mère,
la princesse romaine Giulia Savelli. Pendant une trentaine
d'années, l'hôtel de Rambouillet sera le rendez-vous de tous
les beaux esprits de la capitale : le poète Vincent Voiture,
Malherbe — qui inventa l'anagramme d'Arthénice pour
la marquise —, Vaugelas, Corneille et bien d'autres. On y
vit même, à ses débuts parisiens, le cardinal de Richelieu,
titillé par le démon de la littérature, mais aussi les futures

vedettes de la Fronde : le prince de Condé, sa sœur Anne-Geneviève de Longueville, la Grande Mademoiselle, fille de Gaston d'Orléans, lui-même frère de Louis XIII. À l'hôtel de Rambouillet, on sacrifiait d'abord au culte de la littérature, et c'est peut-être dans ce salon fréquenté par le «Tout-Paris» — et précédant de vingt ans la fondation de l'Académie française — que *la chose littéraire* acquit en France la place éminente qu'elle conserva jusqu'à une date récente. «L'influence de Rambouillet fut considérable tant sur les mœurs que sur la langue, écrit l'historienne Brigitte Level. Les mœurs de soudards héritées des guerres de Religion avaient grand besoin d'être adoucies, et la langue, rude et grossière, d'être épurée[1].» Rue Saint-Thomas-du-Louvre, on pratiquait des jeux de rôle où Vincent Voiture était surnommé «El re Chiquito» et la belle Angélique Paulet «l'infante déterminée». On rivalisait dans les divertissements littéraires : rondeaux, énigmes, métamorphoses. On composa à plusieurs mains *La Guirlande de Julie*, poésie en l'honneur de la fille aînée de la maison. La marquise de Rambouillet, en quelque sorte, installa au premier plan de la société parisienne à la fois l'art de la conversation et de la galanterie, le respect de la langue et de la littérature. Et d'une certaine manière mit la femme à l'honneur.

Des flamboyantes, il y en eut plusieurs dans cette première moitié du XVIIe siècle. Elles jouèrent notamment un rôle de premier plan pendant cette période de folle effervescence que fut la Fronde. Qu'il suffise de rappeler

---

1. Évelyne Lever, *Dictionnaire du Grand Siècle*, Fayard, 1990.

la duchesse de Chevreuse, née avec le siècle en 1600, maîtresse femme qui, par goût de l'intrigue autant que par amitié pour Anne d'Autriche, consacra dix années de sa vie à monter des complots contre Richelieu, se déguisa en homme et s'enfuit en Espagne à cheval pour échapper aux sbires du cardinal. À peu près rentrée en grâce à la mort du ministre, en 1642, elle recommença à comploter dès le déclenchement de la Fronde, en 1648, joua de sa fille Charlotte comme d'une monnaie d'échange auprès du cardinal de Retz puis du prince de Conti, repartit à cheval aux Pays-Bas quand le vent tourna. Elle eut des amants dont la liste exhaustive n'a pas été établie et ne renonça à la vie amoureuse qu'à l'âge de soixante-quatorze ans, cinq ans avant sa mort. De vingt ans sa cadette, Anne-Geneviève de Longueville, née en 1619 au donjon de Vincennes où ses parents étaient emprisonnés pour rébellion, fut elle aussi une intrépide aventurière qui, plongée à vingt-neuf ans dans le tourbillon de ces années folles, «avait pris goût à son rôle d'amazone[1]», sillonnait le pays, allait lever des troupes en Normandie ou dans le Languedoc. Quant à la Grande Mademoiselle, elle était «majestueuse, de taille élevée, d'une sorte de beauté virile qui laissait les hommes plutôt indifférents[2]», elle était davantage attirée par le pouvoir que par la galanterie. On la vit s'emparer de la ville d'Orléans à la tête d'une cavalerie. Le 2 juillet 1652, alors que l'armée de Condé est en train de se faire massacrer devant la porte

1. Simone Bertière, *La Vie du cardinal de Retz*, Éd. de Fallois, 1990.
2. Évelyne Lever, *Dictionnaire du Grand Siècle*, *op. cit.*

Saint-Antoine, elle monte dans une tour de la Bastille et fait tirer au canon contre les troupes loyalistes de Turenne, ce qui permet au dernier carré des Frondeurs de se réfugier à l'intérieur des murs. Condamnée comme Mme de Longueville à une semi-disgrâce par le jeune Louis XIV, qui a définitivement terrassé la Fronde, elle finira comme elle retirée dans un couvent. Ces épisodes épiques, le rôle politico-militaire singulier tenu — entre autres — par ces trois héroïnes, ont inspiré à Alexandre Dumas un roman joyeusement intitulé *La Guerre des femmes*.

Ce début de XVIIᵉ siècle ne fut pas une simple parenthèse. Il inaugurait au contraire le temps de l'arrivée au premier plan d'une lignée de femmes impétueuses, qui furent elles aussi à leur manière de grandes figures de leur époque.

Anne Lefebvre-Dacier (1654-1720) fut l'un des grands philologues de son temps. Elle édita une douzaine d'auteurs latins ou grecs tombés dans l'oubli, et ses traductions de Plaute, Aristophane et surtout Homère firent longtemps autorité. Dans son discours de réception à l'Académie française, en 1694, La Bruyère suggéra son élection au sein de cette assemblée strictement masculine qui n'allait ouvrir les portes aux femmes qu'en octobre 1980 avec la cooptation de la romancière Marguerite Yourcenar.

Mme de Pompadour (1721-1764) a connu une trajectoire nettement plus spectaculaire. Son père était un homme d'affaires monté en grade et bientôt rattrapé par la justice, forcé de fuir la France quand sa fille avait cinq ans. De surcroît il s'appelait Poisson. Heureusement sa mère, Madeleine de La Motte, était une beauté qui faisait son chemin dans les salons distingués. C'est grâce à elle que Jeanne-Antoinette Poisson, élevée dans les meilleures écoles, devint à vingt ans Mme Le Normant d'Étioles, jeune et belle épouse d'un riche sous-fermier général, partageant son temps entre un château proche de Sénart et son salon parisien qui devint aussitôt à la mode et où Voltaire, l'abbé de Bernis et Crébillon avaient leurs habitudes. À vingt-trois ans, elle devient la nouvelle favorite officielle de Louis XV. Des favorites, il y en a toujours eu. Mais Mme d'Étioles est la première qui soit d'origine roturière. Elle est également la première à jouer un rôle politique aussi prééminent. Pendant près de vingt ans, jusqu'à sa mort en 1764, elle tient le rôle de proche conseiller du roi, intervient dans les affaires diplomatiques, fait congédier ministres et grands commis. Par-dessus tout, elle jouera un rôle déterminant dans la propagation des idées des Lumières, accordera sa protection à Voltaire, lui fera donner une charge d'historiographe et permettra son élection à l'Académie française en 1747. Elle posera pour Quentin La Tour avec sur sa table *L'Esprit des lois* de Montesquieu, ouvrage mis à l'Index en 1751 par le Vatican. Elle encouragera la publication des deux premiers volumes de *L'Encyclopédie* de Diderot et d'Alembert.

Détail anecdotique ou symbolique : l'hôtel d'Évreux, dont elle avait fait sa résidence parisienne et qui était passé de main en main pendant plus d'un siècle, est finalement devenu en 1879 la résidence officielle des présidents de la République sous l'appellation palais de l'Élysée. Le fantôme d'une favorite hante la République.

Mme de Pompadour était une grande Parisienne, pas seulement parce qu'elle était née dans la capitale et avait été baptisée à l'église Saint-Eustache, mais parce que, pendant vingt ans, elle fut une actrice majeure de la vie politique et intellectuelle, une intermédiaire privilégiée entre les grands penseurs et le pouvoir monarchique, une forte personnalité qui inventa sa propre vie et sortit des chemins battus. Une telle carrière ne pouvait se dérouler que dans la capitale, là où l'on trouvait l'essentiel du pouvoir, les grands salons et la quasi-totalité des grands écrivains. Là où, à la faveur de l'agitation d'une grande ville et du brassage des populations les plus diverses, on pouvait s'écarter du conformisme ambiant.

L'effervescence parisienne produit de grandes figures — notamment féminines — qui sortent de l'ordinaire. Parce que tout semble possible dans cette agglomération fiévreuse, elle attire de leur province natale les fortes têtes, les personnages hors norme, les Rastignac hommes et femmes, les illuminés et les chefs de meute pour leur offrir une scène de théâtre à la hauteur de leurs ambitions, une caisse de résonance digne de leur discours.

Après Mme de Pompadour et la chute de l'Ancien Régime, les aventurières continuent de défiler sous les projecteurs. Des aventurières ? Disons des femmes de tempérament qui, d'origine modeste ou obscure, débarquent à Paris et, au mépris de tous les conformismes, se taillent une place dans l'Histoire.

Juliette Récamier (1777-1849) est peut-être la plus

conventionnelle. Issue de la bonne bourgeoisie lyonnaise, Julie Bernard a tout de même cette particularité d'avoir épousé, à quinze ans, en pleine Terreur, un riche banquier du nom de Jacques-Rose Récamier, qui a l'âge de ses parents — et qui était vraisemblablement son père naturel. Ce mariage arrangé — et platonique — lui permet, dès le début de la vingtaine, de tenir l'un des salons les plus brillants de Paris, dans ce qui est aujourd'hui la rue de la Chaussée-d'Antin. Sa beauté, son élégance, son esprit et son originalité font d'elle l'une des reines de Paris sous le Directoire. Son salon devient sous le Consulat puis l'Empire le point de ralliement de tous les opposants libéraux à Napoléon, qui tente vainement de se l'attacher en lui proposant des charges prestigieuses et lucratives.

Mme Récamier resta célèbre et influente malgré un exil forcé lors des trois dernières années de l'Empire, et les gros revers de fortune de son mari. Elle avait les hommes de la bonne société à ses pieds. Benjamin Constant se consuma d'amour pour elle. Par la suite, à partir de 1817, elle entreprit une liaison passionnée puis amicale avec Chateaubriand. En 1819, elle dut se replier dans un modeste appartement au premier étage de l'abbaye aux Bois, situé à l'emplacement de l'actuelle rue Récamier, une impasse donnant dans la rue de Sèvres. Pendant vingt ans, outre Chateaubriand, elle y reçut Tocqueville, Balzac, Edgar Quinet, Sainte-Beuve, des artistes, des acteurs célèbres comme Rachel et Talma. Elle fut l'amie intime de la célèbre romancière Germaine de Staël, fille de Jacques Necker, l'ancien ministre des Finances de Louis XVI, l'une des femmes les plus influentes de son temps. Elle était invitée à Naples par le «roi» Murat et sa femme, Caroline Bonaparte, qui la fréquentait malgré la brouille avec Napoléon.

Appartenant à la génération précédente, longtemps retombée dans l'oubli, Olympe de Gouges (1748-1793) fait passer rétrospectivement Mme Récamier pour une paisible patricienne lettrée. De son vrai nom Marie Gouze, elle est probablement la fille naturelle du marquis Lefranc de Pompignan, auteur dramatique alors connu, mais apparaît à l'état civil comme l'enfant de Pierre Gouze, boucher à Montauban. En 1765, à l'âge de seize ans, on l'a mariée à un fonctionnaire de la généralité de cette ville du sud-ouest de la France, qui a trente ans de plus qu'elle. Il lui fait un fils, puis a le bon goût de mourir noyé dans une crue du Tarn avant la fin de 1766. En 1770, celle qui se fait désormais appeler Olympe de Gouges monte à Paris, tombe dans les bras d'un riche patron de fournitures militaires, Jacques Biétrix de Rozières, qui lui propose le mariage. Elle refuse «par principe» car elle prône l'union libre, au risque de passer pour une demi-mondaine. Rozières l'installe au cœur de la rive gauche dans une belle maison de l'actuelle rue Servandoni, puis lui offre une troupe de théâtre itinérante en région parisienne qu'elle dirige elle-même. Elle figure dans l'édition 1774 de *L'Almanach de Paris*, le *Who's who* de l'époque. En 1785, sa pièce *Zamore et Mirza*, vibrant réquisitoire contre l'esclavage, est inscrite au répertoire de la Comédie-Française.

Olympe de Gouges écrit d'abondance. On suppose que la plupart de ses œuvres ont mal vieilli. Il a fallu les éditions

Cocagne, une maison de Montauban, sa ville natale, pour tirer de l'oubli la quarantaine de pièces de théâtre, la trentaine de romans et textes divers, la centaine de pamphlets, discours et textes de circonstance qu'elle a écrits en une vingtaine d'années. Pour l'instant, on en est à quatre forts volumes, qui totalisent près de mille cinq cents pages. Avis aux amateurs.

Olympe de Gouges est une flamboyante, une passionnée, une provocatrice. S'intéresser au sort des esclaves noirs aux Antilles au milieu des années 1780 n'est pas donné à tout le monde. On s'étonne que la très officielle Comédie-Française ait accepté au répertoire sa pièce de 1785 — rebaptisée *L'Esclavage des Noirs* et jouée en 1792 —, mais en fait celle-ci vaut aussitôt de gros ennuis à son auteur : la pièce est retirée du répertoire du Français, et on parle d'envoyer la séditieuse à la Bastille.

Olympe de Gouges fait feu dans toutes les directions, et souvent à bon escient. Sous l'Ancien Régime finissant elle se pose en opposante «libérale» inspirée des Lumières et fait parfois preuve d'imprudence. Outre qu'elle soulève la question de l'esclavage — qui sera brièvement aboli par la Révolution avant d'être rétabli par Bonaparte —, elle est la première à affirmer de manière radicale le principe de l'égalité des sexes. En septembre 1791, elle publie une *Déclaration des droits de la femme et de la citoyenne*. Le texte fait grand bruit et horrifie les sans-culottes, des révolutionnaires qui n'ont pas envie d'une révolution au foyer. Mais Olympe de Gouges n'est pas du genre à se laisser oublier. Les pamphlets succèdent aux adresses, elle interpelle les puissants, tire à boulets rouges sur la Comédie-Française, elle se met en scène et se mêle de tous les événements politiques. Ralliée aux Girondins, elle condamne avec véhémence les massacres de septembre 1792 et dénonce les agissements de Marat. Un peu plus tard, elle s'offre publiquement pour participer à la défense de «Louis Capet» au côté de Malesherbes, ce qui provoque des sarcasmes. Elle poussera l'imprudence jusqu'à dénoncer les ambitions dictatoriales de Robespierre dans des pamphlets divers dont un mystérieux *Pronostic de Maximilien Robespierre, par un animal amphibie*, paru le 5 novembre 1792. Olympe de Gouges fait preuve de beaucoup d'énergie et de fantaisie, mais également d'une certaine inconscience. Dans les derniers soubresauts de la Terreur robespierriste, elle est arrêtée, emprisonnée, sommairement jugée et guillotinée le 3 novembre 1793 à l'âge de quarante-cinq ans.

Mise à part sa *Déclaration des droits de la femme*, qui a un caractère historique, ses œuvres ne sont pas passées à la postérité. Il fallut attendre la fin des années 1970 pour qu'on redécouvre cette personnalité extrêmement singulière qui souffrait peut-être d'hyperactivité et de narcissisme, mais qui sur le plan des droits des femmes fut une visionnaire. Dans sa *Déclaration des droits*, en 1791, elle eut cette phrase admirable : «La femme a le droit de monter à l'échafaud, elle doit avoir également celui de monter à la tribune.»

Au XIXᵉ siècle, Olympe de Gouges a au moins trois héritières célèbres. Flora Tristan (1803-1844), George Sand (1804-1876) et Louise Michel (1830-1905) sont elles aussi des aventurières, qui ont mené leur vie personnelle en toute liberté au mépris des lois en vigueur, des préjugés et des conventions. Ce n'est sans doute pas un hasard si elles ont en commun avec leur devancière une origine familiale incertaine, qui explique en partie cette volonté rebelle. Flora Tristan était la fille d'un colonel espagnol qui avait épousé sa mère religieusement à Barcelone mais était mort cinq ans plus tard sans jamais signer les documents pour l'état civil. Flora fut donc toujours considérée comme une enfant illégitime et une « paria », pour reprendre le titre d'un de ses plus célèbres ouvrages[1]. George Sand avait pour grand-mère la fille reconnue mais illégitime du maréchal de Saxe. Son père avait fait à Nohant un mariage d'amour avec une ouvrière avant de mourir prématurément. Dans une petite ville de province, ces nuances de caste ne passaient pas inaperçues, et Aurore Dupin, la future George Sand, se résigna, à la mort de sa grand-mère, à épouser à dix-huit ans le premier homme venu, Casimir Dudevant, « fils mal dégrossi d'un baron d'Empire (…) hobereau de village sans esprit, occupé de chasse et de chiens », écrit l'historien Michel Winock[2]. D'où cette idée, d'abord de prendre des amants, ce qui fut fait, puis de monter à Paris pour connaître la vie, jouir de sa liberté et se livrer à l'écriture sous le nom de George Sand. Louise Michel, pour sa part, était le fruit d'amours ancillaires entre une servante, Marie-Anne Michel, et Laurent Demahis, le fils de la famille, au château de Vroncourt, en Champagne. Elle a une bonne

---

1. *Pérégrinations d'une paria*, Paris, 1838.
2. Michel Winock, *Les Voix de la liberté*, Seuil, 2001.

éducation, appelle les châtelains ses grands-parents, mais porte le nom de sa mère. Après la mort des Demahis — père et grands-parents —, la fille illégitime et sa mère reçoivent un petit pécule pour solde de tout compte. Louise Michel devient institutrice. En 1856, à vingt-six ans, elle monte à Paris où elle finira par ouvrir sa propre école primaire, rue Oudot dans le 18ᵉ arrondissement.

Par la suite, leurs vies divergent, mais les trois héroïnes ont en commun le goût de la provocation ou en tout cas une indifférence totale au qu'en-dira-t-on.

Débarquée à Paris en 1831, à l'âge de vingt-sept ans, George Sand, écrit l'un de ses biographes, « mène la vie de bohème, scandalise les bourgeois par la crânerie avec laquelle elle accepte sa condition de "déclassée", par ses accoutrements masculins, par sa façon de fumer la pipe et le cigare, par ses aventures sentimentales[1] ». Elle a eu deux amants avant même de quitter Nohant, elle emmène à Paris le troisième, l'écrivain Jules Sandeau. Deux ans plus tard, en 1833, elle rencontre Alfred de Musset, avec qui elle mettra en scène, selon le même Michel Winock, « l'ar-chétype durable de l'amour romantique (à la française), impossible et déchirant, égoïste et parfaitement libre, mor-bide et insolent[2] ». Il y aura d'autres amants plus ou moins éphémères, puis Frédéric Chopin, qu'elle fréquentera une dizaine d'années avant de s'assagir. Mme George Sand mène une vie scandaleuse et veut être « une compagne

---

1. Michel Mourre, « George Sand », *Dictionnaire des auteurs*, Laffont-Bompiani, 1952, tome IV.
2. Michel Winock, *op. cit.*

libre », ce qui est pour le moins original en ces années-là. Sa rencontre en 1840 de deux militants saint-simoniens, Pierre Leroux et Michel de Bourges, inaugure sa période « socialiste ». Elle écrit des romans « engagés » ou « sociaux », soutient *La Revue indépendante* de Pierre Leroux, publie des poètes ouvriers. Elle signera avec humilité des reportages sur la condition des ouvriers boulangers de Paris, sur le socialisme. Mais en 1848, lorsque la Révolution qu'elle a accueillie avec enthousiasme tourne aux affrontements armés, elle rompt avec la gauche républicaine, se retire dans son château de Nohant où elle déclare se désintéresser désormais des « événements » pour se consacrer à « un idéal de calme, d'innocence et de rêverie ». En 1871, elle sera horrifiée par la Commune de Paris, qu'elle juge « infâme » et « ignoble », et ira jusqu'à reprocher à Victor Hugo sa prise de position humaniste en faveur de l'amnistie générale des condamnés. Antimonarchiste convaincue, elle estime que seule une république conservatrice et garante de l'ordre — celle de Thiers en l'occurrence — peut rallier la France profonde des villages et des villes moyennes. George Sand n'est pas pour autant rentrée dans le rang : elle a fait de la politique, elle n'en fait plus, mais elle garde sa liberté de pensée et de parole.

Du même âge qu'Aurore Dupin à une année près, Flora Tristan apparaît sur la scène parisienne à peu près en même temps qu'elle. Bien que, de l'avis de ses contemporains, elle ait été d'une grande beauté, elle n'avait pas la fibre amoureuse — un mariage d'amour à quinze ans avait été annulé à cause de sa « bâtardise » —, mais c'était une personnalité étonnamment romanesque. À seize ans elle se retrouve avec sa mère dans un taudis du quartier Maubert, sur la rive gauche, et commence à travailler comme ouvrière coloriste. Par nécessité, elle épouse son patron, l'artisan André Chazal, qui lui fait trois enfants. Passionnée, excessive, insatisfaite de son sort, elle lui mène une vie infernale et finit par quitter le foyer conjugal. En 1825, à vingt-deux ans, elle disparaît en Angleterre, où elle sera femme de chambre jusqu'à son retour en France trois ans plus tard. Elle cherche à obtenir le divorce — mais il a été supprimé du code civil à la Restauration. En 1833, elle s'embarque pour le Pérou visiter la famille de son père, et y reste une année. Elle en ramènera la matière de *Pérégrinations d'une paria*, publié début 1838, et qui a un grand succès : Flora devient du jour au lendemain une personnalité littéraire. C'en est trop pour le mari délaissé. Il achète deux pistolets et, le 7 juin 1838, tire sur elle en pleine rue. Flora sera entre la vie et la mort pendant quelques jours et elle gardera à jamais dans son corps la balle qui s'est logée au-dessus du sein gauche. Mais elle vit. Et elle est débarrassée de son infortuné mari, condamné à vingt ans de prison à l'issue d'un procès dont se régale la presse.

Personnalité singulière, qui fréquente les saint-simoniens et tient salon dans son appartement de la rue du Bac, elle redevient enquêtrice de terrain et repart en Angleterre d'où elle ramène *Promenades dans Londres*, récit de ses visites dans les prisons, les hospices, les quartiers misérables. Le sort de l'ouvrier anglais est pire que celui de l'esclave, écrit-elle, car ce dernier a au moins l'assurance d'avoir un bout de pain à la fin de la journée. Publié en 1840, ce récit fait de Flora une figure majeure du mouvement social et utopiste. Dans la foulée, elle publie un manifeste, *L'Union ouvrière*, où elle prône l'association des sept ou huit millions d'ouvriers français au sein de la même organisation, financée par une modeste cotisation de ses membres. Son projet est soutenu financièrement par Eugène Sue, George Sand, Victor Cousin, Louise Colet, Louis Blanc, les acteurs Frédérick Lemaître et Marie Dorval. Bien que résolument opposée à toute violence, Flora Tristan est devenue une icône de la révolution sociale, se promène de ville en ville pour diffuser son message. C'est au cours d'une de ses tournées que, épuisée, elle tombe gravement malade à Bordeaux et y meurt, le 14 novembre 1844. Elle avait quarante et un ans. Sa disparition est largement commentée dans la presse nationale. La «bâtarde» était devenue une figure majeure de l'histoire du mouvement ouvrier et de ce qu'on n'appelait pas encore le féminisme.

Louise Michel n'était pas particulièrement intéressée par la cause des femmes, celle-ci n'était qu'un aspect de la révolution prolétarienne. Une révolution sans limites et sans concession : à partir de la Commune, Louise Michel se déclarera opposée à la «duperie» du suffrage universel et favorable à la prise du pouvoir par la rue. «Quelle est la part de sa bâtardise dans son caractère? écrit Michel Winock. C'est une extrême, une hypersensible, d'autres diront moins généreusement une furie[1].» Pendant longtemps, c'est une

1. *Op. cit.*

jeune femme pieuse et royaliste. Après son arrivée à Paris à vingt-six ans, elle fait peu à peu son éducation politique dans des cours d'instruction populaire donnés par le républicain Jules Favre. Elle lit Darwin, Claude Bernard, se rapproche des blanquistes. Mais c'est la Commune qui par ses excès mêmes et sa dimension tragique la révèle à elle-même : « Oui, barbare que je suis, écrit-elle, j'aime l'odeur de la poudre, la mitraille dans l'air, mais je suis surtout éprise de la révolution. »

Qu'elle ait été exaltée, cela ne fait aucun doute. En pleine Commune, elle se porte volontaire pour aller seule à Versailles assassiner Adolphe Thiers. Pendant la Semaine sanglante, elle fait le coup de feu sur les barricades, voit tomber les camarades autour d'elle, lit Baudelaire entre deux assauts. La mort ne lui fait pas peur et, dans ses Mémoires, elle ne manifeste aucun regret pour les excès de la Commune, l'exécution des otages, l'incendie de l'Hôtel de Ville et de divers « palais de la bourgeoisie » : « Alors s'allumèrent comme des torches les Tuileries, le Conseil d'État, la Légion d'honneur, la Cour des comptes. Qui sait si, n'ayant plus leur repaire, il serait aussi facile aux rois de revenir. » Surnommée on ne sait quand la vierge rouge, elle a renoncé par avance à tout amour charnel — sa passion pour le communard Théophile Ferré restera platonique — et c'est à la révolution qu'elle a voué sa vie. Sans frivolité aucune, mais avec panache.

Dans les dernières heures de la Commune, elle croise l'un des chefs militaires de l'insurrection : « Un peu après passa Dombrovski à cheval avec ses officiers. — Nous sommes perdus, me dit-il. Non! lui dis-je. Il me tendit les deux mains. C'est la dernière fois que je l'ai vu vivant.» Un peu plus tôt, on l'a vue sur une barricade, sans doute au cimetière Montmartre : «Cette fois, l'obus tombant près de moi, à travers les branches, me couvrit de fleurs. C'était près de la tombe de Murger[1].»

À son procès, elle assume l'exécution des généraux versaillais qui a marqué le début de la Commune, et déclare avoir participé aux incendies dans Paris. «Je ne veux pas être défendue, conclut-elle. Si vous n'êtes pas des lâches, tuez-moi!» Condamnée à la déportation en Nouvelle-Calédonie après vingt mois de détention, elle fait la traversée enfermée comme d'autres dans une cage sur le pont avant, admire les paysages, «les maisons de Palma sorties des flots, la haute mer du Cap», elle compose des poèmes qu'elle échange avec Henri Rochefort, pamphlétaire communard enfermé dans une cage voisine. En Nouvelle-Calédonie, elle exige d'avoir le même traitement de rigueur que les hommes. Elle prendra le parti des Kanaks victimes de la répression et qui se sont insurgés en juin 1878. Autorisée de séjour à Nouméa cette année-là, elle reprendra son métier d'institutrice jusqu'à l'amnistie pleine et entière proclamée le 11 juillet 1880.

À son retour à Paris, des milliers de sympathisants l'acclament à l'arrivée du train de Dieppe. Au premier rang, Georges Clemenceau, Louis Blanc et Henri Rochefort. Elle

---

1. Louise Michel, *La Commune, histoire et souvenirs*, La Découverte, 1999. Henry Murger était l'auteur de *La Vie de bohème*, dont Puccini tirera le célèbre opéra.

consacrera le quart de siècle suivant à prêcher la révolution, à haranguer les foules, à brandir le drapeau noir de l'anarchisme. En 1883, aux Invalides, la manifestation de sans-travail qu'elle conduit se termine par le pillage de trois boulangeries. Elle est condamnée à six ans de prison : elle en fera trois avant d'être graciée en janvier 1886. Au mois d'août de la même année, elle est arrêtée suite à un meeting avec Jules Guesde en faveur des mineurs en grève de Decazeville et passe quatre mois en prison. En janvier 1888, elle est attaquée par un militant monarchiste à la sortie d'un meeting et blessée à la tête par balle : elle refuse de porter plainte contre son agresseur. En avril 1890, elle est de nouveau arrêtée suite à une manifestation qui s'est terminée dans la violence. Elle refuse sa mise en liberté provisoire si ses coïnculpés ne sont pas eux-mêmes relâchés. Elle casse tout dans sa cellule, un médecin suggère son internement dans un asile. Elle a soixante ans, et les autorités, qui craignent un scandale, la libèrent en août.

Elle continuera ainsi — de meetings survoltés en congrès anarchistes — jusqu'à sa mort en 1905 à Marseille, à l'âge de soixante-quinze ans. Elle aura droit à des funérailles grandioses, de la gare de Lyon où on a ramené sa dépouille, jusqu'au cimetière de Levallois-Perret.

Pour produire des héroïnes flamboyantes, il faut que les époques le soient également. Le XXᵉ siècle, malgré deux guerres mondiales, n'a plus vraiment fourni l'occasion de monter sur les barricades. Mai 68 ne fut pas la Commune. Arlette Laguillier aurait pu tenir le rôle de Louise Michel, mais il n'y a plus de vraies barricades où faire le coup de feu. Nathalie Ménigon et Joëlle Aubron furent moins, dans les années «Action directe», des icônes de la Révolution que deux malheureuses *desperadas* égarées dans un combat terroriste d'arrière-garde.

Nous voilà donc dans la banalité des temps de paix. Mais de ces épisodes héroïques du passé il reste à Paris quelque chose qui ressemble à une tradition : en des temps reculés où sans exception le pouvoir était monopolisé par les hommes, et le devant de la scène occupé par eux, des femmes exceptionnelles ont joué à Paris un rôle déterminant, se sont imposées sur le plan des idées, ont bravé les conventions, et l'opinion, pourtant conservatrice, les porta en triomphe. Peut-être étaient-elles le reflet d'une éternelle contradiction française et parisienne : ici on se résigne davantage qu'ailleurs à des régimes politiques autoritaires car on les estime nécessaires au maintien de l'ordre, et à des gouvernants corrompus car on connaît la faiblesse humaine. Mais, de temps à autre, on se réjouira de l'irruption d'un militant exalté et talentueux qui vitupère l'ordre établi, prêche le bonheur pour tous et la société idéale. Et tant mieux si le rebelle est une femme.

Au xxᵉ siècle, les militantes ont disparu, mais au profit de quelques artistes et romancières. La littérature occupe, on l'a dit et répété, une place prééminente dans le système de valeurs national et sur la scène parisienne — alors que, sauf exception, les écrivains anglo-saxons ne sont jamais devenus des personnages publics, pas plus que les romancières anglaises, telles Jane Austen ou les sœurs Brontë, qui se sont presque cachées pour écrire. À Paris, on le sait, les grands romanciers deviennent — ou ont longtemps été — des personnages publics et médiatisés. Par le biais de la littérature, plusieurs femmes ont donc à leur tour occupé le devant de la scène et joué un rôle majeur. Pour aller vite on se contentera de citer, outre Colette, Simone de Beauvoir — l'un des Français les plus connus à l'étranger —, Marguerite Duras, Nathalie Sarraute, Françoise Sagan. À quoi on ajoutera deux scandaleuses déjà citées ailleurs : Catherine Millet pour son étonnant récit, *La Vie sexuelle de Catherine M.* et Régine Deforges qui posait nue dans *Lui* à la fin des années 1960 et publiait alors des classiques licencieux dans un pays de censure. Plus tôt dans le siècle, Coco Chanel avait ouvert la voie.

Dans un registre plus classique, on ajoutera dans le désordre l'avocate Gisèle Halimi, la sémiologue Julia Kristeva, célèbre aux États-Unis, ou Rachida Dati, dont la trajectoire personnelle a été passablement romanesque. L'héroïne parisienne est toujours un peu mal-pensante, iconoclaste, irrespectueuse de l'opinion. Certaines donnent dans la tragédie et le fantasque, telle Sarah Bernhardt, d'autres préfèrent le genre voyoute, telle Arletty, qui fut l'incarnation idéale de la Parisienne délurée et spirituelle et le resta, même si elle avait fait preuve de *légèreté* pendant l'Occupation en donnant son cœur à un officier allemand quand il ne le fallait pas. Mais elle assuma et, devant ses juges, fit preuve de tant d'humour que personne ne lui en tint vraiment rigueur.

Paris est un microcosme où, depuis longtemps, il se

passe des choses étonnantes en matière de mœurs. Le 16 mars 1914, une bourgeoise élégante se présente au *Figaro* et demande une audience à son directeur, Gaston Calmette. Il s'agit d'Henriette Caillaux, seconde épouse d'un homme clé de la IIIᵉ République, Joseph Caillaux, président du parti radical et ministre des Finances. Depuis des semaines, *Le Figaro* mène une campagne forcenée contre son mari, publie des lettres de caractère privé, menace d'en publier de nouvelles le 17 mars. La veille du jour fatidique, Mme Caillaux est donc introduite dans le bureau de Calmette. De son manchon elle sort un petit browning et vide le chargeur sur le directeur, qui reçoit quatre balles à bout portant et décède le soir même à l'hôpital.

Que croyez-vous qu'il arriva ? Certes, le procès aux assises avait été fixé au 20 juillet 1914, et les menaces de guerre étaient déjà dans toutes les têtes. Certes, Joseph Caillaux — qui venait d'être réélu aux législatives d'avril-mai malgré le scandale — avait des amis et de l'influence. Certes, les magistrats avaient été choisis avec soin et l'avocat général fit preuve d'une étrange mansuétude dans son réquisitoire. Mais tout de même. Le 27 juillet, Henriette Caillaux fut purement et simplement acquittée, son célèbre avocat Fernand Labori ayant plaidé le « crime passionnel », mais aussi l'« égarement » féminin. On discute encore pour savoir si le tribunal n'avait pas fait preuve d'une misogynie encore plus pernicieuse en considérant la meurtrière comme irresponsable pour la seule raison qu'elle était une femme.

Le verdict provoqua un petit scandale. Cela ne dura pas car quatre jours plus tard Jean Jaurès était assassiné, et la

France entrait en guerre. Par la suite Henriette Caillaux devint une distinguée historienne de l'art, diplômée de l'École du Louvre où elle se spécialisa dans l'œuvre du sculpteur Jules Dalou. Quant à Joseph Caillaux, il poursuivit une carrière politique de premier plan. En 1940 il présidait encore la commission des Finances de l'Assemblée et, comme bien d'autres, vota en juillet les pleins pouvoirs à Pétain avant de se retirer dans sa Sarthe natale où il mourut en 1944.

Il y a des moments à Paris où la réalité, même dans les hautes sphères de la société, ressemble à un scénario de François Truffaut, l'homme qui aimait les femmes.

16

Libertinages

Pratiquement où que vous soyez dans le monde, il suffit de prononcer le mot *Paris* pour que des sourires entendus — ou nostalgiques — apparaissent sur le visage de vos interlocuteurs. Paris, c'est la ville des jeux amoureux, de l'érotisme et des passions incendiaires.

Dans une comédie sentimentale délicieusement acidulée de 1957, *Love in The Afternoon*, Gary Cooper et Audrey Hepburn se retrouvaient au Ritz, dans les méandres d'une intrigue aussi improbable que jubilatoire. Billy Wilder, le réalisateur du film, résumait la vraie nature de Paris en guise de prologue :

Un : «Voici Paris!» dit une voix *off.* Là-dessus apparaissent trois cartes postales montrant successivement la tour Eiffel, Notre-Dame et l'Arc de triomphe. Que du solide.

Deux : «Que font les gens à Paris?» Réponse : «Ils s'aiment!» Là-dessus les saynètes défilent :

«Les jeunes s'aiment!»

«Les vieux s'aiment!»

«Ils s'aiment rive droite!»

«Ils s'aiment rive gauche!»

D'où il ressort que «les bouchers aiment», de même que les policiers, les commerçants, les employés des pompes funèbres (démonstration sur une jeune veuve à voilette). «Il arrive même, conclut Billy Wilder dans ce prologue, que des existentialistes s'aiment!» — scène à une terrasse avec un ténébreux à cheveux longs et une tragédienne en noir avec lunettes de soleil.

Morale de l'histoire : «Ils ne s'aiment pas mieux que les autres. Mais ils s'aiment plus souvent!»

Une litanie volontaire de clichés, mais au troisième degré, concoctés à l'intention du public américain par un réalisateur viennois émigré aux États-Unis qui se moque aussi bien de la frivolité parisienne que des idées toutes faites et des préjugés éculés entretenus par ses compatriotes sur cette ville si amorale.

Ce ne sont pas seulement les ressortissants des pays nordiques et protestants qui notent cette tendance au libertinage, pour s'en étonner, mais aussi de jeunes femmes originaires d'Argentine, de Grèce et même d'Italie qu'on entend faire l'éloge de cette ville «de l'amour» où elles rêvent d'aller au plus vite!

Comme on cherche toujours ailleurs ce qu'on n'a pas, les Françaises évoqueront, au chapitre des rêveries langoureuses, mais à la blague, le *latin lover*, le Romain raffiné, l'Andalou aux yeux de braise. Mais curieusement, Madrid ne figure nulle part dans le palmarès international des villes romantiques, et ni Rome ni Venise ne font vraiment concurrence à Paris. On passera un week-end à Rome et on fera un voyage de fiançailles ou de noces à Venise, sans plus. La ville de l'amour restera toujours Paris — malgré une météo presque aussi maussade qu'à Londres, mais le secret en est jalousement gardé. Et quand on dit amour, on ne veut pas dire mariage bien entendu. On parle de liaisons sulfureuses, de passions torrides, de fruit défendu. Paris c'est la capitale du péché joyeux, consommé dans l'élégance et la légèreté. C'est la ville des courtisanes célèbres, de Ninon de Lenclos, de Marion Delorme et de la Dame aux camélias, c'est le royaume de l'amour libre et des libres penseurs, du french cancan, des alcôves et de l'existentialisme.

Napoléon était un homme à femmes, et sa passion pour Joséphine fut à elle seule un palpitant feuilleton. Le factieux général Boulanger, après avoir renoncé à prendre d'assaut l'Élysée en janvier 1889 à la tête de ses partisans, alla se suicider trois mois plus tard sur la tombe de sa maîtresse à Bruxelles. Au moment où le règne victorien n'en finissait toujours pas de se terminer en Angleterre, Félix Faure mourait en 1899 en pleins transports amoureux dans le palais présidentiel en compagnie de Mme Steinhell, célèbre amoureuse de son époque. Tous les grands dirigeants français ne furent pas aussi ardents. Ni Louis-Philippe, ni René Coty, ni Charles de Gaulle ne laissèrent de grande réputation à cet égard — mais la légende évoquant des scènes de batifolage sous les lambris dorés des palais nationaux est si tenace que les Français en arrivent à croire que la plupart des hommes d'État se sont livrés, sinon à la débauche, du moins au marivaudage, sans que cela scandalise personne. Valéry Giscard d'Estaing eut, de notoriété publique, une vie sentimentale active. Quant à François Mitterrand, la complexité de sa vie personnelle et la persistance de son attirance pour le beau sexe réussirent à impressionner ses contemporains, dans un sens favorable bien entendu. On dira que le président Kennedy manifestait à la Maison-Blanche une belle vigueur sexuelle, mais il fut une exception, car ni Roosevelt, ni Truman (même si on l'a vu jouer du piano en présence d'une Lauren Bacall élégamment juchée sur le haut de l'instrument), ni Eisenhower, ni même Richard Nixon ne commirent des écarts de conduite majeurs. À la fin des années 1970, on vit le président Jimmy Carter confesser — dans une interview à la revue *Playboy*! — qu'il avait déjà eu «des pensées coupables à la vue d'autres femmes» que la sienne. Reagan n'était pas trop volage. Bill Clinton était un coureur de jupons frénétique, et de fortes pulsions le poussaient à commettre des imprudences, mais les fautes qu'on lui reprochait auraient à peine fait la matière d'entrefilets dans les journaux satiriques parisiens. Quand on le soumit publiquement à la question pour quelques frasques avec Monica Lewinsky, la France entière assista au spectacle avec sidération. Vingt ans plus tôt, le célèbre cardinal-jésuite Daniélou était allé mourir subitement chez une paroissienne qui était également une dame de petite vertu. Il créa un précédent si respectable qu'il est désormais interdit, même à l'archevêché de Paris, de s'offusquer pour d'innocentes incartades amoureuses.

À Paris, l'exemple ne vient pas seulement des hautes

sphères. La liberté des mœurs s'étale au grand jour dans les gazettes et les salons. Il ne s'agit pas seulement des milieux des variétés, connus pour leurs mœurs légères. Les grands noms de la littérature, art prestigieux et respecté, alimentent un feuilleton permanent digne de Marivaux. C'est la routine en somme.

Chez les surréalistes, André Breton, qui avait hérité de Robespierre non seulement son goût pour les exécutions — certes, et heureusement, purement symboliques dans ce cas —, mais également son puritanisme[1], se remaria pourtant à quelques reprises. La belle Roumaine Gala était la compagne de Paul Éluard : elle se retrouva dans les bras de Dalí. Nusch était la maîtresse de Robert Desnos, qu'elle quitta pour Paul Éluard. Sylvia Maklès devint au début de la vingtaine l'épouse de Georges Bataille, dont elle divorça pour convoler avec le psychanalyste Jacques Lacan. Et ainsi de suite. Dans les années 1920, Paris apparaissait aux yeux des (futurs) grands écrivains américains comme un terrain de jeux et de réjouissance où chacun se permettait des choses qui auraient été impensables aux États-Unis, sauf à être mis au ban de la bonne société. La romancière Colette a toujours mené au grand jour une vie «scandaleuse», ce qui ne la priva aucunement de la reconnaissance officielle : on ne trouve son équivalent à la même époque ni à Londres ni à New York.

---

1. Le «pape» du surréalisme réprouvait les ménages à trois et les infidélités dans les couples, et par ailleurs professait une homophobie radicale. Mais s'il était de tempérament monogame, il ne l'était pas toujours avec la même femme, et changea de compagne (ou d'épouse) à cinq ou six reprises.

La question reste posée de savoir d'où vient ce particularisme hédoniste. Certes Paris est depuis deux ou trois siècles l'une de ces métropoles où, dans le secret de l'anonymat, on peut s'autoriser tous les écarts et tous les excès. Mais Londres, Berlin, New York sont dans le même cas. On dira que Paris n'est pas protestant et qu'il gouverne un pays à la fois latin, méditerranéen et de culture catholique, mais il en va de même pour Rome et Madrid, qui ne jouissent pas de la même réputation.

Le penchant pour la galanterie ferait-il partie de l'ADN gaulois? Avec un peu de fantaisie et d'exagération, on fera remonter la tradition au XIIᵉ siècle, où un certain Abélard, né en pays nantais en 1079, arrive à Paris en 1100 pour suivre les enseignements de Guillaume de Champeaux, devient un théologien renommé, professe à son tour à Melun et à Laon, puis revient dans la capitale vers l'âge de quarante ans, auréolé de gloire, et loge au cloître Notre-Dame chez le chanoine Fulbert, situé quai aux Fleurs, sur l'île de la Cité. Fulbert lui demande de former sa nièce Héloïse, âgée de dix-sept ans. «Il l'instruit, résume l'historien Alfred Fierro, au point de l'engrosser, l'enlève et l'emmène en Bretagne chez sa sœur où elle accouche d'un garçon prénommé Pierre Astrolabe. Héloïse refuse de l'épouser, car, selon elle, un savant ne doit pas s'encombrer d'une femme[1]... » Abélard reprend ses cours à la Sorbonne, où son charisme et son non-conformisme lui valent une grande renommée et quelques inimitiés. Mais c'est peut-être sa romance avec

---

1. *Paris au jour le jour*, Arcadia éditions, 2005.

Héloïse qui causera sa perte : peu après son retour à Paris — en 1118 selon la chronique —, des hommes à la solde du chanoine Fulbert s'emparent de lui et «lui ôtent les génitoires». Du coup le théologien se fait moine à Saint-Denis tandis qu'Héloïse prend le voile à Argenteuil. Lorsque Abélard meurt en 1142, sa «veuve» fait apporter sa dépouille au Paraclet, proche de Troyes, où elle s'est retirée, puis, à sa mort en 1164, se fait inhumer à son côté dans le même cercueil. La légende du couple est tellement célèbre qu'en 1792 les révolutionnaires transfèrent le cercueil à l'église de Nogent-sur-Seine où, «par souci de décence, on sépare les deux squelettes par une cloison de plomb» (!). En 1800, le cercueil est déménagé au musée des Monuments français, l'ancien couvent des Petits-Augustins devenu aujourd'hui l'École des beaux-arts, 14, rue Bonaparte. En 1817, les restes d'Héloïse et d'Abélard sont transférés au cimetière du Père-Lachaise, où ils font aujourd'hui encore figure de vedettes, à l'instar de Chopin, Oscar Wilde, Édith Piaf et Jim Morrison. Épisode sublime qui constitue rétrospectivement l'acte fondateur du romantisme et de l'amour libre.

Mais ne poussons pas l'anachronisme trop loin. L'histoire d'Héloïse et d'Abélard ne nous dit pas grand-chose sur les mœurs du XIIe siècle, qui ne devaient pas être particulièrement folichonnes. Des couples aussi scandaleux et illégitimes, il ne devait pas s'en trouver à tous les coins de rue sur l'île de la Cité. Le libertinage n'avait guère de sens à cette époque.

En remontant trop loin dans le temps pour y trouver un fil conducteur, on arrive à des non-sens. Ainsi Henri VIII.

Il ressemble davantage à un ogre sexuel qu'à un personnage de Laclos. Mais au vu de ses nombreuses épouses et maîtresses, cet Henri Tudor aurait pu inaugurer une tradition londonienne des plaisirs et débordements sexuels. Il n'en est rien : Londres, on l'a dit, a connu au fil du temps sa part de stupre et d'adultère, mais dans le domaine privé. Il n'a jamais été la capitale des galanteries.

À peu près à la même époque — c'est-à-dire à la fin du xvᵉ siècle —, on retrouvait sur le trône de Saint-Pierre Alexandre VI, issu de l'extravagante famille (espagnole) des Borgia qui en moins d'un siècle compta à son actif deux papes, six cardinaux et un canonisé. Au moment de son élection, en 1492, Alexandre VI avait également six enfants, dont trois issus de sa maîtresse officielle, Vanozza Galattei. Parmi eux, une certaine Lucrèce Borgia, dont la vie scandaleuse a inspiré par la suite des dizaines de romanciers et de scénaristes, et qui eut peut-être une liaison avec son père et son frère. À cette époque, au Vatican, on ne s'embarrassait pas de scrupules puritains, et d'autres papes eurent des mœurs personnelles assez libres, bien que moins voyantes. Mais cela ne fit pas de Rome une ville de tradition libertine.

À Paris, la galanterie ne remonte sans doute pas à Héloïse et Abélard, mais peut-être bien à la première moitié du xvııᵉ siècle. Pendant la Fronde, de 1648 à 1652, les beaux quartiers de la capitale sont le théâtre d'une frénésie où les intrigues amoureuses prennent une coloration étonnamment actuelle. Un siècle avant Marivaux et Choderlos de

Laclos, les principaux personnages sont en place, et le film a commencé.

Le scénariste s'appelle Jean-François-Paul de Gondi, évêque coadjuteur de Paris à l'époque, passé à la postérité sous le nom de cardinal de Retz. Ses *Mémoires*[1], écrits peu avant sa mort, en 1676-1677, sont pour l'essentiel consacrés aux années de la Fronde, à ce manège étourdissant où les têtes d'affiche, toujours les mêmes, s'amusent à s'échanger les rôles, où les liaisons amoureuses s'entremêlent aux intrigues politiques, aux trahisons et autres renversements d'alliance. C'est *la guerre en dentelles*, selon l'expression passée à l'Histoire.

Tout en haut de l'affiche, Anne-Geneviève de Bourbon, duchesse de Longueville. Au début de la Fronde, en 1648, elle a vingt-neuf ans, ce qui n'est pas jeune pour l'époque mais, malgré «une petite vérole qui lui avait ôté la première fleur de sa beauté», elle n'en restait pas moins «l'une des plus aimables personnes de France», se souvient le vieux cardinal, de longues années après les faits :

> J'avais le cœur du monde le plus propre pour l'y placer entre Mmes de Guéméné et de Pommereux[2]. Je ne vous dirai pas qu'elle l'eût agréé ; mais je vous dirai bien que

1. Cardinal de Retz, *Mémoires*, édition établie par Simone Bertière, 2 vol., Classiques Garnier, 1987.
2. Deux des maîtresses de Retz. Anne de Rohan, princesse de Guéméné, écrira-t-il plus tard, était «cent fois dévote et cent fois libertine». Mme de Pommereux lui fut si fidèle qu'après sa chute et son emprisonnement en 1654 elle vendit bijoux et pierreries pour tenter de soudoyer ses gardiens et le faire évader.

ce ne fut pas la vue de l'impossibilité qui m'en fit rejeter la pensée, assez vive dans les commencements. Le *bénéfice* n'était pas vacant; mais il n'était pas desservi. M. de La Rochefoucauld était *en possession*; mais il était en Poitou.

En effet le cœur de Mme de Longueville était pris, en l'occurrence par le futur auteur des *Maximes*, alors dans la trentaine et la force de l'âge, qui s'affichait avec elle et lui avait fait un enfant, lequel allait voir le jour en 1649 entre deux soubresauts de la guerre civile. Précédemment, la belle duchesse passait pour s'être éprise successivement de ses deux frères, d'abord le grand Condé, qui avait un an de moins qu'elle, puis le prince de Conti, de dix ans son cadet, et qui était en dévotion devant sa sœur avant de finir sa vie dans les dévotions tout court.

Parmi les grandes amoureuses de la capitale, on trouve la duchesse de Montbazon, maîtresse du duc de Beaufort, un bâtard d'Henri IV, dont elle a organisé l'évasion du donjon de Vincennes où on l'avait enfermé pour conspiration. Elle est « d'une très grande beauté », précise Retz, qui ajoute en fin connaisseur :

> La modestie manquait à son air. (…) Sa morgue et son jargon eussent suppléé dans un temps calme, à son peu d'esprit. (…) Elle n'aimait rien que son plaisir et, au-dessus de son plaisir, son intérêt. Je n'ai jamais vu personne qui eût conservé dans le vice si peu de respect pour la vertu.

Quant à la célèbre duchesse de Chevreuse, qui avait été,
on l'a vu, la confidente et la fidèle amie d'Anne d'Autriche
à l'époque où le cardinal de Richelieu la persécutait, elle
aurait eu des amants jusqu'à l'âge de soixante-quatorze ans,
avant de se retirer au couvent, où elle vécut cinq ans de
plus. Elle en avait quarante-huit lorsqu'elle était revenue
de son exil bruxellois, au début de la Fronde. Sans excès
de délicatesse, le coadjuteur de Paris conclut son portrait :
«Elle n'avait même plus de restes de beauté quand je l'ai
connue.» Mais sans conteste elle avait été une grande
amoureuse :

> Elle nous a avoué, à Mme Rhodes et à moi, que par un
> caprice, disait-elle, de la fortune, elle n'avait jamais aimé le
> mieux ce qu'elle avait estimé le plus, à la réserve toutefois,
> ajouta-t-elle, du pauvre Buchinchan[1]. Elle s'abandonnait
> à tout ce qui plaisait à celui qu'elle aimait. Elle aimait
> sans choix, et purement parce qu'il fallait qu'elle aimât
> quelqu'un.

Telle mère, telle fille. Jean-François-Paul de Gondi a
trente-cinq ans en 1648. Il est plutôt disgracieux de sa personne[2] mais a de toute évidence du charme et de la conversation. Lorsque commence la Fronde, Mlle de Chevreuse,

1. Sous cette orthographe bizarre, il s'agit du duc de Buckingham, Premier
ministre de Charles Ier, roi d'Angleterre, qui passait pour un grand séducteur.
Tallemant des Réaux, dans ses *Historiettes*, l'appelle Bouquinquant.
2. Dans ses *Historiettes*, son vieux compagnon Tallemant des Réaux écrit
de lui qu'il était «un petit homme noir qui ne voit que de fort près, mal fait,
laid et maladroit de ses mains à toute chose».

qui n'a que vingt et un ans, est un temps fiancée au prince de Conti, mais s'affiche comme la maîtresse quasi officielle du coadjuteur, qui termine le plus souvent la soirée chez elle, dans son hôtel particulier de la rue Saint-Thomas-du-Louvre. C'était une rue que l'on dirait aujourd'hui à la mode, puisqu'on y trouvait côte à côte les hôtels de Chevreuse et de Rambouillet. Cette voie désormais disparue allait de la Seine au Palais-Royal en passant par ce qui est aujourd'hui la grande pyramide du Louvre. Dans les pamphlets, Mlle de Chevreuse est joliment surnommée la « coadjutrice ».

Un quart de siècle après les faits, le mémorialiste jette sur sa maîtresse de l'époque, morte prématurément à l'âge de vingt-cinq ans, un regard pas très charitable, mélange de subtilité, de sens de la psychologie féminine, de solide méchanceté et d'une bonne pincée de misogynie :

> Mlle de Chevreuse, qui avait plus de beauté que d'agrément, était sotte jusques au ridicule par son naturel. La passion lui donnait de l'esprit et même du sérieux et de l'agréable, uniquement pour celui qu'elle aimait ; mais elle le traitait bientôt comme ses jupes : elle les mettait dans son lit quand elles lui plaisaient ; elle les brûlait, par pure aversion, deux jours après.

Voilà donc un ecclésiastique de haut vol, qui n'est pas étouffé par des accès de pruderie. Revoyant son passé de coureur impénitent, il se flatte d'avoir damé le pion au cardinal de Richelieu, qui faisait la cour à Mme de La Meilleraye, autre bonne amie du jeune Gondi :

J'étais dans les premiers feux du plaisir qui, dans la jeunesse, se prennent aisément pour les premiers feux de l'amour, et j'avais trouvé tant de satisfaction à triompher du cardinal de Richelieu dans un champ de bataille aussi beau que celui de l'Arsenal[1]…

Dans le secret de souvenirs qui n'étaient peut-être pas destinés à la publication et resteront cachés jusqu'à leur édition à Amsterdam et Nancy en 1717, il ne se prive pas de quelques méchancetés vis-à-vis de ses rivaux d'alors, surtout s'ils étaient des puissants. De Richelieu, il affirme qu'il était «pédant en galanteries» et cite volontiers les rebuffades auxquelles il aurait eu droit de la part de ces dames. Ses conquêtes n'avaient rien de glorieux. La célèbre Marion de Lorme, qui «venait chez lui la nuit», était «un peu moins qu'une prostituée» et par-dessus le marché elle avait finalement congédié le ministre pour un poète libertin de l'époque, Jacques Vallée sieur des Barreaux. En revanche, lorsque l'objet de sa flamme reste fidèle, il s'agit de Mme de Fruges «que vous voyez traînante dans les cabinets sous le nom de vieille femme» et qui, à l'époque de ces transports amoureux, était «déjà un reste de Buchinchan et de L'Épienne[2]».

1. La maréchale de La Meilleraye devait être fort jeune lorsqu'elle connut Retz puisqu'elle était née en 1621. Son hôtel particulier se trouvait rue de l'Arsenal, d'où l'allusion. Lorsque Gondi va place Royale, l'actuelle place des Vosges, c'est pour rendre visite à la princesse de Guéméné.
2. Un parfait inconnu dont les historiens n'ont retrouvé aucune trace. C'est dire «de quel peu se contentait» Richelieu, comme aurait dit Sacha Guitry.

Au xviie siècle, on le sait, les grands de la royauté et de l'Église avaient une conception toute relative des bonnes mœurs et de la chasteté. Jean-François-Paul de Gondi, que l'on destinait à la carrière des armes, s'était retrouvé ecclésiastique en raison de la mort prématurée d'un de ses frères. Même si par la suite ses talents d'orateur firent de lui un prédicateur — assez politique d'ailleurs — apprécié de ses fidèles et de la bonne société, sa formation sacerdotale s'était résumée à bien peu de chose. On l'avait nommé d'office coadjuteur du diocèse de Paris avec le titre d'évêque de Corinthe *in partibus* en attendant que la mort de son oncle Jean-François libère le siège de l'archevêché (ce qui fut fait en 1654). Les dignitaires de l'Église de cette époque n'étaient pas tenus à des règles trop strictes en matière de célibat. Mais tous ne s'affichaient pas aussi ouvertement avec leurs maîtresses. L'évêque-coadjuteur, qui, depuis son fief de l'île de la Cité, se conduisait ouvertement en chef politique et parfois en chef de guerre, à la tête de son « régiment corinthien[1] », manifestait une liberté de mœurs étonnante, même pour les standards de l'époque.

Ce qui étonne le plus, c'est que les contemporains de l'ecclésiastique ne trouvaient rien de répréhensible à ses activités libertines.

Quand il écrit ses *Mémoires*, en 1676 et 1677, depuis le monastère de son modeste fief de Commercy, en Lorraine, le cardinal s'adresse à une correspondante anonyme.

---

1. C'était le surnom donné par Condé aux maigres troupes de mercenaires constituées par Gondi au début de la Fronde — allusion à son titre d'évêque de Corinthe *in partibus*.

L'historienne Simone Bertière en a conclu qu'il s'agissait de Mme de Sévigné, une lointaine cousine par alliance avec qui il entretenait des relations à Paris, puis, depuis leurs exils respectifs, une correspondance suivie, perdue pour l'essentiel. À l'époque de la rédaction, la marquise vient de perdre sa fille, Mme de Grignan, et a dépassé la cinquantaine : elle est «d'âge mûr, spirituelle, sans pruderie», selon Mme Bertière. Soit. La célèbre épistolière avait vécu de près les événements de la Fronde, les aventures amoureuses des grands de l'époque, dans les salons du faubourg Saint-Germain et les hôtels particuliers du Marais. Elle n'était pas pour autant une dépravée. On constate pourtant que les propos particulièrement crus et cyniques du prélat en disgrâce ne semblaient pas la choquer. Certes, ils restaient dans le cadre d'une correspondance privée, mais on n'était pas franchement dans la morale bien-pensante. On doit en conclure que cette liberté de mœurs et de ton n'était pas inconcevable en ce début de siècle de Louis XIV.

Plus ironique encore, l'évêque-coadjuteur n'était pas seulement un prélat de circonstance. L'archevêché de Paris constituait un atout maître dans sa quête du pouvoir, et il prenait la fonction très au sérieux. Il soignait sa réputation de prédicateur et veillait sur sa clientèle la plus sûre et fidèle, les curés et les fidèles des paroisses. Il se retrouva de fait chef politique du clergé et du parti dévot, que Louis XIV voulait soumettre. Vincent de Paul, saint homme entre tous, fut son allié indéfectible, même après sa disgrâce. Retz protégeait les jansénistes, donc ceux-ci le soutenaient. Apparemment ces ascètes rigoureux et puritains ne trouvaient rien à redire aux frasques de leur chef de file. Est-ce à ce moment-là que la galanterie — au moins celle des beaux quartiers de Paris et des cercles dirigeants — devint de manière quasi officielle un péché véniel aux yeux de l'Église de France ?

En d'autres pays, les *Mémoires* du cardinal seraient longtemps restés des écrits clandestins, tout juste bons à circuler sous le manteau. L'« immoralité » de leur auteur annonçait avec un siècle d'avance le chef-d'œuvre de Laclos, *Les Liaisons dangereuses*, paru en 1782. À leur publication en 1717, alors que le siècle des Lumières n'avait même pas commencé, les écrits de Retz ne provoquèrent aucune émotion particulière : le caractère officiellement politique du récit occulta en partie, on suppose, ses aspects libidineux, ou alors on trouva ceux-ci à peu près normaux. Comme par hasard, la mort de Louis XIV en 1715 venait de mettre fin à un règne interminable dont les deux ou trois dernières décennies avaient été marquées par le retour en force de l'ordre moral. Mme de Maintenon, qui avait peut-être à se faire pardonner quelques folles années de jeunesse, n'avait aucune sympathie pour le libertinage. La Régence le rétablit dans ses droits, et les petits soupers du Régent devinrent le mètre étalon concernant les (mauvaises) manières admissibles au sein de la bonne société. Les galanteries remises à l'honneur au sommet de l'État essaimèrent aussitôt dans les hôtels particuliers du Marais et du faubourg Saint-Germain. Depuis cette époque à Paris, on se réjouit chaque fois que sonne le retour des divertissements et des plaisirs.

Aussitôt après la Régence, le très long règne de Louis XV,

loin de voir le retour du puritanisme, conforta au contraire le triomphe des libertins au sens originel du terme, c'est-à-dire de ceux qui prônaient la liberté des mœurs *et* la liberté de penser. Cet esprit se perpétua jusqu'à la Révolution. Quand Mme de Pompadour se retira de la scène, la jeune Marie-Antoinette et ses amies prirent la relève. On aimait la fête, les parties de campagne, la lecture de Jean-Jacques Rousseau. Un léger parfum de scandale flottait autour de la Cour et des fêtes parisiennes. Des pamphlets licencieux et parfois obscènes circulaient à propos de la vie de la Cour. Débarqué à Paris en 1761 depuis sa Bourgogne natale, Restif de La Bretonne publia, au milieu d'une œuvre pléthorique, quelques romans polissons qui semble-t-il ne scandalisèrent personne. Pas davantage ses amis Beaumarchais et Louis-Sébastien Mercier. Dans les années 1770, on pouvait donc écrire sans crainte sous son propre nom des romans osés.

Choderlos de Laclos en fournit l'exemple le plus étonnant. Cet homme issu de la récente noblesse de robe était un militaire de carrière qui s'intéressait à la fabrication des boulets de canon et travailla un temps à un plan de numérotation des rues de Paris. Il avait, dit-on, « une conversation froide et méthodique » et fut un mari et un père irréprochable. Il était également un fervent admirateur de Jean-Jacques Rousseau. C'est pour tromper l'ennui de la vie de garnison à Besançon — et aussi parce qu'il était travaillé par le démon de l'écriture — qu'il écrivit, à quarante ans, ces scandaleuses *Liaisons dangereuses*, dont le caractère subversif semble lui avoir échappé. Paru en 1782, le livre eut un énorme succès de librairie : les deux mille exemplaires de la première édition s'écoulèrent en un mois, et il y eut dix rééditions dans les deux années suivantes. Ce roman d'alcôve d'une modernité stupéfiante, écrit par un capitaine en second de régiment de sapeurs, n'était donc pas passé inaperçu mais ne fut pas pour autant brûlé sur un bûcher. L'armée, semble-t-il, fut tout juste choquée par un texte qui selon elle dénigrait la noblesse, mais se contenta de renvoyer le fautif dans une lointaine garnison bretonne. Les années 1780 avaient les idées larges — ou très floues —, et même l'armée ne savait plus trop où se situaient les limites de la bienséance.

La tendance au libertinage est donc une très ancienne tradition parisienne. Il y eut certes des éclipses, par exemple la seconde moitié du règne de Louis XIV, comme on l'a vu. La Révolution française, qui ne fut certes pas toujours ludique, surtout vers la fin, incarna un retour au puritanisme : « Les révolutions sont dans leurs débuts forcément puritaines », disait Jean-Paul Sartre en débarquant à Cuba après la prise du pouvoir par Fidel Castro. Robespierre, qui n'avait rien d'un fêtard, voyait d'un mauvais œil les mœurs légères, forcément héritées de l'Ancien Régime. Lui voulait une société vertueuse.

La chute de Robespierre mit fin au cauchemar et, peu après, le Directoire donna à nouveau le signal des réjouissances. Celles-ci ne s'arrêtèrent plus vraiment, malgré quelques vagues tentatives de rétablissement de l'ordre moral, comme sous la Restauration, mais qui ne touchèrent jamais vraiment la société parisienne. Les jésuites rappelés de leur exil par Louis XVIII eurent plus de succès en province que dans les beaux quartiers de la capitale. Certes, le xixᵉ siècle, avec l'avènement de la bourgeoisie, connut comme partout ailleurs en Europe des poussées de puritanisme. Mais, alors que celui-ci triomphait à Londres, dans les grandes villes allemandes et à Rome, il ne réussit jamais à asseoir vraiment son emprise sur la France, encore moins sur Paris. Les grandes courtisanes continuèrent de tenir salon telles Mme Récamier, Joséphine de Beauharnais ou Mme Tallien. Marie du Plessis, passée à l'Histoire comme l'héroïne de la Dame aux camélias, avait un hôtel particulier et menait une vie fastueuse. Le siècle vit défiler au grand jour de grands séducteurs comme Benjamin Constant, Chopin ou Alfred de Musset. Lorsque l'Angleterre en général et Londres en particulier basculèrent pour de bon dans l'obscurité victorienne, Paris en était au Second Empire, à ses cocottes et à *La Vie parisienne* d'Offenbach. Il y avait là de toute évidence un microclimat qu'on ne pouvait confondre avec celui du reste de l'Europe, et dont la réputation attirait justement d'innombrables visiteurs appâtés par la promesse de plaisirs sans entraves.

L'un des résultats patents de cette tradition ancienne fut que, sur le plan moral, on cessa définitivement de se scandaliser ou même de s'étonner. Même dans les familles les plus conservatrices du faubourg Saint-Germain, on se contentait de hausser les épaules à l'évocation de la vie dissolue de tel ou tel mondain, ou d'un livre réputé immoral. Le clergé et les prélats mondains manifestaient une souriante indulgence vis-à-vis du péché de chair et des écarts de conduite de la caste dirigeante. Il paraissait vain de lutter contre cette liberté de mœurs que rien ne pouvait empêcher, la luxure avait été rayée de la liste des sept péchés capitaux, et l'opinion dominante en avait conclu depuis longtemps qu'il aurait été ridicule — on ne disait pas encore *ringard* — de paraître choqué par la publication d'un roman osé ou le troisième remariage du baron Machin, par ailleurs membre héréditaire du Jockey Club.

Il y avait certes et il y a toujours eu, même à Paris, des ligues de vertu, des cercles conservateurs qui s'opposaient bruyamment — entre autres — à la publication de telle ou telle œuvre jugée obscène et attentatoire aux bonnes mœurs. Il y eut aussi, plus ou moins sévère selon les époques, un arsenal juridique visant à exercer une censure morale sur l'édition. Si étonnant que cela puisse paraître, à partir du milieu du XXᵉ siècle, les quelque trois décennies suivant la Libération ont été particulièrement actives et fructueuses pour les censeurs. Maurice Girodias, dont le père, Jack Kahane, avait été le premier éditeur de Henry Miller, en 1933 à Paris, avait repris le métier et, à la tête de sa maison Olympia Press à partir de 1953, a édité de grands textes interdits aux États-Unis tels *Lolita* de Vladimir Nabokov ou *Nexus* de Henry Miller. Au passage il a déniché *Zorba le Grec* de Nikos Kazantzakis. Spécialisé dans la littérature érotique — et parfois pornographique —, Girodias a passé une partie des années 1950 devant les tribunaux du Palais de Justice de Paris pour atteinte aux bonnes mœurs, et accumulé un nombre impressionnant de condamnations et de saisies de livres. Croulant sous les amendes, il a fini par déposer son bilan et s'exiler pour de longues années aux États-Unis. À la même époque, Jean-Jacques Pauvert avait connu les mêmes déboires : son édition d'*Histoire d'O* en 1954 lui a valu une interdiction à l'affichage et à la vente aux mineurs, ce qui condamnait le livre au secret des arrière-boutiques. Il a connu les mêmes soucis avec sa réédition des œuvres du marquis de Sade. Par la suite les éditions Éric Losfeld et L'Or du temps, maison fondée par Régine Deforges au milieu des années 1960, furent elles aussi l'objet de tracasseries policières. Régine Deforges fut elle-même condamnée pour atteinte aux bonnes mœurs. On a peine à le croire aujourd'hui, mais la censure «morale» se perpétua dans le code pénal jusqu'au milieu des années 1970.

Cela ne veut pas dire pour autant que la littérature sulfureuse ait été, notamment dans ces années de censure, entre 1945 et 1975, l'objet de la réprobation de la bonne société parisienne, bien au contraire. Girodias, Pauvert, Losfeld ou Régine Deforges, s'ils furent parfois tenus pour des marginaux ou des aventuriers de l'édition, étaient des personnages estimés de Saint-Germain-des-Prés. Ne perpétuaient-ils pas une tradition déjà ancienne qui remontait en droite ligne à Guillaume Apollinaire (*Les Cent Mille Verges*), Pierre Louÿs (*Trois filles de leur mère*), Louis Aragon (*Le Con d'Irène*) et Georges Bataille (*Histoire de l'œil*)? Sans parler des héros de la «préhistoire», Restif de La Bretonne et, par-dessus tout, le marquis de Sade en personne. La littérature libertine, pourchassée ou non par la justice, avait été une fois pour toutes déclarée légitime dans les salons de l'intelligentsia. Dans les années 1950, d'autres écrivains, publiés aux éditions de Minuit ou chez Gallimard, poursuivirent dans la même voie, tels Pierre Klossovski, André Pieyre de Mandiargues et, dans une certaine mesure, Alain Robbe-Grillet.

On a parlé au chapitre précédent du célèbre cas, en 2001, de *La Vie sexuelle de Catherine M.*, largement traité ailleurs y compris par nous-même[1]. Qu'il suffise de dire que ce récit, remarquablement écrit et d'une audace sexuelle étonnante, était l'œuvre d'une grande brahmane. Mme Millet était en effet une figure majeure de l'intelligentsia, la fondatrice-directrice d'*Art Press*, revue d'avant-garde qui faisait référence. Partout ailleurs dans le monde, une personnalité faisant carrière à un tel niveau se serait suicidée socialement en publiant de telles confessions. À Paris, Catherine Millet, de gloire confidentielle, devint une célébrité intellectuelle, désormais invitée au centre Pompidou et dans les colloques pour disserter sur le féminisme et la sexualité des jeunes filles.

En matière de transgression, cependant, le record absolu avait déjà été atteint en 1954 avec la publication chez Jean-Jacques Pauvert du célèbre *Histoire d'O*. Signé d'un pseudonyme, Pauline Réage, ce récit particulièrement scandaleux d'une expérience de soumission érotique était précédé d'une préface de Jean Paulhan, l'une des personnalités les

---

1. *Ces impossibles Français*, Denoël, 2010, voir chap. 5, «Au rendez-vous des libertins».

plus respectées de l'édition française de la deuxième moitié du xxᵉ siècle. Libre-penseur dans le sens plein du terme, Paulhan avait été partie prenante de tous les grands courants littéraires de son époque sans jamais être inféodé à aucun. Avait été résistant sous l'Occupation tout en continuant de fréquenter les salons — dont celui de Florence Gould où il croisait Ernst Jünger et le lieutenant Gerhard Heller, chargé par les Allemands des relations avec le monde de la littérature —, était devenu chez Gallimard un véritable parrain des lettres parisiennes, l'interlocuteur privilégié de Gide, Aragon, Breton, Camus, Sartre, Mauriac et bien d'autres. C'était une personnalité originale et hors du commun, et en même temps un vrai notable. La longue préface admirative qu'il avait écrite pour *Histoire d'O* aurait pu, du moins dans d'autres pays, lui valoir quelques sarcasmes, sinon des problèmes. Le connétable des lettres cautionnait avec une jubilation perverse un texte d'une impudeur absolue, et qui se vendait sous le manteau! Mieux encore. La crudité du récit était telle que personne n'imagina qu'une femme avait pu l'écrire, et on supposa tout naturellement que le préfacier en était l'auteur[1]. Cette rumeur, que l'intéressé ne prit même pas la peine de commenter ou de réfuter, n'entama en rien l'autorité morale de Jean Paulhan.

Cédant à un caprice de grand homme en fin de carrière, il se présenta en 1963 à l'Académie française, temple de

---

1. La réalité était, si j'ose dire, tout aussi «scandaleuse». *Histoire d'O* était, on le sut officiellement quarante ans plus tard, l'œuvre de Dominique Aury, la discrète et inamovible secrétaire du comité de lecture de Gallimard, par ailleurs maîtresse de Jean Paulhan, pour qui elle avait écrit le livre.

conservatisme où à cette époque Julien Green et François Mauriac faisaient figure de galopins facétieux. Historien à ses heures et digne représentant de la tradition du « parti des ducs » sous la Coupole, René de La Croix de Castries, son adversaire pour le fauteuil, s'était empressé de faire circuler des exemplaires du terrible roman préfacé par Paulhan.

Mauriac était un ami proche du candidat, avec qui il entretenait une correspondance suivie. Tout catholique fut-il, il avait trop le sens du ridicule pour paraître scandalisé devant un texte érotique, même le plus diabolique. C'est donc avec une certaine délectation que, deux jours après l'élection de Paulhan, il écrivit dans son *Bloc-notes* :

> J'ai reçu comme beaucoup de mes confrères, huit jours avant l'élection, l'*Histoire d'O*, préfacée par Jean Paulhan. Comme l'exemplaire venait droit de chez l'éditeur, rien ne serait si aisé que de connaître le nom de l'envoyeur. Je ne ferai pas au duc de Castries l'injure de croire qu'il y a mis la main ; mais si c'est quelqu'un de nos confrères chrétiens, je ne doute pas qu'il ait amassé des charbons ardents sur sa tête ; car il est grave d'obliger de vieux hommes, qui ne peuvent pécher qu'en imagination, ne serait-ce qu'à entrouvrir *Histoire d'O*. Car c'est entrebâiller les portes de l'enfer[1].

Le 23 janvier 1963, lesdits vieillards avaient en effet élu dès le premier tour de scrutin, avec dix-sept voix, le grand homme scandaleux, peut-être parce qu'eux-mêmes

---

1. *Bloc-notes*, 25 janvier 1963.

considéraient la littérature «pornographique» comme l'une des formes bien françaises des beaux-arts, plus vraisemblablement parce qu'ils craignaient, en se scandalisant, d'être atteints par l'arme la plus meurtrière à Paris : le ridicule. On ne sait de quoi il faut s'étonner le plus : que dix académiciens aient tout de même préféré voter en faveur du duc de Castries ou que, foulant pour la plupart leurs propres principes moraux, dix-sept autres aient voté pour l'un des grands hommes de l'époque malgré ses turpitudes supposées ?

Qu'il est dur à Paris d'être puritain ou même, plus modestement, partisan de la décence et des bonnes mœurs !

V

CODES

17

Salons de Paris

Parmi les savoirs que tout étranger désireux de s'installer dans la capitale française devrait intégrer, il y a celui-ci qu'il faut placer en tête de liste : les salons ont peut-être disparu, mais Paris reste un salon, en tout cas la capitale du dîner en ville. Anna de Noailles et Florence Gould sont mortes sans laisser de descendance. Il n'y a plus de ces lieux institutionnels où la bonne société se retrouvait à dates fixes pour cancaner, mimer des parades nuptiales et se livrer à de subtiles joutes oratoires. Mais l'esprit de salon a survécu. Dans la bonne société — et bien au-delà —, on continue de priser l'art de la conversation et de juger les gens sur la qualité de leurs reparties, on conserve le même respect pour les préséances et la compétition feutrée, les clans se font et se défont au gré des cooptations et des mises au ban. À Paris, il convient de tenir son rang et de respecter la hiérarchie de la meute. À l'intérieur de ces limites, il est recommandé d'avoir une conversation brillante. Jacques Attali pouvait bien à tout moment vous éblouir une tablée de distingués invités, il se gardait bien de le faire en présence de François

Mitterrand, seul autorisé à donner le ton, grave ou joyeux, et à choisir le sujet de discussion. Dans *Ridicule*, le film de Patrice Leconte qui se déroule à Versailles à la veille de la Révolution, un désopilant abbé de cour cynique incarné par Bernard Giraudeau réjouit l'entourage par sa méchanceté et ses mots d'esprit, jusqu'au jour où il a le mot de trop devant le roi en personne, ce qui signe sa disgrâce irrémédiable. Dans cet immense salon désormais virtuel qu'est Paris, il convient de briller mais à bon escient, en évitant les fautes de goût qui vous condamnent à la relégation. Il faut être prêt à dégainer son bon mot à la vitesse de l'éclair, mais il faut aussi savoir se taire.

À quel moment les salons ont-ils cessé d'exister ou en tout cas définitivement changé de nature ? On suppose, en lisant le *Journal inutile* de Paul Morand, qui couvre la dernière partie de sa vie, entre 1968 et 1976, qu'on assiste alors aux derniers feux d'un monde proustien en voie de disparition ou déjà englouti. Le vieux romancier, mondain entre tous, n'en finit pas d'évoquer les fastes des soirées d'antan. Ainsi note-t-il, le 23 juin 1974 :

> La première fois que je vis Pétain, c'était après la guerre, vers 1920, à un bal masqué chez la duchesse de Rohan, boulevard des Invalides. Les Six[1], les Dadas, amenés par sa fille, la princesse Lucien Murat, étaient déguisés et fort bruyants. Cela avait amusé le Maréchal, qui me le rappelait souvent, à Vichy.

---

1. Le groupe des Six était constitué de scompositeurs d'avant-garde des années 1920, dont Darius Milhaud, Arthur Honegger et Francis Poulenc.

Un demi-siècle plus tard, ces fêtes joyeuses où les puissants de la République se mêlaient à des artistes d'avant-garde dans un décor luxueux et raffiné ne sont plus qu'un lointain souvenir. Le journal de l'écrivain-dandy fourmille de ces souvenirs nostalgiques. Par exemple ce grand restaurant qu'il fréquentait dans l'entre-deux-guerres :

> Nous allions souvent chez Maurice, rue de Monceau, ensuite avenue Gabriel. La première table de Paris, des vins du XVIIIᵉ siècle, le service avec deux potages, à l'anglaise, Le maître d'hôtel immobile, surveillant le service, un larbin pour deux invités. Beaucoup d'hommes politiques, dont Mandel, presque toujours. Au milieu du dîner, le sorbet, comme autrefois.

Dieu que les années 1930 étaient jolies et la vie agréable entre gens du même monde !

En 1975, ce vieux monde bat de l'aile, mais Paul Morand fait de la résistance. Sa femme, la princesse Hélène Soutzo, agonise à quatre-vingts ans dans son hôtel particulier qu'elle avait fait construire en 1913 sur le Champ-de-Mars, et qui a «une salle de réception de dix-huit mètres de long». Le temps des salons est à peu près révolu, même si Florence Gould — née en 1895 — continue de témoigner de sa présence à des déjeuners chez Maxim's ou au Bristol. Morand garde un agenda passablement rempli. Dans son *Journal*, il note fréquemment des déjeuners chez les Chambrun — la fille de Pierre Laval et son mari[1]. Il tente de réunir des anciens de Vichy, mais ce n'est pas facile :

> Ils se détestent, refusent de se rencontrer. L'échec resserre d'abord les liens, puis aigrit les gens, qui se disputent et, pour finir, se haïssent.

Dieu merci, il reste l'Académie française, où Paul Morand, après avoir dû s'incliner en 1958 devant le veto de De Gaulle, «protecteur» de l'Académie, y a finalement été élu dix ans plus tard, à l'automne de 1968. Il y a beaucoup de déjeuners chez Maurice Genevoix, alors Secrétaire perpétuel. D'autres chez le duc de Castries, qui, on l'a vu, cherche désespérément à se faire élire sous la Coupole.

> Déjeuner chez Genevoix vendredi ; chez Castries mercredi. Je suis non pas l'académicien classique, dîneur en ville, mais l'académicien recueilli, qu'on reçoit par pitié, une sorte de veuf vivant, à la fois bouche-trou et parce qu'il «faut un homme», ou parce qu'il connaît bien Paris ; de sorte que l'Académie est pour moi une sorte de pension, de seconde famille.

Paul Morand et quelques autres survivants se retrouvent au Ritz ou au Meurice, perpétuent vaille que vaille le souvenir d'une époque révolue. Mais il n'y a plus ces solides

---

1. «Déjeuner Chambrun (Cheval blanc 1934). Ris de veau, crêtes de coq, truffes, morilles. L'asperge blanche détrônée (enfin!) partout, au bénéfice de la verte, à l'italienne.» (P. Morand, *Journal inutile*, Gallimard, 2001.)

institutions chères, on l'a vu, à l'abbé Mugnier, «le confesseur des duchesses», ou à Edith Wharton (1862-1937). La célèbre romancière américaine issue d'une richissime famille new-yorkaise s'est définitivement installée à Paris en 1907 où elle passera les trente dernières années de sa vie à fréquenter Anna de Noailles, André Gide, Jean Cocteau, son vieil ami Paul Bourget, et quelques romanciers anglo-saxons de passage, tel son «maître» Henry James.

Dans son autobiographie[1] parue en 1933, quatre ans avant sa mort, la romancière décrit notamment les salons du faubourg Saint-Germain qu'elle a si bien connus.

Le salon parisien — ou le dîner en ville — demeure rétrospectivement un monstre de complication pour cette grande bourgeoise qui connaît personnellement le président Theodore Roosevelt depuis l'enfance. Aux États-Unis — ou dans les milieux américains d'Europe —, il arrive qu'on improvise, que des invités de dernière minute se joignent à la fête. À Paris, les invitations se lancent un mois à l'avance. S'il s'agit d'un dîner, le placement des invités est un art qui relève de la stratégie militaire la plus sophistiquée. À son arrivée à Paris, voulant remercier une douzaine d'amis de leur accueil chaleureux, et se doutant de la difficulté de l'entreprise, elle consulte une amie proche, nièce d'un duc-diplomate. Celle-ci revient la mine sombre et exhibe un plan de table suggéré par son oncle :

---

1. Edith Wharton, *Les Chemins parcourus*, Flammarion, 1995. Coll. Domaine étranger, 10-18, 2001.

[Il] est très dubitatif, dit-elle. Il a ajouté : « Ma chère petite, Mrs Wharton n'aurait jamais dû inviter ces gens ensemble » — non pas qu'ils ne fussent pas tous bons amis et même intimes, mais parce que les nuances de leurs différences de rang étaient tellement subtiles, et tellement difficiles à classer, que même le duc diplomate reculait devant la tentative[1].

On a maintes fois parlé de la complexité du protocole français, déjà pesant dans les cérémonies officielles et les palais de la République, mais qui s'applique également, ou s'est longtemps appliqué en tout cas dans les dîners mondains. Comment placer un académicien, un duc, un archevêque, un prétendant au trône d'Albanie ? Edith Wharton découvrait donc un système étonnamment rigide qui régentait les soirées privées : il était tellement précis et connu de tous qu'aucun convive ne pouvait ignorer, le cas échéant, la piètre estime où le tenait la maîtresse de maison qui venait de le condamner, par sa position à table, à la huitième ou neuvième place dans le rang protocolaire. Tout invité pouvait noter — avec satisfaction ou déplaisir — à quel endroit il figurait dans l'organigramme, et y trouvait matière à se vexer à l'occasion. Plus subtil encore : tel invité, jouissant d'une situation honorable dans les médias ou à l'université, bien que placé à la place d'honneur, c'est-à-dire à la droite de la maîtresse de maison, s'étonnait d'avoir été invité avec des convives qui n'étaient pas *de son niveau*, ou pis encore de se retrouver relégué en seconde position,

---

1. Edith Wharton, *op. cit.*

derrière un invité qu'il jugeait nettement moins important que lui.

Le terrain était miné car, comme le dit encore Edith Wharton, « sous une surface d'exquise urbanité, la rancœur pouvait couver durant des années dans l'âme d'un invité dont les titres n'ont pas été honorés ». À cet égard, il n'y avait pas plus paradoxal que les *bouts de table*, où se retrouvaient les invités les moins importants, « les sans-titres, les sans classes ». Indéniablement, cette place constituait « la honte pour ceux qui estimaient mériter une meilleure place[1] ».

Mais, à y regarder de plus près, ceux qui en héritaient, à la condition d'être jeunes et en début de carrière, pouvaient être les convives les plus amusants de la soirée, comme si l'éloignement du centre du pouvoir autorisait des fantaisies interdites à l'invité d'honneur : « Les brillantes saillies, les paradoxes audacieux et les anecdotes savoureuses émanaient le plus souvent de ce groupe d'indépendants », note Edith Wharton. La tradition du *bout de table* spirituel était si bien établie que ceux qui en étaient les habitués jouissaient parfois d'un réel prestige car on les invitait pour leur esprit et non pas pour leurs vieux titres de noblesse. Mais, « les années passant, un habitué était de plus en plus disposé à céder sa chaise à la génération montante et travaillait à se rapprocher des hôtes ». Ainsi ce nouvel académicien,

---

1. Comme le comte de R. qui, un jour, « estima être placé trop près du bout de table. Il attendit un trou dans la conversation puis, se tournant vers sa voisine, lança d'une voix perçante : *Pensez-vous, chère Madame, que les plats parviendront jusqu'à ce coin reculé de la table ?* »

… élu après de nombreux efforts et de longues années d'attente et qui était passé sans transition du bout de table à la droite de la maîtresse de maison. (…) Un vieil habitué de la relégation, n'ayant connu aucune promotion, lui posa la main sur l'épaule : « Ah, mon cher B., après toutes ces années de bout de table, je vais me sentir terriblement seul sans mon vieux voisin ! » Tout le monde éclata de rire, sauf l'académicien qui déplia sa serviette en silence, avec un sourire aigre, et la maîtresse de maison, choquée par cette remarque désinvolte…

Cette affaire des *bouts de table* — qui « mériterait un chapitre à part tellement sont nombreuses les reparties célèbres qui y sont nées » — nous rappelle que, dans les salons et les dîners en ville de ces années-là, avoir ou non de l'esprit faisait toute la différence. C'était même le but de l'opération car, nous explique Edith Wharton, « toute la raison d'être du *salon* se basait sur le goût national pour la conversation générale ». Hors de la conversation, point de salut.

Si l'académicien ou le duc, pour peu qu'ils fussent conviés à la fête, avaient automatiquement leur rond de serviette à la droite de l'hôtesse, le brillant causeur, de son côté, avait toutes les chances d'en être le héros, de s'y faire des relations utiles, d'être réinvité et de faire ainsi son chemin dans la société. Mais pas de salon digne de ce nom sans une connotation littéraire car, selon la romancière, « à Paris, personne ne peut vivre sans littérature ».

Certes, même dans ce domaine il fallait éviter de trop se spécialiser : un salon strictement littéraire deviendrait forcément ennuyeux et stagnant. Il convenait au contraire de mêler judicieusement des écrivains, des diplomates, de vieilles gloires du faubourg Saint-Germain et des candidats à l'Académie. Il fallait doser le fonds des vieux habitués et y ajouter une pincée de nouveauté, un ou deux invités étrangers au salon. Mais dans tous les cas de figure, la littérature fournissait le liant social entre tous ces gens.

Les célébrités du temps citées par Edith Wharton ont toutes à voir avec la littérature. Il y a le romancier Paul Bourget, « un des causeurs les plus intéressants et les plus doués, fort demandé par les maîtresses de maison ambitieuses », la poétesse Anna de Noailles, dont « les monologues sont éblouissants », le poète Henri de Régnier et l'auteur de théâtre Robert de Flers. Même ceux qui ne sont pas écrivains ont écrit. Le comte de Ségur, « charmant causeur », a commis un livre sur Julie de Lespinasse. Le baron Ernest Sellières est l'auteur d'ouvrages érudits sur l'Allemagne. Le comte d'Haussonville est le petit-fils de Mme de Staël et son biographe. Et ainsi de suite. Il faut avoir fait ses preuves d'une manière ou d'une autre dans le domaine littéraire pour être admis dans les meilleurs salons. « Partout où deux ou trois Français cultivés se rencontrent, un salon se constitue aussitôt », et à l'inverse pas de salon digne de ce nom sans une composante littéraire forte.

En ce début de xxie siècle, les salons littéraires ont donc disparu. Ou alors, quand on tombe par hasard sur l'un de ces événements mondains, généralement aux confins du 16e arrondissement, dans le somptueux appartement d'une riche veuve, on a le sentiment de se retrouver dans une scène de *Sunset Boulevard*, le film de Billy Wilder où apparaissent de vieilles stars oubliées de Hollywood. La riche veuve est entourée d'autres veuves, il y a quelques hauts fonctionnaires à la retraite, d'anciens ambassadeurs. On y lit de la poésie, et le fantôme de Louise de Vilmorin flotte sur l'assistance. Quant aux dîners en ville, lorsqu'ils sont cérémonieux à la mode d'antan — cartons d'invitation, plans de table —, ils ont toujours de bonnes chances d'être utilitaires. Un éditeur (important) fera chez lui un dîner à douze — ou trente — couverts pour souligner le passage à Paris d'un romancier américain célèbre : on y invitera deux ou trois auteurs aussi importants que possible, mais également et surtout des critiques et des responsables de pages littéraires ainsi que d'autres professionnels de l'édition, en espérant des retombées médiatiques et commerciales. Un producteur de cinéma organisera, après la projection parisienne en avant-première d'un nouveau film, un dîner privé du même genre en l'honneur du réalisateur et des deux vedettes. Cependant dans ces cas-là il ne s'agit plus de dîners proprement dits mais de dîners de travail *utiles*, ce qui change tout.

Dans la sphère privée, où il n'y a généralement pas d'enjeu commercial ou professionnel précis, les soirées dînatoires *entre copains* organisées dans les quartiers bobos se passent de cérémonie. Pas de nappe sur la table, pas de petit carton pour marquer la place de chacun, pas l'ombre d'un domestique pour faire le service. Mais il reste quand même quelque chose de l'esprit de salon à la mode de 1910.

La maîtresse de maison aura peut-être bien arrêté dans le

détail son plan de table, même si elle n'est pas allée jusqu'à inscrire les noms sur des cartels. Elle aura éventuellement médité la liste de ses invités, pour peu que l'événement dépasse le cadre de la stricte intimité. Comme le recommandait en son temps Edith Wharton, elle aura savamment dosé la liste des invités, en mélangeant d'un côté quelques vieux habitués qui se connaissent déjà et assureront une convivialité de départ et de l'autre deux ou trois *éléments* nouveaux chargés de créer l'événement : tout faire pour éviter que les vieux copains ne repartent en fin de soirée en se disant que *décidément dans ces soirées chez Mariette et son jules il ne se passe jamais rien, on voit toujours les mêmes têtes, à se demander s'ils connaissent quelqu'un en dehors de nous.* Le dîner pas vraiment intime se transforme en dîner à peu près mondain, en ce sens qu'il vise à impressionner. On veut montrer à sa bande de vieux habitués qu'on peut leur présenter des gens nouveaux — *et hyper-intéressants, tu verras!* —, peut-être même des gens vaguement connus. Dans le même temps, on montre à ces nouveaux venus, à tout hasard, qu'on a une bande d'amis fidèles, qu'on a son clan, qu'on se trouve en plein Paris comme un poisson dans l'eau. Même chez de simples bobos, un dîner de ce genre peut devenir un exercice angoissant, principalement pour la maîtresse de maison : elle ne sait jamais à l'avance si le courant passera entre les vieux piliers et les *guest stars* ou si la rencontre tournera à la catastrophe. Le journaliste Machin, qui est tout juste un peu connu, qui vient ici pour la première fois et qui n'est pas un ami proche, on en convient, va-t-il trouver les habitués sympas, ou ennuyeux,

ou même ringards ? Va-t-il réussir à faire la gueule toute la
soirée puis à appeler un taxi à la première occasion, aussitôt
le dessert avalé ?

Le vrai-faux dîner privé-mondain ressemble de nos jours
à *Cuisine et dépendances*, le film de 1993 tiré de la pièce
éponyme d'Agnès Jaoui et Jean-Pierre Bacri. Où l'on voit
une maîtresse de maison désespérément moyenne (Zabou
Breitman) se stresser en cuisine à propos d'un dîner hasar-
deux qui au salon tourne à la catastrophe. Flanquée d'un
mari besogneux (Sam Karmann), d'un frère joueur de
poker et parasite (Jean-Pierre Darroussin) et d'un copain
en dépression qu'ils hébergent temporairement (Jean-
Pierre Bacri), elle gère l'invitation faite à un ami perdu
de vue depuis longtemps, devenu journaliste vedette à la
télé. L'ami (qu'on ne verra jamais) arrive avec deux heures
de retard en prétextant des embouteillages, entreprend de
courtiser la petite amie sexy de Darroussin, entraîne ce dernier dans une partie de poker où il perd dix mille francs,
ce qui oblige Karmann à le rembourser, et finit par quitter
la soirée avec la copine de Darroussin en leur abandon-
nant sur place sa propre femme, incarnée par Agnès Jaoui.
Le dîner privé/mondain à la parisienne, même de niveau
modeste, peut facilement tourner à la tragédie grecque où
l'on voit le héros souffrir et mourir, ou alors plus modestement la maîtresse de maison *péter un plomb grave* — soyons
dans l'air du temps — pour avoir voulu s'élever au-dessus
de sa condition.

Si le salon de 1910 a disparu, les brillants causeurs
existent encore et cherchent à pratiquer leur art sur tous les

terrains de jeux disponibles, même les plus incertains. Les voilà forcés d'improviser au débotté, avec des partenaires de hasard, dans des décors de fortune. Il arrive, au gré de déjeuners de presse tournant autour du cinéma ou de la littérature, qu'on tombe sur l'un de ces fins causeurs. Ainsi, en 1997, au Mans, sur le tournage du *Bossu*, version Philippe de Broca. À table, je me retrouvai à côté de Daniel Toscan du Plantier, ancien grand patron de la Gaumont pour l'Europe. Très disert, bon conteur, « Toscan » entreprit ses deux voisins immédiats — moi-même et un autre journaliste — à propos d'un sujet tout de même assez intime : l'assassinat de sa propre femme survenu six mois plus tôt, le 23 décembre 1996, dans leur maison de l'ouest de l'Irlande. Le producteur nous fit un récit haletant des événements, commenta les faits, l'enquête de police — *Vous vous rendez compte! On connaît l'assassin, il est sous nos fenêtres!* —, comme s'il cassait la croûte avec des amis de vingt ans. En un mot il nous raconta sa vie, avec talent et conviction, comme si, même avec des compagnons de table lambda, il ne pouvait s'empêcher de chercher à captiver son auditoire. Le journaliste et moi-même étions devenus des amis intimes de l'ancien grand manitou du cinéma européen. Un an plus tard, je croisai le même Toscan dans un cocktail relativement intime au ministère de la Culture, il avait rigoureusement oublié cet épisode en même temps que mon existence. La comédienne Marie-Christine Barrault, qui avait été sa première femme, en parlait de cette manière : « Toscan a toujours été comme ça, causeur impénitent. À vingt ans, il savait tout, donnait son point de vue de façon péremptoire dans les salons, refusait de passer inaperçu. Juste pour le plaisir d'un bon mot, il était capable de se brouiller mortellement avec ses interlocuteurs. Bref il était insupportable.» Le producteur, mort prématurément en 2003, à l'âge de soixante et un ans, était l'exemple même du docteur ès conversations de salon qui, longtemps après la disparition des soirées Noailles ou Florence Gould, continuait de faire la démonstration de son art en toute circonstance, pour peu qu'il eût trouvé deux ou trois interlocuteurs capables d'écouter avec intelligence. Tel un majestueux escargot, il transportait son salon avec lui, même dans les palaces étrangers et dans les avions, et pouvait ainsi, sous toutes les latitudes, reprendre le fil de sa conversation étincelante.

Il aurait pu — et l'a fait à l'occasion — exercer son art sur le petit écran, où le salon a connu une seconde vie particulièrement glorieuse, notamment avec les émissions de Bernard Pivot, qui ont fait la loi sur la scène littéraire pendant un quart de siècle. La tendance à faire salon a toujours existé à la télévision française, car, dans un rayon d'un kilomètre autour des antiques studios de Cognacq-Jay, on trouvait sans difficulté des invités cultivés et bavards, prêts à discourir et à débattre jusqu'à extinction des feux sur tous les sujets de l'heure ou des vingt derniers siècles.

Avec Ouvrez les guillemets, Apostrophes, puis Bouillon de culture, Pivot avait spécifiquement recréé, à la fin du xxᵉ siècle, le salon à dominante littéraire du début du même siècle. On y retrouvait tous les ingrédients de base : le souci des préséances qui consistait à installer le grand

écrivain ou l'invité d'honneur à la droite de l'animateur ;
le sens de la compétition qui conduisait, en fin d'émission,
le public en studio et les téléspectateurs à débattre pour
savoir qui avait remporté la bataille ; la glorieuse incertitude du débat, qui voyait parfois une personnalité prestigieuse s'autodétruire en direct devant les téléspectateurs,
ou au contraire un auteur parfaitement inconnu, mais
spirituel et surprenant, rafler la mise et devenir sur un
coup de baguette magique un romancier à succès. Pendant
quelque vingt-cinq ans, le vendredi soir à 21 h 30, un million et demi ou deux millions de Français — et tout ce que
Paris comptait de gens cultivés — se sont plantés devant
leur téléviseur pour suivre *in vivo* les péripéties de ce salon
littéraire qui n'aurait pu exister dans aucun autre pays et
qui prenait parfois l'allure d'un saloon de western où l'on
tire à balles réelles. On vit ainsi Edmonde Charles-Roux,
impressionnante de majesté et de mépris comme avaient
pu l'être en leur temps Anne d'Autriche ou Catherine de
Médicis, exécuter un essayiste qui avait osé critiquer la
politique culturelle de Jack Lang : « Je vois que vous n'aimez pas vraiment les artistes », avait-elle laissé tomber sur
un ton glacial. On vit également une célébrité intellectuelle
italienne de l'époque, aujourd'hui bien oubliée, après sa
disparition en 2007, Maria-Antonietta Macciocchi, cou-
pable d'avoir écrit quelques années plus tôt *De la Chine*,
le livre le plus monstrueusement complaisant sur la Chine
de Mao et la révolution culturelle, se faire exécuter par un
sinologue belge beaucoup moins connu, Simon Leys. Macciocchi était arrivée à l'émission en triomphatrice, forte de

ses ventes en librairie. Elle avait paru d'une telle mauvaise foi face à Simon Leys que les ventes de son dernier livre — *De la France* — s'étaient instantanément arrêtées. Dans la foulée, elle-même avait définitivement disparu de la scène littéraire et intellectuelle.

Dans le salon de Bernard Pivot on jouait parfois sa gloire et sa carrière comme à une table de casino. Nulle part ailleurs en Europe on n'a jamais trouvé une émission littéraire capable d'aligner chaque semaine des débatteurs d'une telle virtuosité et de nous jouer un tel psychodrame. Tous les auteurs français — ou parisiens — ne sont pas des champions de la conversation mondaine. Mais beaucoup le sont, car c'est un sport national qui s'apprend dès le plus jeune âge dans les bonnes familles.

L'histoire se répète toujours deux fois, disait Marx en reprenant le mot de Hegel : une première sous forme de tragédie, la seconde sous forme de farce. Bernard Pivot finit par se retirer de la télévision, ce qui condamna inexorablement les émissions littéraires survivantes à émigrer au-delà de minuit, hors des eaux territoriales des grilles des programmes, ou sur des chaînes quelque peu confidentielles. Bien que sous une forme qui n'avait plus grand-chose de littéraire, un autre salon virtuel prit sa succession sur un mode mineur quelques années plus tard. Parmi les invités, il y avait davantage de vedettes des variétés, des médias ou de la politique que de vrais auteurs — mais toute personnalité parisienne un peu connue n'a-t-elle pas un jour signé au moins un livre? Cela s'appelait 93, faubourg Saint-Honoré. Un titre déjà provocateur puisqu'il évoquait un quartier de Paris tellement chic et snob que pratiquement plus personne n'y habite sauf le président de la République, le ministre de l'Intérieur, trois originaux[1] et quelques étrangers richissimes. Le producteur et l'animateur de la soirée : nul autre que Thierry Ardisson qui poussait l'arrogance jusqu'à recevoir dans son propre appartement. Les invités étaient priés de manifester autant d'esprit que possible, d'aligner bons mots et récits bien enlevés, comme dans le film *Ridicule* dont on a déjà parlé.

Que Thierry Ardisson ait un côté insupportable et parfois vulgaire, personne ne le conteste. Qu'il soit brillant et intelligent, on ne le discute pas non plus. Mais — magie propre au microcosme parisien — cet ambitieux trop pressé est également cultivé. Lorsqu'il animait une émission culturelle quotidienne sur Paris Première — émission de grande qualité d'ailleurs —, on a pu le voir réaliser, entre autres, une interview d'une heure avec Alain Robbe-Grillet et une autre avec Edgar Morin : toutes deux étaient exceptionnelles. Thierry Ardisson, célèbre pour son *Sucer est-ce tromper ?* assené à un infortuné Michel Rocard soudain pris de court, a également un bagage intellectuel et littéraire non négligeable, ou en tout cas une intelligence particulière qui lui permet d'assimiler à une vitesse record ce qu'il faut savoir sur un philosophe ou un romancier illustres.

---

1. Le brillant commissaire-priseur Maurice Rheims, alors, y disposait, à deux pas du cercle Interallié, d'un immense appartement où l'on était reçu par un maître d'hôtel philippin en uniforme. Une grande toile de Balthus et un portrait de Dora Maar par Picasso ornaient son bureau de travail. Il disposait d'une imposante terrasse transformée en jardin japonais.

Dans ce fameux 93, faubourg Saint-Honoré, on eut donc droit davantage à des gens du showbiz et du cinéma qu'à de vieux lettrés. On constata surtout avec étonnement qu'autour de la table, même de simples journalistes, des chanteurs, des animateurs de télévision — plus rarement des hommes politiques, immanquablement raides et coincés — faisaient preuve d'une certaine culture et surtout de beaucoup de talent dans la conversation. Qui l'eût cru ? Installé tel soir à la place d'honneur, Michel Drucker — qui n'a jamais été un idiot, c'est entendu — prit la direction des opérations avec l'autorité souriante qu'on lui connaît, ne la quitta plus et montra à tout le monde qu'il pouvait alterner avec une parfaite dextérité la confidence un peu grave et l'anecdote légère, bref qu'il était un fin causeur. Le journaliste Roger Auque, ancien desperado de Beyrouth où il avait été retenu otage pendant dix-huit mois, fit preuve du même savoir-faire. L'émission de Thierry Ardisson, sans du tout atteindre bien sûr des sommets de célébrité et des taux d'audience comparables à Bouillon de culture, loin s'en faut — elle était diffusée sur Paris Première, une chaîne du câble —, était assez fidèlement suivie par un public mondain, couche-tard et cultivé qui se piquait de savoir ce qui se dit à Paris. L'émission dura de 2003 à 2007, avant d'être reprise sous diverses formes et avec de nouveaux animateurs. Ce n'était plus la même chose et l'esprit salon avait disparu. Mais on avait une fois de plus pendant quelques années fait la démonstration que Paris est la seule ville au monde capable de réunir à la demande une dizaine de beaux parleurs susceptibles de ressusciter un salon élégant et brillant comme aux plus belles heures du faubourg Saint-Germain. À Paris, on vous refait un salon à la demande, comme le notait Cioran en 1941 :

> On se lance, dans les bistrots, des répliques de salon. Chacun sait se présenter, chacun sait quelque chose. (…) C'est parmi les Français que l'on trouve le moins d'imbéciles profonds, irrémédiables, éternels. Même la langue s'y oppose[1].

De ce point de vue on n'a rien inventé car, au xve siècle déjà, François Villon, bien avant l'invention des salons, avait réglé la question une fois pour toutes : «Il n'est bon bec que de Paris», disait-il. Quelques siècles plus tard, les décors ont changé mais le fond est resté le même.

---

1. E. Cioran, *De la France*, Éditions de l'Herne, 2009. Ce court texte, le dernier que Cioran ait écrit en roumain, date de 1941.

18

Courtoisie et grossièreté

Il y a une vingtaine d'années, je me trouvais, pour une interview, dans une belle maison en bordure du bois de Vincennes, chez Alexandra Stewart. Née dans une famille anglophone de Montréal, elle était arrivée en 1958 à Paris d'où elle n'était plus jamais repartie. Cooptée par la bande de la Nouvelle Vague, elle avait joué dans des films de Pierre Kast, de Jacques Doniol-Valcroze et de plusieurs autres. Par la suite elle avait été la compagne de Louis Malle dont elle avait une fille. Elle n'avait peut-être pas connu une carrière de star, mais elle avait fréquenté tout le monde dans ce qui fut un nouvel âge d'or du cinéma français, à partir de la fin des années 1950.

On parle des uns et des autres, des personnages de l'époque. De Boris Vian, qui faisait partie de la bande : «Vian était d'une drôlerie irrésistible, se souvient-elle. Il était d'une méchanceté hallucinante!» Pour elle, devenue avec les décennies la plus parisienne des Nord-Américaines, il s'agissait du compliment suprême.

En bord de Seine, ayez l'humour méchant, personne

ne vous en tiendra rigueur, sauf peut-être ceux qui ont été victimes de vos brillants sarcasmes, et encore. La galerie applaudira vos bons mots, on insistera pour vous prêter de l'argent, on recherchera votre compagnie. Si l'on dit de quelqu'un *c'est un vrai méchant*, il faut l'entendre comme un compliment. Car s'il était un méchant banal et vulgaire, on dirait plutôt : *c'est un sale con.* La preuve : si l'on préfère dire *lui c'est un méchant con*, le choix de la formule comporte une nuance presque admirative, suggérant que la connerie du susdit dépasse les normes habituelles et atteint des proportions épiques. Être méchant à Paris signifie avoir du caractère, savoir ce qu'on veut, ne pas s'embarrasser de scrupules inutiles. À l'inverse, si l'on dit de vous *il est gentil* ou *c'est un gentil garçon*, vous avez du souci à vous faire. Cela veut dire qu'on vous prend à tout le moins pour un naïf, voire pour un benêt ou un idiot. Le gentil ne sait jamais rien, même pas qu'il est cocu, le méchant est malin, au courant de tout ce qui se passe d'important dans les arrondissements qui comptent. Les Parisiennes fantasment volontiers — un peu à la blague — à propos du grand méchant loup. Le méchant a bonne presse. Surtout s'il est drôle, ce qui est souvent le cas.

Il arrive que la France plébiscite les gentils et les bons apôtres. C'est même très courant dans les sondages sur les personnalités préférées des Français qu'on a déjà évoqués. Hier l'abbé Pierre arrivait invariablement en tête du palmarès. Aujourd'hui on porte aux nues le chanteur Jean-Jacques Goldman qui lui-même a pris la place de Yannick Noah et, avant lui, de Zinedine Zidane. Cet engouement obstiné pour les braves gars qui donnent l'impression d'aimer tout le monde vous a évidemment quelque chose de suspect, comme si les Français avaient à se faire pardonner des pensées qui n'ont rien de gentil. À la télévision, le grand public plébiscite Patrick Sébastien, brave géant corrézien qui rêve de faire le bonheur de ses contemporains, Jean-Pierre Foucault, le Marseillais qui a le cœur sur la main, ou Michel Drucker, qui n'a jamais été désagréable avec personne face aux caméras et a réussi à conserver une image de candeur héritée, probablement, de sa Normandie natale. Le Tout-Paris leur rendra toujours hommage, ne serait-ce que parce qu'ils sont puissants et célèbres. Mais ni Drucker ni Sébastien, ni les autres champions des concours de popularité, ne sont de vrais Parisiens : la société parisienne admirera leur longévité et l'importance de leur compte bancaire, mais jamais ne les considérera comme faisant vraiment partie de la bande. D'ailleurs si c'était le cas ou s'ils étaient identifiés comme tels, jamais ils n'auraient connu une telle faveur publique auprès de la France profonde ou fait une telle carrière à la télé. La personnalité parisienne ou considérée comme telle bat rarement des records de popularité.

Serge Gainsbourg campait, à l'inverse, un Parisien typique, brillant, cultivé, cynique, autodestructeur, capable de belles méchancetés : ses fidèles et son fan-club lui pardonnaient allégrement ses écarts de conduite et de langage, mais la France des provinces ne l'aurait jamais mis à la place de l'abbé Pierre sur le podium. Gainsbourg n'avait certainement rien d'un gentil. Pour échapper à cette dichotomie infernale il faut s'appeler Jamel Debbouze. Celui qui a réussi ce tour de force de devenir une indéniable vedette parisienne adoubée par Canal + sans tomber dans le registre méchant. Mais, méchant il l'avait déjà été ou du moins avait eu la réputation de l'être : venant de la banlieue pure et dure, il pouvait passer à ses débuts pour un mauvais garçon. Dans ces conditions, une vedette adulée par les foules peut se permettre la gentillesse et ne pas être considérée comme ringarde. Mais nous sommes là devant une exception qui confirme la règle : à Paris, ayez l'air méchant (ou cynique ou simplement enragé) et Dieu vous le rendra.

Au mois de juin dernier, un jeune conteur québécois inclassable et talentueux qui se préparait à entamer quatre semaines de spectacle au théâtre de l'Atelier, Fred Pellerin, était invité à l'émission de Laurent Ruquier On n'est pas couché. Ce qui lui donna l'occasion d'assister à un spectacle totalement inédit pour lui. Parmi les invités figurait Jean-Pierre Mocky, cinéaste à la veille de ses quatre-vingts ans, lui aussi inclassable. Anarchiste, provocateur, capable de la grossièreté la plus totale, il a réalisé un nombre incalculable de films, dont quelques-uns remarquables et beaucoup bâclés. Il a connu plusieurs grands succès d'audience et encore davantage de bides. Mocky a ou a eu beaucoup de talent ; plusieurs des plus grands comédiens, Francis Blanche, Bourvil, Michel Serrault, Jeanne Moreau, ont joué pour lui presque gratuitement.

Ce soir-là, Mocky venait présenter son plus récent opus, un film tourné en quelques jours dans un décor unique avec sa bande de copains comédiens, dont Michael Lonsdale et Bernadette Lafont. À peine les deux chroniqueurs attitrés de l'émission avaient-ils esquissé le projet d'émettre quelques réserves — bien légitimes — sur ce nouveau film, que le réalisateur, bien calé dans son fauteuil, déclenchait un tir d'artillerie nourri de boules puantes. Aymeric Caron fut traité de « vermisseau », Natacha Polony de « semi-vieille peau ». La canonnade avait duré quinze bonnes minutes, Mocky ayant vite tendance à hausser le ton et le niveau des insultes. Fred Pellerin, qui a déjà une allure de lutin débonnaire avec ses lunettes à la Harry Potter, était estomaqué par ce qu'il voyait et entendait : « Je n'ai jamais vu une telle violence verbale de ma vie, ni à la télévision québécoise ni à la télévision américaine. Il arrive en Amérique du Nord que les gens s'envoient quelques vacheries, mais se tirer comme ça au canon, c'est impensable ! »

Selon le journaliste-écrivain Philippe Labro, cette capacité à agresser l'interlocuteur fait partie des mystères de la personnalité du Parisien que l'observateur étranger a du mal à comprendre : « Comment [les Parisiens] sont-ils autant capables de grossièreté que de courtoisie ? » écrit-il dans sa préface au livre de l'ancien correspondant du *New Yorker*[1]. C'est-à-dire : vous avez un interlocuteur parfaitement stylé, et même guindé ou déférent, rompu aux formules protocolaires et à l'imparfait du subjonctif et qui, soudain, si la discussion tourne au vinaigre, est capable d'une spectaculaire grossièreté dans le vocabulaire. Des journalistes politiques bien informés, qui suivaient de près les affaires de l'Élysée et de Matignon, prenaient plaisir à noter les saillies

---

1. Adam Gopnik, *op. cit.*

ordurières de certains grands qui gouvernent la France.
Dominique de Villepin, grand féru d'histoire, de littérature et de poésie, et qui donnait si naturellement dans le
genre noble, avait acquis une formidable réputation à ce
chapitre — mais un gentilhomme français bien né, dans
ce pays où les fils de famille étaient tenus d'avoir la fibre
militaire, n'a-t-il pas toujours été également formé au langage des casernes ? Dominique Galouzeau de Villepin avait
donc une disposition bien connue pour les gros mots, et les
insultes truculentes parfois dignes d'un Jean-Marie Bigard.
On a pu le constater dans ce film très drôle réalisé en 2011
par Xavier Durringer, *La Conquête*, sur un scénario brillant
et documenté de Patrick Rotman. Des comédiens qui
finissaient par ressembler comme deux gouttes d'eau à
Nicolas Sarkozy (Denis Podalydès), Dominique de Villepin (Samuel Labarthe) et Jacques Chirac (Bernard Le Coq)
s'échangeaient, en direct ou par personne interposée, des
« amabilités » d'une vulgarité ahurissante. Tous les observateurs qualifiés de la scène politique se sont empressés de
certifier la version langagière proposée par le scénariste, qui
affirmait d'ailleurs n'avoir rien inventé.

Winston Churchill, au rayon de la férocité, avait eu à
la Chambre des communes cet échange nettement plus
spirituel avec une célèbre députée travailliste : « Monsieur,
disait cette dernière, si vous étiez mon mari, je verserais de
l'arsenic dans votre thé ! — Madame ! répondit-il, si j'étais
votre mari, je le boirais ! » Son ennemi de toujours, George
Bernard Shaw lui ayant envoyé deux invitations pour la
première de sa pièce en précisant : « Vous pourrez y amener

un ami, si vous en avez encore », Churchill lui répondit : « Je ne pourrai pas y aller le soir de la première, mais j'irai volontiers à la seconde représentation, s'il y en a une. » C'est un lieu commun déjà ancien : l'humour britannique est souvent fondé sur l'absurde et l'ironie, tandis que l'humour français fait dans l'agressivité, l'attaque *ad hominem* et la démolition. Tant de formules élégantes de politesse, tant de galanterie, pour basculer sans crier gare dans le langage ordurier. Ce trait de caractère relève peut-être de l'habituelle schizophrénie française — ou parisienne car elle s'exacerbe dans les lieux proches du pouvoir — qui consiste à alterner servilité et courtisanerie avec un déferlement d'insultes s'apparentant à une crise aiguë chez un malade atteint du syndrome de Gilles de La Tourette.

Les Parisiens seraient-ils particulièrement enclins à verser dans les gros mots et l'humour vengeur justement parce qu'ils ont été dressés à pratiquer la politesse le plus subtile et raffinée de toute l'Europe ? Entre Parisiens du meilleur monde, tout se passe comme si, ayant respecté à la lettre pendant trois heures les codes les plus complexes des bonnes manières, soudain on n'en pouvait plus et explosait à force de s'être trop longtemps retenu.

Les Nord-Américains et bien d'autres étrangers, notamment d'Europe du Nord, croient volontiers que tous les Français parlent comme Dominique de Villepin — mais le Villepin du célèbre discours si noblement tourné devant le Conseil de sécurité en février 2003, pas celui qui déclare à ses conseillers : « La France est comme une femme, il faut la prendre par le bassin ! » Pour un peu, ils croiraient que beaucoup de Parisiens conversent en alexandrins, qu'ils se font des amabilités et des ronds de jambe à longueur de journée, qu'ils ressemblent presque tous, on l'a déjà dit, à Jean-Pierre Léaud ou Bernard-Henri Lévy, qu'ils ont la conversation élégante d'un Jean d'Ormesson et que la vie parisienne ressemble à un film d'Éric Rohmer. À l'unisson avec Cioran, ils diraient volontiers que ces Parisiens «préfèrent un mensonge *bien dit* à une vérité mal formulée[1]», et qu'ils sont les maîtres incontestés de la subtilité. Jamais ils ne soupçonneraient l'existence des Patrick Sébastien et autres Jean-Marie Bigard.

Ces étrangers, généralement admirateurs de la France, de son mode de vie et de sa culture, n'ont pas eu l'occasion de regarder les chaînes de télé aux heures de grande écoute, d'entendre les humoristes les plus populaires. Ou d'assister en direct à des séances de questions à l'Assemblée nationale et de voir voler les quolibets — notamment sexistes — que le *Journal officiel* se garde bien de noter car ils sont proférés hors micro. Entend-on encore des «À poil!» ou autres amabilités pour saluer la montée d'une femme à la tribune? Il est possible que les députés soient devenus plus prudents ces dernières années avec la généralisation des téléphones portables et autres engins électroniques omniprésents capables d'enregistrer vos moindres écarts de conduite. En tout cas, on entendait il y a quelques années encore des propos graveleux qui, dans la plupart des autres pays occidentaux, auraient valu quelques ennuis à

1. E. Cioran, *op. cit.*

leurs auteurs, ce qui faisait indéniablement du Parlement français une étonnante «exception culturelle». Rassurons-nous pourtant : quand on entendit une bande de mâles surexcités scander «Baisse ton slip, salope!» pour saluer le passage de Dominique Voynet, alors ministre de l'Environnement du gouvernement Jospin, ce n'était pas à l'Assemblée nationale, mais au Salon de l'Agriculture en 1998, où de braves militants syndicalistes de la FNSEA entendaient faire connaître leur hostilité aux politiques écologistes.

Ce genre de propos, s'il est parfois relevé dans les reportages ou dans des livres consacrés à la vie politique, ne choque pas vraiment la majorité de la population. Certains désapprouvent, bien entendu, mais la plupart des gens trouvent la chose à peu près normale. Car la brutalité semble faire partie intégrante de la parole publique. À la télévision, chacun modère son langage aux heures creuses de l'après-midi, où l'audience est majoritairement composée de gens âgés, et pendant le *prime time*, qui doit fédérer les familles. Mais, en fin de soirée, l'atmosphère devient nettement plus «parisienne» et chacun a le droit de se déchaîner.

C'est le cas depuis que le contrôle gouvernemental sur la télévision a pour l'essentiel disparu, au début des années 1980 : la droite venait d'être battue après vingt-trois ans de règne ininterrompu et la gauche était, peut-être à son corps défendant, prisonnière de ses promesses de libéralisation des ondes. Par ailleurs on savait que l'éclatement du PAF était inéluctable et que la multiplication à l'infini des stations de radio et des chaînes de télé rendrait bientôt illusoire toute tentative de censure par le pouvoir politique.

La vieille télévision publique, jusque-là si respectueuse des bonnes manières et si obséquieuse vis-à-vis de tous les pouvoirs, venait de sauter comme une marmite sous pression. Il en sortit Michel Polac et sa célèbre émission Droit de réponse, où diverses personnalités de préférence agitées étaient conviées tous les samedis soir pour deux heures à une foire d'empoigne : Gainsbourg ou Coluche y firent leurs numéros de provoc, il y eut des débuts d'échauffourée, Siné exécutait ses dessins iconoclastes en direct. Le milliardaire « rouge » Jean-Baptiste Doumeng, en plein état de siège en Pologne, se permit d'injurier copieusement un représentant de Solidarnosc, arguant du fait que « les Polonais sont les Mongoliens de l'Europe ». Le magnat de la presse de droite Robert Hersant, qui était alors considéré comme le diable par la gauche, s'invita tel un boxeur solitaire au milieu d'une phalange d'ennemis jurés et leur donna la réplique sur un ton plus que musclé. Jusque-là, l'agressivité avait été l'apanage de Georges Marchais, le chef du Parti communiste, qui roulait des mécaniques et avait dit un jour négligemment au directeur de *L'Express* de l'époque : « Oh, vous, Revel, tout le monde sait que vous êtes une canaille. » Entre autres amabilités. Mais Georges Marchais était un cas d'espèce, un personnage de matamore qu'on tenait pour folklorique et amusant, une fantaisie dans un paysage aussi ordonné qu'un jardin à la française.

Lorsqu'on souleva le couvercle de la marmite, on découvrit que l'humour et la politique pouvaient devenir aussi violents sur le petit écran qu'ils l'avaient été depuis longtemps à Paris, notamment dans des pamphlets anonymes, au temps de la Fronde contre Mazarin et Anne d'Autriche, ou dans les dernières années de l'Ancien Régime contre Marie-Antoinette, qui était accusée de toutes les dépravations. Comme chacun sait, les Français sont à la fois monarchistes et régicides : leur penchant pour les régimes autoritaires se combine de tendances régicides récurrentes, à moins que ce ne soit à l'inverse l'autoritarisme en vigueur qui les encourage à signer des proclamations sanguinaires et à monter pour un oui ou pour un non sur les barricades armés de mousquetons.

La Ve République instituée par de Gaulle — dans des circonstances certes dramatiques — était particulièrement autoritaire. Ce n'est pas un hasard si elle produisit Mai 68. Accessoirement, on avait vu apparaître dès 1960 le mensuel *Hara Kiri*, un journal qui s'autoproclamait «bête et méchant» et dont la férocité et le mauvais esprit — inconnus dans la plupart des pays comparables — étaient d'autant plus incongrus que la France à la même époque interdisait la contraception et de grands classiques de la littérature, censurait la télé et parfois faisait saisir des journaux. Sauf erreur, *Hara Kiri* (mensuel) ne fut saisi qu'à deux reprises, en 1961 et 1966, sans doute parce que, malgré les horreurs qu'il débitait, ou à cause de leur extravagance même, il se plaçait en dehors du champ politique. En revanche, lorsque fut créé par la même équipe *Hara Kiri Hebdo* qui, lui, était directement en prise sur l'actualité, le pouvoir y regarda de plus près. Lorsque la bande du professeur Choron et de Cavanna salua la mort du général de Gaulle par la fameuse couverture «Bal tragique à Colombey : un mort», le journal ne fut pas saisi mais définitivement interdit. Qu'à cela ne tienne : il fut aussitôt remplacé par *Charlie Hebdo*, qui était sa copie conforme, un clone. Lorsque Georges Pompidou mourut à son tour, en avril 1974, *Charlie Hebdo* récidiva et publia à la une cette effroyable caricature de Pompidou, mégot pendouillant, visage bouffi barré d'une énorme croix rouge : PLUS JAMAIS ÇA ! La moitié du journal était consacrée à l'événement, et on n'épargna au lecteur aucun détail scabreux. Des gens — même à gauche — protestèrent contre le mauvais goût de l'incontrôlable *Charlie*, mais le journal ne fut ni saisi ni interdit. Mai 68 était passé par là, et *Actuel*, qui connaissait un immense succès, faisait depuis 1971 l'éloge de la contre-culture et du cannabis. *Charlie Hebdo*, considéré comme un journal satirique, avait le droit d'imprimer toutes les horreurs. Cela n'avait pas une telle importance puisque les grands quotidiens « nationaux » restaient dans l'institutionnel. Quant à la télévision, n'en parlons pas : malgré une réelle libéralisation accordée par le Premier ministre Chaban-Delmas, la tonalité restait bien respectueuse. On ne cherchait pas des poux dans la tête des puissants de la République, c'est le moins qu'on puisse dire : on se contentait de commenter savamment les communiqués et les déclarations des grands partis politiques.

Le premier signe de changement fut l'apparition du Bébête show, sur TF1, en octobre 1982. On y pratiquait un humour corrosif à la grand-papa, tel celui pratiqué depuis des décennies par les chansonniers du Caveau de la République. Mais pour la première fois à la télévision le monde politique était désacralisé et tous les leaders ridiculisés. Cependant on n'avait encore rien vu, car la création des Guignols de l'info, sur Canal +, à la fin du mois d'août de 1988, donna un grand coup de vieux à la satire politique façon Jean Amadou et Jean Roucas. Désormais, tous les soirs devant deux millions de téléspectateurs, les grandes figures de la politique furent passées à la moulinette — avec énormément de talent et de drôlerie, il faut le dire. L'émission fut un événement télévisuel, et les marionnettes des Guignols devinrent parfois plus célèbres ou en tout cas plus réelles que leur modèle d'origine. Beaucoup d'observateurs estimaient que la remontée spectaculaire de Jacques Chirac, à la présidentielle de 1995, devait beaucoup à son personnage de caricature, qui le faisait paraître sympathique face au *traître* Sarkozy et au faux *ami de trente ans* Édouard Balladur. Cependant, comme le dénonçaient plusieurs hommes publics, dont Michel Rocard ou François Léotard, les Guignols de l'info constituaient une véritable entreprise de démolition de la vie politique. Ses acteurs se divisaient obligatoirement en deux catégories : d'un côté les naïfs, les benêts, les demeurés (Rocard, Bayrou, Léotard, Hollande, Ayrault, etc.), de l'autre les intrigants, les arrivistes, les rapaces (Sarkozy, Chirac super-menteur, Jean-François Copé). C'était, et cela reste encore aujourd'hui, l'esprit *Charlie Hebdo*, mais désormais appliqué jour après jour au monde politique, avec la puissance de feu d'une émission quotidienne diffusée à l'heure du journal télévisé sur la chaîne de télé la plus à la mode qui soit. Comme le dit volontiers Alain Finkielkraut — en s'étranglant parfois d'indignation —, le triomphe des Guignols, c'est « la dérision installée au pouvoir ».

En quoi il n'a sans doute pas complètement tort : pour toute une génération de moins de quarante ans nourrie à cette émission, la classe politique française ne peut plus être composée que de clowns ou de salauds. Il n'est pas certain que ce culte de la dérision suffise à expliquer à la fois le pessimisme profond des Français face à leur avenir, et le discrédit qui accable tous les dirigeants du pays, mais cela contribue sans doute au désenchantement. Sur Canal +, aux Guignols on a rajouté depuis peu le Petit Journal, qui s'applique chaque jour à tourner également en ridicule les faits et gestes des puissants, quoi qu'ils fassent et quoi qu'ils disent. Même une radio de qualité comme France Inter, qui n'a certes aucune obligation à être « la voix de la France » mais possède une réputation de sérieux et de crédibilité à défendre, avait installé en 2010 à la place d'honneur de sa tranche matinale Stéphane Guillon, un humoriste talentueux, mais un peu répétitif dans la méchanceté. Comme s'il fallait aujourd'hui toujours davantage forcer la dose dans le registre de la dérision pour avoir une chance de se faire entendre.

Au milieu des années 1970, Guy Bedos était l'incarnation même de l'humour assassin, puis Coluche donna l'impression de l'avoir doublé dans le genre transgressif. Aujourd'hui les sketchs de Coluche paraissent presque gentils et inoffensifs, et les revues de presse de Bedos anodines. Pendant une saison entière, Stéphane Guillon, qui officiait juste avant le journal de huit heures du matin, et vingt minutes à peine avant l'apparition de l'invité de France Inter, se livrait plus souvent qu'à son tour à une démolition en règle de la personnalité en question, attaquée parfois sur sa vie personnelle, voire sur son physique. La socialiste Martine Aubry fut traitée de «pot à tabac» entre autres amabilités. L'ironie de l'histoire, c'est que la carrière radiophonique de Stéphane Guillon se termina sur un conflit fracassant avec le nouveau directeur de la station, Philippe Val, qui n'était autre que le refondateur et ancien patron d'un *Charlie Hebdo* deuxième manière, certes devenu au fil du temps beaucoup plus modéré et poli que le modèle d'origine. L'humour «bête et méchant», acceptable dans une publication officiellement affichée comme satirique, devenait franchement embarrassant en pleine tranche matinale d'information : quelle que soit l'opinion qu'on ait sur tel ou tel personnage public, comment celui-ci pourrait-il répondre à des questions sérieuses après avoir été ridiculisé vingt minutes plus tôt? France Inter a donc retiré Guillon de l'antenne, et l'a remplacé par des humoristes, d'ailleurs tout aussi talentueux — Stéphane Blakowski, Nicole Ferroni ou François Morel entre autres —, mais davantage portés sur la fantaisie ou l'absurde que sur le massacre à la tronçonneuse. Les humoristes de ce genre — qui travaillent dans la légèreté — existent donc, même à Paris. Mais il faut convenir que ce sont les démolisseurs qui tiennent le haut du pavé et donnent le ton, à un degré qu'on ne retrouve dans aucune autre grande capitale, où cet humour dévastateur, quand il existe, se pratique dans l'anonymat, dans des cercles privés ou dans des publications marginales.

À Paris, il s'agit d'une tradition déjà ancienne, qui va et vient, disparaît et réapparaît au gré des saisons, mais ne meurt jamais vraiment. André Breton, «pape» du surréalisme, ne fut peut-être pas la plus grande vedette de son époque, mais il fut une figure majeure de la vie culturelle pendant plusieurs décennies, notamment dans les années 1920 et 1930. Il était le chef de la bande et donnait le ton. Or la (petite) histoire du surréalisme est jalonnée de polémiques furieuses, d'échanges d'insultes et parfois de bagarres. Vers la fin des années 1920, on voit Breton, flanqué de Paul Éluard, d'Aragon, de René Char et de quelques autres, venir perturber une pièce de Jean Cocteau, la tête de Turc des surréalistes. Un autre jour, sous un prétexte futile, ils envahissent le bureau des *Nouvelles littéraires* et balancent tout le matériel par les fenêtres. Un peu plus tard, ils organisent une expédition punitive contre un nouveau cabaret de Montparnasse qui a eu l'audace de se baptiser Maldoror, salissant ainsi la mémoire de Lautréamont, l'idole du groupe. L'opération tourne à la bataille rangée, René Char reçoit un coup de couteau dans la cuisse, et tout le monde finit au commissariat. André Breton n'est pas non plus avare d'insultes. Entre mille exemples, à la suite d'un article paru dans la NRF qui lui a déplu, l'irascible poète écrit le 5 octobre 1927 à Jean Paulhan :

> Enfin tu vas te les faire prochainement rouler dans la farine. Pourriture, vache, enculé d'espèce française. Mouchard, con, surtout con, vieille merde coiffée d'un bidet et mouchée d'un grand coup de bite.

De fortes paroles qu'en son temps le professeur Choron aurait pu signer. Breton n'était pas toujours aussi ordurier. Même dans les dernières années de sa vie, il continuait pourtant de poursuivre Cocteau d'une haine tenace et déclarait, en 1959, dans une interview au *Figaro* : « Le contenu de sa versification, sans qu'il soit besoin de recourir à la psychanalyse (*sic*!), se ramène aux propositions qu'on lit dans les urinoirs. » Breton, dont l'influence avait peu à peu décliné dans les années de l'après-guerre, disparut en 1966. Mais Guy Debord et son Internationale situationniste avaient pris le relais dès 1958. Dans des échanges de lettres entre Gallimard et le groupe situationniste, le vieux Gaston Gallimard est traité de « raclure de bidet ». Pour des raisons pas toujours très claires, la société littéraire parisienne a toujours eu un penchant pour les échanges musclés et les tombereaux d'injures.

On ne va pas refaire l'histoire. Mais en remontant en arrière de quelques siècles, on trouve les célèbres *Historiettes* de Tallemant des Réaux, écrites à partir du milieu des années 1650. Tallemant était issu d'une famille de riches banquiers protestants et se voyait une vocation de poète. À Paris, il avait fréquenté les milieux littéraires, le futur cardinal de Retz, La Fontaine à ses débuts. Il avait connu la toute fin du salon de la marquise de Rambouillet, qui resta une amie proche et, semble-t-il, l'encouragea à poursuivre la rédaction de ses *Historiettes*. Où l'on pouvait lire des passages plutôt étonnants sur de célèbres personnages historiques. S'agissant de Louis XIII, dont il évoque la liaison homosexuelle qu'il aurait eue avec Cinq-Mars, il décrit également au passage la passion du roi pour son valet de chambre, un certain Barradas :

> Il aima Barradas violemment ; on l'accusait de faire cent ordures avec lui, il était plutôt bien fait.

À propos d'une grande dame de l'époque, la duchesse de Rohan, fille du ministre Sully et épouse d'un chef du parti protestant, il conte l'anecdote suivante :

> Mme de Rohan, un soir qu'elle revenait du bal, rencontra des voleurs ; aussitôt elle mit la main à ses perles. Un de ces galants hommes, pour lui faire lâcher prise, la voulut prendre par l'endroit que d'ordinaire les femmes défendent le plus soigneusement, mais il avait affaire à une maîtresse mouche : «Pour cela, lui dit-elle, vous ne l'emportez pas, mais vous emporteriez mes perles.»

Cette Marguerite de Rohan, dont Tallemant nous dit qu'elle eut une vie sentimentale bien remplie, avait également des mœurs plutôt modernes :

> Mme de Rohan a eu toujours la vision de se faire battre par ses galants ; on dit qu'elle aimait cela, et on tombe d'accord que MM. De Candalle et Miossens l'ont battue plus d'une fois.

Le manuscrit de Tallemant, dont l'édition actuelle compte plus de deux mille cinq cents pages dans la Pléiade, fut oublié par sa veuve dans la bibliothèque familiale. Il passa de main en main avant de refaire surface dans les années 1820, mais comme personne ne pouvait admettre l'authenticité du document (on croyait à un faux de fabrication récente), il se vendit vingt francs dans des enchères. Finalement publiée en 1834, l'œuvre de Tallemant des Réaux provoqua beaucoup plus de scandale que les *Mémoires* de Retz en 1717 ou *Les Liaisons dangereuses* en mars 1782. Il est vrai que les années 1830 — et le XIXe siècle en général — étaient marquées par une forte poussée de puritanisme bourgeois que ne connaissaient ni la Régence ni les dernières années de l'Ancien Régime. Tallemant des Réaux réussit donc à choquer par des écrits licencieux vieux de deux siècles. Il fut un précurseur. À Paris, le mauvais esprit n'a pas été inventé par *Hara Kiri*. Le professeur Choron avait des ancêtres.

19

Système de la mode

À Paris, le code de comportement est à peu près aussi rigide et complexe que le système des idéogrammes chinois. On est forcé d'en mémoriser un à un les innombrables éléments, car il n'y a pas de logique d'ensemble. On n'a pas droit à l'erreur : la moindre faute de tonalité ou de gestuelle provoque l'hilarité ou la consternation chez vos interlocuteurs. Plus grave : il faut se tenir constamment à l'affût, car ce qui était encore furieusement tendance en décembre 2011 ne l'est plus forcément au mois de mars 2013. Et ce qui est chic dans le 7ᵉ arrondissement ne l'est pas nécessairement dans le 5ᵉ, sans parler du 16ᵉ qui est une autre planète. Cela vaut pour quelques gloires saisonnières de la littérature, les restaurants à la mode, les styles vestimentaires et certains couturiers.

Un beau matin — était-ce en 2011 ? en 2010 ? —, on constata dans les rues de Paris que le pantalon pattes d'éléphant était de retour, et que chacune devait se conformer au nouveau diktat dans les deux jours sous peine de passer pour une ringarde. Au moment où j'écris ces lignes, il n'est pas impossible que le *patt' d'eph'* qui était ressorti de son tombeau soit de nouveau mort et enterré sans qu'on m'en ait informé, ou qu'il soit redevenu synonyme de mauvais goût. De la même manière, il est très bien vu depuis peu dans la capitale de porter aux nues Stromae, un jeune auteur-compositeur-interprète belge d'origine rwandaise, qui vient de faire son apparition dans les cours de récréation et sur les radios musicales. Le quinquagénaire qui se veut branché se sera fait remarquer en lâchant dans la conversation ce nom encore peu connu. Six mois plus tard, aujourd'hui donc, le même Stromae sera devenu synonyme de banalité car tout le monde le connaît déjà. Encore un an de plus et si vous avez le malheur de prononcer son nom — le jeune homme ayant disparu des ondes — vous serez certainement considéré comme un vrai *blaireau* qui tente de se faire passer pour un *djeun'* mais qui n'est au courant de rien.

À l'automne de 2011, un ami représentant la cohorte bien connue des parents d'élèves — et donc informé par son fils adolescent — me brossait le tableau des nouvelles dénominations de tribus dans les cours de récréation : il y avait entre autres les *bolos* et les *nolife*. Certains prétendent que le terme bolos a été inventé au début des années 2000 dans les environs de Créteil, en tout cas dans le Val-de-Marne : le terme venait peut-être d'une banale inversion de lobos, apocope de l'adjectif *lobotomisés*. D'autres soutenaient qu'il s'agissait au départ de la mise bout à bout de deux abréviations, *bo* pour *bourgeois* et *los* pour *lopette*, le bolos se signalant par sa propension à accepter sans discuter les prix exorbitants réclamés par les dealers, voire à se faire racketter sans résistance. Le personnage du nolife, pour sa part, serait né sur Internet et désigne ces adolescents généralement myopes qui passent leur vie devant leur écran d'ordinateur sans jamais réussir à communiquer avec leurs condisciples. Notons que, dans ces deux cas, le terme à la mode est né en proche banlieue parisienne, ou sur le Net, c'est-à-dire nulle part, mais qu'il ne devient officiellement une expression courante et branchée que lorsqu'il est validé par Paris, et notamment par les médias nationaux qui font autorité, comme France 2, France Inter, *Libération*, etc.[1].

Il y a cinq ou huit ans, je ne sais plus, à la faveur d'une insomnie matinale, j'ai pour la première fois entendu, au hasard d'une chronique sur le cinéma : *On le connaît notre Jean Reno, costaud* de chez *costaud…* Même certains amis particulièrement aux aguets n'avaient jamais non plus entendu cette nouvelle tournure. Une semaine plus tard, dans une interview téléphonique, un distributeur de films me glisse : *Attention, ce que je vous dis, c'est off* de chez *off.* J'en ai conclu qu'une nouvelle expression venait de faire son apparition. Il n'est pas impossible qu'elle soit déjà en fin de vie aujourd'hui.

La scène se passe il y a de cela des années chez Lipp. Nous sommes trois. C'est le soir. On nous a installés à l'étage. Je connais la règle d'or qu'on a déjà évoquée : chez Lipp, il faut refuser d'aller à l'étage, car c'est au rez-de-chaussée que

---

1. Une expression marseillaise peut fort bien devenir à la mode et passer dans le langage courant, mais parce qu'elle a été adoptée par Paris. Dans le cas contraire, elle restera une expression marseillaise. C'est-à-dire régionale.

les choses se passent. J'en ai fait l'expérience depuis long-temps. À peine débarqué à Paris, j'étais allé voir l'éminent journaliste Claude Bourdet — ancien grand résistant, cofondateur de *France-Observateur*. Il m'avait reçu avec beaucoup d'amitié et m'avait invité à déjeuner dans la célèbre brasserie. Au rez-de-chaussée, bien entendu, et côte à côte. Bourdet m'avait présenté à un élégant jeune homme, « l'un des plus brillants journalistes de Paris ». Il s'agissait de Philippe Tesson, alors directeur de *Combat* sur les ruines duquel il allait fonder *Le Quotidien de Paris*. Un mois plus tard, je me retrouvais à nouveau chez Lipp, cette fois avec Henri Charrière, plus connu sous le nom de Papillon, après une interview pour son livre *Banco*. Charrière avait l'air d'y venir plusieurs fois par semaine. Il connaissait tout le monde ou presque. On venait le saluer. Il présentait sa jeune attachée de presse en précisant : « C'est Élisabeth. Oui, la fille de Mᵉ Lombard. » J'ignorais à l'époque l'existence de l'avocat marseillais et sa notoriété, mais les interlocuteurs de Papillon semblaient impressionnés. Plus tard, vers la fin du repas, un très grand jeune homme au crâne chauve, élégamment habillé et l'air timide, vint le saluer à son tour. « Tu vois, petit, me dit Charrière, c'est un homme à qui on voulait couper le cou. » Il s'agissait de François Marcantoni, ex-truand, impliqué dans la fameuse affaire Marcovic, du nom du garde du corps d'Alain Delon assassiné puis abandonné sur une décharge publique. Chez Lipp, il y avait une clientèle des plus diverses, et beaucoup de vedettes de l'actualité. C'est là qu'avait commencé l'affaire Ben Barka en 1963. Georges Pompidou et Michel Debré s'y étaient publiquement réconciliés devant une choucroute. François Mitterrand, on l'a dit, venait régulièrement savourer ses harengs à la Bismarck. Le romancier Jacques Laurent était un autre fidèle : il avait sa table attitrée, faisait semblant de manger tout en continuant à siroter son whisky et à fumer sa cigarette. Plus tard, Bernard Pivot prit l'habitude de venir souper avec son équipe le vendredi soir après Apostrophes.

Aucun autre lieu public n'a jamais joui d'une telle importance stratégique dans la société parisienne. Sartre et Beauvoir pouvaient certes fréquenter le Balzar ou La Coupole, André Malraux adorait Lasserre et Jean Cocteau avait son rond de serviette au Grand Véfour. La droite politique, le showbiz et le monde de la télévision ont toujours choyé le Fouquet's. Mais jamais aucun restaurant ou bistrot n'a fédéré autant de puissants de la politique, de l'édition, des médias ou du cinéma avec une telle constance et sur une aussi longue période. Rien d'étonnant à ce que, dans cet espace réduit où le rez-de-chaussée se terminait en wagon de métro, les questions de préséance aient pu prendre une telle importance. Une table de plain-pied permettait de voir et d'être vu. Mais il valait mieux également se trouver dans la première partie de la salle que dans la seconde. Quand j'étais venu avec Claude Bourdet, on lui avait donné une table bien située. Philippe Tesson était logé à la même enseigne. Quand je suis revenu avec Charrière, l'emplacement était encore plus flatteur : à l'écart du passage, proche de la vitrine et avec vue imprenable sur la salle. Je ne sais pas si de célèbres habitués auraient accepté d'être placés au fond de la salle ou si la chose était envisageable. Il n'était pas question de se retrouver à l'étage.

C'était donc mon cas ce soir-là. Quand un client non répertorié de longue date arrivait chez Lipp vers vingt-deux heures, la réponse était invariable : Il y a de la place mais à l'étage. Pour ma part, étant claustrophobe, j'aimais beaucoup mieux La Coupole et le Balzar et, tant qu'à être chez Lipp, je préférais la salle à l'étage où il y a plus d'espace, même si je connaissais le vieux précepte d'airain. Et voilà que, ce soir de semaine, je voyais sur la banquette voisine un auteur plutôt renommé — ni dandy ni célèbre — qui avait publié un an plus tôt un ouvrage instructif et amusant sur les mœurs germanopratines : chez Lipp, ne jamais accepter d'aller à l'étage! avait-il écrit en lettres de feu. Et maintenant il s'y était retrouvé, alors que sans doute il espérait impressionner favorablement son accompagnatrice du moment. La honte! Il avait la mine déconfite de celui qui se dit : ça y est, tout le monde se souvient de ce que j'ai écrit et est témoin de l'humiliation publique que je suis en train de subir. C'est à ces petits détails qu'on distingue une soirée enchanteresse d'un mauvais rêve. Si l'opinion qui fait la mode à Paris avait un jour décidé que chez M. Roger Cazes, fils de Marcellin Cazes qui avait repris l'établissement alsacien en 1920, on est bien mieux à l'étage qu'au rez-de-chaussée, tout le monde aurait réclamé d'y être, et cet auteur un peu joufflu et myope se serait rengorgé devant la demoiselle de ses pensées.

Plus tard, je raconte cette mésaventure amusante à B***, ancien journaliste culturel, ancien pensionnaire de la villa Médicis à Rome, ex-futur nouveau philosophe. L'un de ces jeunes gens qui ont failli réussir brillamment en débarquant de leur province, n'ont pas échoué, loin de là, mais n'ont pas non plus atteint les sommets auxquels ils se croyaient destinés. Il était au courant de tout, et en particulier des derniers mouvements de mode. À propos de cette importante question de préséance chez Lipp, il me dit doctement : « Cet auteur aurait eu tort de se morfondre. Depuis que la princesse de… [il me cite un nom illustre que j'ai oublié], a accepté de monter à l'étage, on peut très bien y aller sans déchoir. » B*** était un jeune homme plein d'aplomb. Peut-être bien avait-il déniché ou inventé cette anecdote un soir où il avait été pris en flagrant délit de relégation dans cette salle où chacun disait qu'il ne fallait pas mettre les pieds.

En Amérique du Nord, la frontière précise entre ce qui se fait et ne se fait pas, la ligne de démarcation entre le chic et le ringard n'existent pas vraiment. Même dans des milieux bourgeois new-yorkais, on verra apparaître à un dîner des individus habillés approximativement et peu doués pour la conversation sans se formaliser. À Paris, la moindre faute de goût est aussitôt remarquée et sanctionnée. On dira de lui : *Untel avec ses chemises bicolores à boutons de manchettes*, ou *Machin qui ponctue chaque phrase d'un j'veux dire* (ou d'un *Si vous voulez*), ou *Truc dont les chaussettes tirebouchonnent*, ou *Machinette avec ses tailleurs fraîchement sortis de l'usine!* À Paris, on fait dans le détail minuscule, l'infiniment précis et on assume.

Il y a une quinzaine d'années, je me trouvais à Montréal,

à une émission de radio matinale où les invités sont principalement journalistes, écrivains et artistes. On bavardait à propos des derniers événements parisiens, c'est-à-dire de tout et de rien. «Paris est assez simple, dis-je en souriant à l'animatrice en grossissant à peine le trait. Il suffit d'habiter la bonne moitié du 7ᵉ arrondissement, celle qui va vers Saint-Germain-des-Prés. La deuxième chose : il faut faire très attention à ses chaussures car on vous juge là-dessus.»

En fin d'interview, la meneuse de jeu interpelle son prochain invité, qui se trouve au téléphone depuis son appartement à Paris :

«Bonjour, ici Daniel Rondeau, dit-il, je vous parle depuis le 7ᵉ arrondissement…

— Est-ce que vous êtes d'accord avec ce qui vient d'être dit, notamment pour les chaussures ?

— Bien sûr. Mais j'ajouterais : on vous juge également à vos chaussettes.»

Daniel Rondeau était un brillant jeune homme éminemment rastignacien, grand et mince, d'une élégance jamais prise en défaut, une lourde mèche rebelle lui barrant le front. Il aurait pu être BHL à la place de BHL, il avait le même âge que lui et, à ses débuts, se posait en sérieux concurrent. Mais l'Histoire en a voulu autrement : peut-être avait-il mauvais caractère, trop d'ennemis ou pas assez d'alliés. Il était venu à la politique par la très radicale Gauche prolétarienne. Cela l'avait mené au journalisme, à l'écriture et à l'édition.

En 2008, le voilà ambassadeur à Malte par la grâce de Nicolas Sarkozy (ou de Bernard Kouchner). En 2011, on lui trouve un poste de délégué permanent de la France auprès de l'Unesco en remplacement de Rama Yade, licenciée pour cause de ralliement à Jean-Louis Borloo. Une carrière assez contrastée et atypique. Une chose est certaine : vers la fin des années 1990, cet homme pouvait être considéré comme un arbitre incontestable des élégances parisiennes. Ce goût très sûr et précis, y compris dans l'habillement, ferait-il partie de l'ADN de la haute intelligentsia ? En 1973, Régis Debray venait de rentrer à Paris, après quelques semaines de guérilla et quatre ans de prison en Bolivie, puis deux ans de résidence militante au Chili sous la présidence de Salvador Allende. C'était indéniablement le retour du héros révolutionnaire sans peur et sans reproche. Le brillant normalien avait été à trente ans la plume pensante de Fidel Castro, puis le compagnon de Guevara dans les montagnes boliviennes, enfin l'interlocuteur privilégié du président Allende. À Paris, la gauche buvait ses paroles : que penser du programme commun ? fallait-il soutenir ce politicien bourgeois de Mitterrand ? Sur toutes ces questions, Régis Debray aurait les réponses, personne n'en doutait.

Là-dessus, la même S***, dont on a vu plus haut qu'elle avait de bonnes fréquentations intellectuelles et connaissait la moitié des ragots en circulation sur la rive gauche[1], nous raconta à table la dernière anecdote concernant le célèbre compagnon du Che.

---

1. Elle m'avait raconté le « scandale » provoqué par un journaliste du *Nouvel Observateur* qui avait éventé le secret du Luberon, nouveau refuge estival des germanopratins. Voir chap. 4, « Paris hors les murs ».

«Imaginez-vous que, l'autre jour, M***, vieux condisciple de la rue d'Ulm, reçoit enfin un appel de Régis Debray, un mois après le retour de ce dernier à Paris. Il s'attend à ce que l'autre l'entretienne de guérilla, de foyer révolutionnaire, du problème de la violence et du légalisme. Au lieu de quoi Debray lui tient le discours suivant : "Mon cher, peux-tu m'indiquer les coordonnées d'un tailleur de bonne qualité, que je puisse m'habiller sans avoir l'air ni d'un plouc ni d'un gauchiste ?" M*** était estomaqué, il va sans dire…»

S*** faisait mine d'être très légèrement choquée par les propos supposés de Régis Debray, mais elle en était au fond ravie, comme le reste des convives. Tous y voyaient la manifestation d'une suprême élégance, consistant à afficher une légèreté de bon aloi au milieu des tragédies planétaires. L'équivalent parisien du fameux *Dr Livingstone I presume?* proféré par l'explorateur le 10 novembre 1871 sur les bords du lac Tanganyika lorsqu'il était tombé nez à nez avec un gentleman bien blanc vêtu à la coloniale, et qu'on croyait mort et disparu depuis des années. On n'a pas la preuve, bien sûr, que Régis Debray ait textuellement prononcé la phrase en question, mais à l'époque, et c'est ce qui compte, on jugeait la chose plus que vraisemblable. Pouvait-on se permettre avec un vieux camarade de Normale sup de jouer les damnés de la Terre alors qu'on vient de revenir dans le cocon originel de la rive gauche, que ses parents sont des avocats renommés, que sa mère a été pendant vingt-quatre ans conseillère municipale (gaulliste) du 8ᵉ arrondissement — et qu'elle finira sa carrière comme sénatrice ? Mieux vaut adopter le ton de l'humour, ce qui équivaut à dire à peu de chose près : nous vivons au milieu des tragédies, la lutte des classes ne cesse de s'exacerber, l'impérialisme américain est à nos portes, mais on ne va pas se donner le ridicule, au milieu de la douceur de vivre parisienne, de prendre des postures héroïques. Et d'ailleurs, n'est-il pas également fondamental de se trouver des habits de bonne coupe, qui ne sentent ni le représentant de la FNSEA ni l'enragé chevelu en manque de barricade ?

En un mot, le futur ex-théoricien de la guerre de guérilla se permettait un trait d'humour concernant une affaire parisienne de la plus haute importance — le code vestimentaire — tout en reconnaissant l'importance capitale de ladite affaire. La célèbre Nancy Mitford, grande bourgeoise londonienne installée à Paris dans l'après-guerre, comme on l'a vu, expliquait dans les années 1950 qu'à Londres les dames de la haute société s'habillaient le soir de manière luxueuse et recherchée — presque trop et parfois comme des sapins de Noël — mais se vêtaient n'importe comment pendant la journée, avec des vêtements de bonne qualité et un peu usés car « s'habiller à la dernière mode passait pour le comble de la vulgarité, c'était bon pour les actrices et les courtisanes[1] ». Elle notait qu'*a contrario* les Parisiennes (et les Parisiens) étaient perpétuellement en représentation et donc extrêmement soucieuses d'apparaître *up to date* jusque dans les moindres détails. À Londres, on pouvait et on devait s'habiller n'importe comment — c'est-à-dire

---

1. *Une Anglaise à Paris, op. cit.*

surtout pas à la mode — à la seule condition que le tweed soit de bonne qualité, le pull garanti 0 % de fibres synthétiques et les chaussures inusables. À Paris, il était impératif d'être parfaitement à la mode, sans la moindre fausse note. À la mode, certes, mais laquelle ? La damnation est dans les détails, et cela n'a guère changé.

Il n'y a pas que les vêtements d'ailleurs. Un jour, dans l'après-midi, je reviens de la Cité des Sciences et de l'Industrie, située comme chacun sait à l'extrémité est de Paris, sur l'emplacement des anciens abattoirs de la Villette. Je monte dans le métro à la station Porte-de-Pantin. Je lève la tête et mon regard s'attarde machinalement sur un passager. Après un moment d'incrédulité, je constate que j'ai devant moi le fameux scientifique Joël de Rosnay, célèbre pour ses ouvrages de vulgarisation et ses apparitions médiatiques. Visage patricien d'entre les patriciens, loden irréprochable, fixant le vide, il est resté debout même s'il reste quelques places assises. Je me dis qu'il doit revenir comme moi de cette conférence de presse à la Cité. Dans ce quartier, aucun taxi à l'horizon, il faudrait donc en appeler un, attendre on ne sait combien de temps même avec un abonnement, pour finalement aller se jeter dans de monstrueux embouteillages. À la porte de Pantin, il n'y a pas d'autre choix : on prend le métro. Je suppose que ce fut le raisonnement de notre scientifique.

Le plus surprenant dans cette affaire, c'est peut-être que j'aie été surpris : de voir Joël de Rosnay dans le métro était en effet un spectacle totalement inusité. Car il faisait partie, du moins on pouvait le croire, des gens qu'on ne voit jamais dans le métro.

À Paris, j'ai marché des milliers de kilomètres à pied. J'ai pris des milliers de taxis, à raison de vingt par semaine pendant quelques décennies. Précédemment j'avais circulé dix ans en deux-roues. Je n'ai jamais pris le bus, car j'ai la certitude, à tort sans doute, qu'il lui faudra une demi-heure pour faire cinq cents mètres dans les bouchons. J'ai dû mettre le pied dans le RER à cinq reprises en comptant large. Mais j'ai pris le métro des milliers de fois, rarement aux heures de pointe le matin mais parfois le soir. Or j'ai constaté ceci : certaines catégories sociales ne s'y trouvent jamais, ou de manière exceptionnelle. Le métro n'est le lieu d'élection ni des bourgeoises élégantes ni des jeunes ambitieuses habillées à la dernière mode et qui s'en vont à des rendez-vous professionnels, ni des innombrables Rastignac en ascension sociale. En plusieurs décennies, j'ai dû croiser à dix ou quinze reprises des exceptions à la règle. Souvent cela se passait sur la ligne Neuilly-Vincennes, sans doute parce que sur le parcours on trouve, entre Neuilly, l'Étoile et le quartier des Champs-Élysées un nombre important de studios de radio et de télé, quelques rédactions, des sociétés de production et des agences de publicité. Supposons que vous ayez à faire le trajet depuis le métro George-V, où se trouve votre bureau, jusqu'au métro Saint-Paul, où vous avez rendez-vous à dix-neuf heures, le métro reste la meilleure solution possible. À raison d'une minute et demie entre chaque station, le trajet vous demandera quinze minutes, infiniment moins qu'en voiture (avec chauffeur ?)

ou en taxi, si vous en trouvez un. Quant au bus, n'en parlons pas : on ne connaît personne assez fou pour tenter un tel périple Étoile-Marais aux heures de pointe. C'est donc sur cette fameuse ligne 1 que j'ai constaté sur vingt ou trente ans la plupart de ces infractions aux bonnes manières. Un soir, j'ai croisé — sans surprise dans ce cas — André Glucksmann qui sortait de la réunion d'un jury littéraire proche de la station Franklin-Roosevelt. Un soir, j'ai aperçu une authentique bourgeoise, d'une élégance infinie, accompagnée de deux sacs de voyage de grande marque : j'en ai conclu qu'elle allait à la gare de Lyon et que toute autre solution était ce jour-là impraticable : peut-être y avait-il une manifestation paralysant la moitié de la ville. Ajoutons à cette liste sommaire une cadre à la télé (bureau rue Marbeuf, résidence sur l'île Saint-Louis), un producteur de documentaires cool habitué du métro et une journaliste-essayiste assez familière du petit écran pour être reconnue dans la rue.

Admettons que le métro parisien n'a rien de particulièrement agréable, qu'il peut être pénible aux heures de pointe et que, parfois, sur certaines lignes en fin de soirée, ou les vendredis et samedis soir, l'atmosphère peut y devenir un peu lourde. Rien à voir cependant avec la plupart des lignes de RER, dont le RER B, après vingt heures : le métro parisien est plutôt propre, les rames sont récentes, on ne s'y fait pas souvent agresser. Les pickpockets, contre lesquels la RATP nous met en garde par des annonces au haut-parleur, sont un peu partout, mais essentiellement dans les stations les plus importantes, là où se croisent plusieurs lignes de métro et de RER. À la condition d'éviter soigneusement des monstres souterrains tentaculaires comme Châtelet-Les Halles, Montparnasse-Bienvenüe ou Gare-du-Nord, et de privilégier les trajets directs, le réseau parisien reste généralement la moins mauvaise des solutions pour aller d'un point à un autre. Un wagon bondé n'est pas le lieu le plus agréable du monde, mais un embouteillage de trente minutes dans la rue de Rivoli et dont on ne voit pas la fin n'est pas beaucoup mieux.

Il existe donc une large portion de la population parisienne qui, sauf urgente nécessité, ne descendrait jamais dans le métro. Sans surprise, on n'y verra jamais des dentistes non conventionnés, des ophtalmologistes ou des chirurgiens, sauf ceux estampillés Médecins sans frontières, des avocats à moins qu'il ne s'agisse de plaideurs sans clientèle. Les journalistes parisiens arrivés — salariés au *Monde*, à France Inter ou au *Nouvel Observateur* — se garderont généralement d'y mettre les pieds, de même que les psychanalystes, les professeurs d'université titularisés et, de manière générale, la plupart des femmes qui ont bac + 4 ou davantage. Même les bobos au revenu modeste — professeurs au lycée ou au collège, salariés de l'édition, attaché(e)s de presse en tout genre — évitent ce lieu jugé «très antipathique». Ils s'y résolvent, mais seulement quand il n'y a pas d'autre choix. Mettons-nous d'accord : il n'y a pas de honte à prendre le métro quand on habite Montmartre, qu'on doit aller quatre fois par semaine dans le quartier de l'édition, sachant que depuis Lamarck-Caulaincourt la ligne est directe jusqu'au métro Rue-du-Bac ou à la station Notre-Dame-des-Champs. Pas davantage lorsqu'on est attachée de presse, qu'on habite le bon 14ᵉ et que les bureaux de son agence se trouvent près de la gare du Nord. Les bobos, du plus modeste au plus aisé, ne vont pas se cacher d'utiliser ce moyen de transport, et personne ne leur en fera reproche. On louera leur courage.

Il existe cependant un moyen de locomotion, à première vue aussi modeste que le métro, et qui rallie tous les suffrages. À preuve cet échange rituel entendu mille fois : *Vous vous déplacez comment dans Paris ? — Oh moi, je suis très autobus, j'adore.* L'autobus est un lieu où vous pouvez croiser des directeurs littéraires, des épouses de chirurgien, quelques cadres supérieurs ou des diplomates de niveau intermédiaire. Un présentateur du journal télévisé d'une époque ancienne se vantait d'utiliser ce moyen de transport.

Pour des raisons partiellement compréhensibles, la fréquentation du bus est considérée comme une activité propre et civilisée. Certaines raisons sont avouables : on n'est pas sous terre, il n'y a pas trop de bousculade et parfois l'autobus vous mène très exactement de votre travail à votre appartement et vice versa. D'autres le sont moins : elles tiennent au fait que les usagers qu'on y croise ont un niveau social *compatible* et qu'on pourrait presque engager la conversation avec eux. Inversement il y a tous ceux qu'on n'y croisera jamais : les salariés de base harassés qui s'offrent matin et soir quarante-cinq minutes de transports en commun, les banlieusards venus de l'est qui traversent Paris pour aller faire *technicienne de surface* ou agent de sécurité au quartier de la Défense. Le bus est un moyen

de transport destiné à ceux qui n'habitent pas trop loin de
leur travail — car personne n'est assez fou pour vouloir
traverser tout Paris de cette manière —, ou alors à ceux
et celles qui se soucient peu des embouteillages car ils ont
tout leur temps. Tant qu'on pouvait circuler à deux-roues
sans casque, le Solex, petit engin économe, sans prétention et de conception tellement française, était considéré
comme un moyen de locomotion particulièrement chic
par sa modestie même, et le journaliste Alain Duhamel
n'en connaissait pas d'autre. Loden et Solex faisaient souvent la paire. Aujourd'hui, même si chacun regrettera les
anciens bus à plate-forme que l'on pouvait attraper en
pleine course, et où l'on grillait une cigarette en profitant
du spectacle, l'autobus est resté (ou devenu) un moyen de
transport discrètement bourgeois.

Dans les milieux policés de la capitale, pour peu que
vous ayez imprudemment raconté vos mésaventures en
sous-sol, il se trouvera quelqu'un pour dire : *Ah ! vous prenez
le métro ?* Il y a très longtemps, au siècle dernier, on pouvait
voir au cinéma d'irrésistibles publicités pour la Samaritaine
qui faisaient mourir de rire aficionados et cinéphiles. Dans
l'un de ces films, une redoutable bourgeoise des beaux
quartiers, moitié Castafiore et moitié Marie-Chantal, était
en train de discuter de grands travaux de rénovation de son
appartement avec un décorateur de la « Samar », forcément
jeune, snob et gay. Maladroitement il avait laissé tomber un
petit bout de papier de sa poche. La cliente le prenait entre
ses doigts, constatait qu'il s'agissait d'un ticket de métro :
elle avait un mouvement de recul et poussait un petit cri

d'horreur, comme si elle venait de découvrir un cafard dans son assiette. *Son* décorateur aurait-il eu le mauvais goût de voyager avec *les pauvres*?

À Paris, il y a des choses qui se font, et d'autres qui ne se font pas. Leur nomenclature exacte peut varier selon les quartiers et les saisons, car les vieilles familles bourgeoises du 16ᵉ, elles-mêmes en désaccord avec celles du 7ᵉ, ne pratiquent pas le même snobisme que les bobos du métro Pernety ou de la place d'Aligre. La seule certitude : quel que soit le quartier et dans tous les milieux estampillés parisiens, il existe un code de comportement strict, invisible au visiteur de passage, d'autant plus complexe qu'il est mouvant. Tout aspirant au titre de citoyen de Paris doit le connaître ou faire semblant de le connaître sous peine de s'attirer des moqueries ou de se voir attribuer la table coincée entre les toilettes et le portemanteau dans le dernier restaurant à la mode.

Le Parisien a l'obligation de se tenir au courant des derniers usages. Sortir le samedi soir? Peut-être mais à la bonne franquette chez des «copains» et jamais dans un lieu public. Lire ou ne pas lire tel auteur en vogue, porter aux nues telle nouvelle émission de télé ringarde justement parce qu'on sait qu'elle est ringarde? Dans les années 1980, il était de bon ton de regarder assidûment la série *Dallas*, d'abord parce que c'était le comble du kitsch, ensuite parce que cela prouvait qu'on était resté chez soi le samedi soir. Peut-on encore fréquenter La Coupole sans déchoir? le midi? le soir? seulement en milieu de semaine? Faut-il avouer à des interlocuteurs apparemment branchés qu'on habite le 15ᵉ, le 12ᵉ, ou même les profondeurs du 16ᵉ arrondissement ? Oui, mais à condition d'ajouter : je sais que c'est ringard, nous nous sommes posés là en catastrophe mais nous n'allons pas nous incruster. Mieux encore : je sais, il n'y a plus que des vieilles avec des chiens et des dentistes, c'est un quartier tellement démodé qu'il en redevient authentique, il n'y a pas un seul bobo à l'horizon, c'est le vrai Paris, quoi ! Le Parisien digne de ce nom sait qu'il doit affronter et résoudre à longueur d'année sans tomber dans le ridicule une infinité de questions de ce genre. Plus quelques autres : faut-il encore faire semblant d'avoir lu Sollers ? Peut-on avouer qu'on a dévoré *Millenium* et Joël Dicker ? Un Parisien consacre une partie de son temps et de son énergie à se tenir au courant, à être dans le coup.

Avis aux étrangers désireux de s'intégrer : n'essayez pas de maîtriser tous les éléments du code, car la mission est impossible. Assimilez les grandes lignes et quelques rudiments de base qui vous feront bien voir : si vous n'avez aucun goût en matière vestimentaire, tenez-vous-en au triptyque Harris tweed + chaussures Weston + 501 de Levi's. Concernant les lieux à la mode, jouez les valeurs sûres et conformez-vous à ce que des gens labellisés chic ont dit. Si vous êtes globalement inculte, testez auprès d'amis sûrs des éléments de langage qui serviront en toute circonstance. Dites : *La musique classique ? Je n'y connais rien car pour moi il n'y a pas de vraie musique depuis la mort de Monteverdi.* De même pour le cinéma : *J'ai des idées sur le cinéma muet et Buster Keaton, mais après bof... Les lieux à la mode ? C'est simple, je ne vais plus nulle part, d'ailleurs j'ai décidé que le lieu à la mode, c'est celui où je me trouve.* Faute d'avoir un répertoire vraiment étoffé pour mener en première ligne une conversation de salon, soyez prudent et même réservé au besoin, n'intervenez qu'à coup sûr, jouez en contre et, quel que soit le sujet, soyez toujours péremptoire.

En un mot : soyez insupportable à bon escient, cela vous fera un point de départ convenable sur le chemin du vrai parisianisme.

Épilogue

Un animal singulier

Un livre sur les Parisiens, même le plus ambitieux, est forcément une œuvre inachevée. Sur le sujet, il y aurait matière à écrire un récit des mille et une nuits, un ouvrage qui n'aurait jamais de dénouement. Comme dans une nouvelle de Borges, l'auteur qui aurait le projet de restituer dans leur intégrité la réalité et l'histoire de Paris et de ses habitants constaterait, à mesure qu'il avance dans son travail, que celui-ci sera sans fin. Les personnages de premier plan de cette histoire sont déjà innombrables, mais par souci d'honnêteté il faudrait se pencher sur les faits et gestes des rôles secondaires, puis des gens dits ordinaires, puis des parfaits inconnus, parfois tout à fait captivants. Quant aux événements significatifs qui se sont produits dans ces lieux depuis deux millénaires, le seul fait d'en dresser la liste paraît une entreprise surhumaine.

Considérons donc le présent ouvrage comme une modeste contribution à ce *work in progress* que constitue le Grand Livre de Paris et des Parisiens. Son écriture avait déjà commencé à l'époque où François Villon, au milieu du xvᵉ siècle, méditait devant les «fourches patibulaires» du gibet de Montfaucon, à quelques mètres de l'actuelle place du Colonel-Fabien, dans le 19ᵉ arrondissement. On retrouve le fil de la même histoire, on l'a vu, dans les *Historiettes* de Tallemant des Réaux et les *Mémoires* du cardinal de Retz au xviiᵉ siècle. Vers la fin du xviiiᵉ, Louis-Sébastien Mercier, Parisien «de souche» s'il en fut — né rive droite à un jet de pierre du Pont-Neuf d'un père fourbisseur[1], éduqué au prestigieux collège des Quatre-Nations, futur siège de l'Académie française —, était bien placé pour avoir une opinion sur les habitants de sa ville natale : elle était sans indulgence. Déjà à cette époque le Parisien avait mauvaise opinion… du Parisien :

> Celui-ci, constate Mercier en 1783, parle en général très longtemps sans rien dire, ou plutôt en disant des riens. Écoutez une conversation de deux personnes qui se connaissent à peine : tous deux parlent à la fois et chacun se pique de répondre. Dans les cafés oyez les disputes criardes, bavardes et sottisières. Ici sont des rimeurs échauffés, qui se transportent pour des hémistiches ; plus loin d'épais bourgeois qui commentent longuement des gazettes inutiles[2].

Cela fait quelques siècles, en somme, que les mêmes personnages rejouent les mêmes scènes, avec des variantes. En 1783, Paris était déjà, au dire de Mercier, «un gouffre

---

1. Le fourbisseur était «un artisan qui fourbit (polit) les sabres, les épées» (Littré).
2. *Tableau de Paris, op. cit.*

où se fond l'espèce humaine», même si à cette époque
la population intra-muros, selon ses propres évaluations,
ne dépassait pas les «neuf cent mille âmes» et la banlieue
«environ deux cent mille». L'auteur notait également que,
«à une heure du matin, six mille paysans s'acheminent vers
la Halle, portant des légumes, du fruit et des fleurs». Cela
cessera d'être vrai avec la destruction des Halles de Baltard
à la fin des années 1960. Il arrive que l'histoire bifurque.
L'auteur du *Tableau de Paris* estime, à six ans de la prise de
la Bastille, que «les Parisiens repoussent les canons par des
vaudevilles et n'ont jamais eu que des mutineries d'éco-
liers» : il se trompait sur 1789 mais avait bien décrit avec
deux siècles d'avance les événements de Mai 68.

Sur le même canevas immuable, les Parisiens ont donc
brodé des scénarios qui n'étaient pas toujours identiques.
À force de toujours se répéter dans ses grandes lignes, l'histoire de Paris a fini par produire dans les interstices des
épisodes inédits. La preuve : les inamovibles concierges qui
tenaient la ville ont un jour disparu, alors qu'on les croyait
éternelles. D'autres changements sont intervenus dans les
temps récents sur lesquels on ne s'est pas attardé. La gentrification de plus des trois quarts de la ville, on l'a vu, a
eu pour effet de chasser hors les murs les classes populaires
qui avaient jusque-là survécu au cœur de la capitale, mais
dans un second temps le développement rapide du Réseau
express régional a ramené à l'intérieur des anciennes fortifications — fût-ce pour de simples virées le soir ou pendant
le week-end — une population de jeunes banlieusards qui
jusque-là n'y venaient presque jamais. Paris est une ville de

plus en plus bourgeoise où continuent d'affluer de riches étrangers et où les représentants des professions intellectuelles ont remplacé les personnes âgées qui avaient fini par décéder dans leurs loyers de 48, et les artisans et commerçants qui avaient renoncé au petit appartement attenant à leur atelier ou à leur boutique. Léger paradoxe, qui n'est sans doute qu'apparent : tant que Paris resta en partie « populaire », on élut triomphalement Jacques Chirac et, aux élections municipales de 1983 et de 1989, même les arrondissements de l'Est votèrent sans exception pour lui. Il est vrai que ces électeurs de condition « modeste », retraités ou petits commerçants, étaient également des « clients » de la chiraquie. Lorsque les bobos prirent la place des vieux Parigots de condition modeste, la droite fut balayée dans les arrondissements de l'Est, et Paris, que l'on avait fini par considérer comme un bastion imprenable de la droite, bascula à gauche avec l'arrivée de l'équipe de Bertrand Delanoë au pouvoir à l'Hôtel de Ville[1]. L'une de ces fantaisies

---

1. Dans le mode de scrutin actuel, le maire est désigné par les conseillers municipaux élus respectivement dans chacun des vingt arrondissements. En 2001, même s'il était très légèrement devancé par son adversaire Philippe Séguin sur l'ensemble de la ville, Bertrand Delanoë a remporté la victoire parce que ses listes avaient gagné dans les arrondissements clés, et ainsi obtenu une large majorité de sièges au conseil municipal. Lors du scrutin de 2008, le rapport de forces au conseil est resté inchangé, même si cette fois Delanoë avait nettement distancé Françoise de Panafieu au vote populaire. Pour les élections de mars 2014, on estimait, au moment où nous écrivons ces lignes, que la bataille entre la socialiste Anne Hidalgo, la favorite, et la candidate de l'UMP Nathalie Kosciusko-Morizet se jouerait dans deux ou trois grands arrondissements que la droite pouvait espérer reprendre à la gauche pour obtenir un renversement de majorité à l'Hôtel de Ville.

électorales dont les Parisiens sont coutumiers. Aux élections européennes de 2009, la liste d'Europe Écologie les Verts menée par Daniel Cohn-Bendit dépassa largement la barre des 20 % des voix (20,86 % pour l'ensemble de la circonscription Île-de-France). EELV frôla à nouveau l'exploit aux élections régionales de 2010, avec 16,6 % des voix en région parisienne. En revanche, le Front national obtient ses plus mauvais scores dans la capitale — Marine Le Pen y enregistra 6,20 % des voix, contre près de 18 % pour l'ensemble de la France au premier tour de la présidentielle de mai 2012.

Le Parisien est un animal singulier qui a un comportement singulier, y compris au moment des élections. Nous sommes passés un peu rapidement sur ces péripéties électorales qui, au fond, nous ramenaient toujours à cette prudente constatation de départ qui mettra presque tout le monde d'accord : le Parisien ne fait rien comme les autres. Il est peut-être pire que les autres, ou encore pire que ce que l'on croit généralement. Mais il est surtout à part.

Le Parisien est un cas.

Table

IV. FANTÔMES

V. CODES